Minha VIDA, minha OBRA

HENRY FORD

Minha VIDA, minha OBRA

Tradução
Vânia Valente

Principis

Esta é uma publicação Principis, selo exclusivo da Ciranda Cultural
© 2021 Ciranda Cultural Editora e Distribuidora Ltda.

Traduzido do original em inglês
My life and work

Texto
Henry Ford

Tradução
Vânia Valente

Preparação
Casa de Ideias

Revisão
Rosi Melo
Fátima Couto

Produção editorial e projeto gráfico
Ciranda Cultural

Imagens
Here/Shutterstock.com;
ITS STUDIO/Shutterstock.com;
Everett Collection/Shutterstock.com

Dados Internacionais de Catalogação na Publicação (CIP) de acordo com ISBD

F699m	Ford, Henry
	Minha vida, minha obra / Henry Ford ; traduzido por Vânia Valente. - Jandira, SP : Principis, 2021.
	272 p. ; 15,5cm x 22,6cm. - (Biografias)
	Tradução de: My life and work
	ISBN: 978-65-5552-198-6
	1. Autobiografia. 2. Henry Ford. I. Valente, Vânia. II. Título. III. Série.
2020-2571	CDD 920
	CDU 929

Elaborado por Vagner Rodolfo da Silva - CRB-8/9410

Índice para catálogo sistemático:
1. Autobiografia 920
2. Autobiografia 929

1ª edição em 2021
www.cirandacultural.com.br
Todos os direitos reservados.
Nenhuma parte desta publicação pode ser reproduzida, arquivada em sistema de busca ou transmitida por qualquer meio, seja ele eletrônico, fotocópia, gravação ou outros, sem prévia autorização do detentor dos direitos, e não pode circular encadernada ou encapada de maneira distinta daquela em que foi publicada, ou sem que as mesmas condições sejam impostas aos compradores subsequentes.

SUMÁRIO

Introdução: Qual é a ideia? 7

O início da empresa 25

O que aprendi sobre negócios 36

Iniciando o verdadeiro negócio 49

O segredo de produzir e servir 66

Introdução à produção 79

Máquinas e homens 92

O terror da máquina 104

Salários 117

Por que não ter sempre um bom negócio? 131

Até que ponto se podem fabricar coisas baratas? 141

Dinheiro e bens 156

Dinheiro – senhor ou escravo? 169

Por que ser pobre? 183

O trator e a agricultura mecânica 193

Por que caridade? 204

As estradas de ferro 219

Coisas em geral 230

Democracia e indústria 247

O que podemos esperar 260

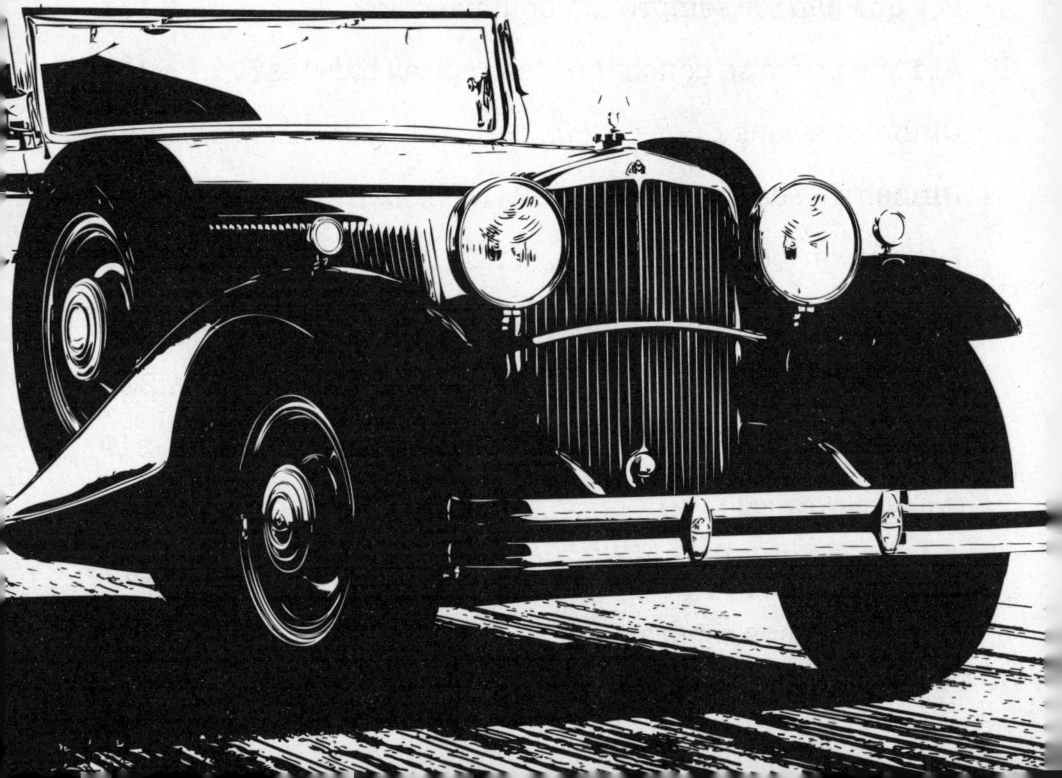

INTRODUÇÃO
QUAL É A IDEIA?

Nós mal começamos o desenvolvimento de nosso país; no entanto, com toda essa conversa sobre progressos maravilhosos, ainda não fizemos mais do que arranhar a superfície. O progresso tem sido maravilhoso, mas, quando comparamos o que fizemos com o que há para fazer, nossas realizações passadas não são nada. Quando consideramos que se utiliza mais energia apenas para arar o solo do que em todos os estabelecimentos industriais do país juntos, temos uma ideia de quanta oportunidade há pela frente. Com tantos países do mundo em agitação e com tanta inquietação em todos os lugares, este é um excelente momento para sugerir que é possível fazer algo à luz do que já foi feito.

Quando se fala em aumentar a energia, as máquinas e a indústria, imaginamos um mundo frio e metálico, no qual grandes fábricas afastam as árvores, as flores, os pássaros e os campos verdes. E então teremos um mundo composto de máquinas metálicas e máquinas humanas. Não concordo com isso. Penso que, a menos que conheçamos mais sobre as máquinas e seu uso, a menos que entendamos melhor a parte mecânica da vida, não teremos tempo para apreciar as árvores, os pássaros, as flores e os campos verdes.

Penso que já fizemos muito para banir as coisas agradáveis da vida, achando que há alguma oposição entre viver e fornecer os meios de subsistência. Perdemos tanto tempo e energia que pouco nos restou para nos divertirmos.

Energia e maquinário, dinheiro e bens são úteis apenas quando nos libertam para viver. Eles são apenas meios de atingir um fim. Por exemplo, não considero as máquinas que levam meu nome simplesmente máquinas. Se isso fosse tudo, eu faria outra coisa. Tomo-as como evidência concreta do desenvolvimento de uma teoria de negócios, que espero seja algo mais do que uma teoria de negócios, uma teoria que visa tornar este mundo um lugar melhor para se viver. O fato de o sucesso comercial da Ford Motor Company ter sido mais incomum é importante apenas porque serve para demonstrar, de uma maneira que ninguém pode deixar de entender, que a teoria até o momento está correta. Considerado unicamente sob essa luz, posso criticar o sistema predominante da indústria e a organização do dinheiro e da sociedade do ponto de vista de quem não foi derrotado por eles. Da maneira como as coisas estão atualmente organizadas, eu poderia, se estivesse pensando apenas de modo egoísta, pedir que não ocorressem mudanças. Se quero só dinheiro, o sistema atual está correto; ele oferece dinheiro em abundância para mim. Mas estou pensando em serviço. O sistema atual não permite o melhor serviço porque incentiva todo tipo de desperdício, impedindo muitos homens de obter o retorno total do que foi feito. E isso não está levando a lugar algum. É tudo uma questão de melhor planejamento e ajuste.

Não tenho nada contra a atitude geral de caçoar de novas ideias. É melhor ser cético em relação a todas as ideias novas, em vez de girar em torno de uma contínua *brainstorm* após cada nova ideia.

O ceticismo, se com isso queremos dizer cautela, é a roda de equilíbrio da civilização. A maioria dos atuais problemas agudos do mundo surge de novas ideias que não foram a princípio investigadas de maneira cuidadosa para descobrir se são boas. Uma ideia não é necessariamente boa porque é antiga nem necessariamente ruim porque é nova, mas se uma ideia antiga funciona, então o peso da evidência está a seu favor. As ideias são extraordinariamente valiosas, porém uma ideia é apenas uma ideia. Quase todos podem ter uma ideia. O que importa é transformá-la em um produto prático.

Agora estou mais interessado em demonstrar plenamente que as ideias que colocamos em prática são capazes da maior aplicação, que elas não têm nada a ver, especificamente, com automóveis ou tratores, mas formam algo da natureza de um código universal. Estou bastante certo de que é o código natural e quero demonstrá-lo tão completamente que será aceito, não só como uma ideia nova como também como um código natural.

A coisa natural a fazer é trabalhar – reconhecer que a prosperidade e a felicidade só podem ser obtidas por meio de um esforço honesto. Os males humanos resultam em grande parte da tentativa de escapar desse curso natural. Não tenho nenhuma sugestão que vá além de aceitar ao máximo esse princípio da natureza. Dou por certo que devemos trabalhar. Tudo o que temos feito vem como resultado de certa insistência em que, uma vez que devemos trabalhar, é melhor trabalhar de maneira inteligente e proativa; pois, quanto melhor fizermos nosso trabalho, melhores seremos. Tudo isso considero ser somente senso comum elementar.

Não sou um reformador. Penso que há muita tentativa de reforma no mundo e que prestamos muita atenção nos reformadores. Temos dois tipos de reformadores. Ambos são aborrecedores. O homem que chama a si mesmo de reformador quer esmagar as coisas. Ele é o tipo de homem que rasgaria uma camisa inteira porque o botão do colarinho não coube na botoeira. Nunca lhe ocorreria alargar a botoeira. Esse tipo de reformador em nenhuma circunstância sabe o que está fazendo. Experiência e reforma não andam juntas. Um reformador não pode manter seu zelo com entusiasmo na presença de um fato. Ele deve descartar todos os fatos.

Desde 1914, um grande número de pessoas adquiriu uma nova aparência intelectual. Muitos estão começando a pensar pela primeira vez.

Eles abriram os olhos e perceberam que estavam no mundo. Depois, com a excitação da independência, perceberam que podiam olhar o mundo criticamente. Eles o fizeram e encontraram um mundo defeituoso. A intoxicação por assumir a posição magistral de um crítico do sistema social – que é direito de todo homem – é desequilibrada a princípio. O crítico muito jovem é muito desequilibrado. Ele é fortemente a favor de exterminar a ordem antiga e iniciar uma nova. Eles realmente conseguiram iniciar um novo mundo na Rússia. É aí que a obra dos criadores do mundo pode ser mais bem estudada. Aprendemos com a Rússia que é a minoria, e não a maioria, que determina a ação destrutiva. Aprendemos também que enquanto os homens decretam leis sociais em conflito com as leis naturais, a Natureza veta essas leis mais implacavelmente do que o fizeram os czares. A natureza vetou toda a República Soviética. Pois procurou negar a natureza. Negou, acima de tudo, o direito aos frutos do trabalho.

Algumas pessoas dizem: "A Rússia terá de ir trabalhar", mas isso não descreve o caso. O fato é que a pobre Rússia está trabalhando, mas seu trabalho não conta para nada. Não é trabalho livre. Nos Estados Unidos, um trabalhador trabalha oito horas por dia; na Rússia, ele trabalha de doze a catorze horas. Nos Estados Unidos, se um trabalhador deseja tirar licença por um dia ou uma semana e é capaz de pagar por isso, não há nada que o impeça. Na Rússia, sob o sovietismo, o trabalhador vai trabalhar, queira ou não. A liberdade do cidadão desapareceu na disciplina de uma monotonia semelhante à prisão, na qual todos são tratados igualmente. Isso é escravidão. A liberdade é o direito de trabalhar por um período decente de horas e ter um sustento decente para fazê-lo; é ser capaz de organizar os pequenos detalhes pessoais da própria vida. É o conjunto desses e de muitos outros fatores da liberdade que constitui a grande Liberdade idealista. As formas menores de Liberdade lubrificam a vida cotidiana de todos nós.

A Rússia não poderia progredir sem inteligência e experiência. Assim que ela começou a organizar suas fábricas por comitês, eles foram à ruína;

houve mais debate do que produção. Assim que expulsaram o homem qualificado, milhares de toneladas de materiais preciosos foram danificados. Os fanáticos convenceram o povo à fome. Os soviéticos estão agora oferecendo a engenheiros, administradores, encarregados e superintendentes, que a princípio eles expulsaram, grandes somas de dinheiro se eles retornarem.

O bolchevismo está agora chorando pelos cérebros e pela experiência que ontem tratou tão impiedosamente. Tudo o que a "reforma" fez à Rússia foi bloquear a produção.

Há nesse país um elemento sinistro que deseja se infiltrar entre os homens que trabalham com as mãos e os homens que pensam e planejam para esses trabalhadores manuais. A mesma influência que afastou os cérebros, a experiência e a capacidade da Rússia está empenhada em despertar o preconceito aqui. Não devemos suportar que o estranho, o destruidor, aquele que odeia a felicidade de humanidade, divida nosso povo. Na unidade está a força americana – e a liberdade. Por outro lado, temos um tipo diferente de reformador que nunca se considera como tal. Ele é singularmente como o reformador radical. O radical não teve experiência e não a quer. A outra classe de reformadores teve muita experiência, mas isso não lhe é bom. Refiro-me ao reacionário – que ficará surpreso ao se encontrar exatamente na mesma classe que o bolchevista. Ele quer voltar a alguma condição prévia, não porque era a melhor condição, mas porque ele pensa que conhece essa condição.

Uma multidão quer destruir o mundo inteiro para criar um melhor. A outra considera o mundo tão bom que pode muito bem ser deixado como está – e decair. A segunda ideia surge como a primeira: não usa os olhos para enxergar. É perfeitamente possível destruir este mundo, mas não é possível construir um novo. É possível impedir que o mundo avance, mas não é possível, então, impedir sua decadência. É tolice esperar que, se tudo for derrubado, todos receberão, desse modo, três refeições por dia. Ou que tudo deve ser petrificado, para que, assim, os juros de seis por cento possam ser pagos. O problema é que reformadores e reacionários igualmente se afastam da realidade – das funções primárias.

Um dos conselhos de cautela é estar muito certo de que não confundimos uma reação com um retorno ao senso comum. Passamos por um período de conflitos de todo tipo de elaboração de um grande número de mapas idealistas de progresso. Não chegamos a lugar algum. Foi uma convenção, não uma marcha. Coisas adoráveis foram ditas, mas, quando chegamos a casa encontramos o desânimo. Os reacionários frequentemente se aproveitaram do retrocesso de tal período e prometeram "os bons e velhos tempos" – o que geralmente significa os maus e velhos abusos –, e, porque são perfeitamente destituídos de visão, às vezes são considerados "homens práticos". O retorno deles ao poder é frequentemente saudado como o retorno do senso comum.

As funções primárias são a agricultura, a manufatura e o transporte. A vida em comunidade é impossível sem eles. Eles mantêm o mundo unido. Cultivar, fabricar e receber as coisas são atividades tão primitivas quanto as necessidades humanas e, no entanto, tão modernas quanto qualquer coisa pode ser. São a essência da vida física. Quando elas cessam, a vida comunitária cessa. As coisas no mundo de hoje estão desestruturadas sob o sistema atual, mas podemos esperar uma melhora se as bases estiverem seguras. A grande ilusão é que alguém possa mudar a base e usurpar a parte do destino no processo social. As bases da sociedade são os homens e os meios para cultivar, fabricar e transportar coisas. Enquanto a agricultura, a manufatura e o transporte sobreviverem, o mundo poderá sobreviver a qualquer mudança econômica ou social. À medida que servirmos em nosso trabalho, serviremos ao mundo.

Há muito trabalho a fazer. Negócio significa simplesmente trabalho. Especular com coisas já produzidas – isso não é negócio. É apenas uma pilhagem mais ou menos respeitável. Mas que não pode ser feita fora da existência da lei. As leis podem fazer muito pouco. A lei nunca faz nada construtivo. Ela nunca pode ser mais do que um policial, e, portanto, é uma perda de tempo olhar para nossas capitais estaduais ou para Washington a fim de fazer o que a lei não foi projetada para fazer. Enquanto procurarmos a legislação para curar a pobreza ou abolir privilégios especiais, veremos a pobreza se espalhar e o privilégio especial crescer. Estamos fartos de olhar para Washington e estamos fartos de legisladores – não tanto, contudo, neste como em outros países – que prometem leis para fazer o que as leis não podem fazer.

Quando você tem um país inteiro, como o nosso, pensando que Washington é uma espécie de céu e por trás de suas nuvens habitam a onisciência e a onipotência, você está educando esse país para um estado de espírito dependente, que é um mau augúrio para o futuro. Nossa ajuda não vem de Washington, mas de nós mesmos; nossa ajuda pode, no entanto, ir a Washington como uma espécie de ponto de distribuição central, onde todos os nossos esforços são coordenados para o bem geral. Nós podemos ajudar o governo; mas o governo não pode nos ajudar. O *slogan* "menos governo nos negócios e mais negócios no governo" é muito bom, não por conta de negócios ou do governo, mas por causa do povo. Os negócios não são a razão pela qual os Estados Unidos foram fundados. A Declaração de Independência não é uma carta comercial, nem a Constituição dos Estados Unidos um programa comercial. Os Estados Unidos – suas terras, seu povo, seu governo e seus negócios – são apenas métodos pelos quais a vida das pessoas é feita para valer a pena. O governo é um servo e nunca deve ser outra coisa senão um servo. No momento em que as pessoas se tornam coadjuvantes do governo, a lei da retribuição começa a funcionar, pois tal relação é antinatural, imoral e desumana. Não podemos viver sem negócios e não podemos viver sem governo. Empresas e governo são necessários como servidores, como água e grãos; como senhores, eles derrubam a ordem natural.

O bem-estar do país depende diretamente de nós como indivíduos. É onde deve estar e é onde é mais seguro. Os governos podem prometer algo por nada, mas não podem cumprir. Eles podem manipular as moedas como fizeram na Europa (e como fazem os banqueiros de todo o mundo, desde que possam obter o benefício da manipulação), com uma conversa fiada de bobagens solenes. Mas é o trabalho, e somente o trabalho, que pode continuar a entregar os bens – e isso, no fundo de seu coração, é o que todo homem sabe.

Há poucas chances de um povo inteligente, como o nosso, arruinar os processos fundamentais da vida econômica. A maioria dos homens sabe que não pode conseguir algo a troco de nada. A maioria dos homens sente – mesmo que não saiba – que dinheiro não é riqueza. As teorias comuns que prometem tudo a todos e não exigem nada de ninguém são prontamente negadas pelos instintos do homem comum, mesmo quando ele não encontra razões contra elas. Ele sabe que estão erradas. É o suficiente. A ordem atual, sempre desajeitada, muitas vezes estúpida e, em muitos aspectos, imperfeita, tem esta vantagem sobre qualquer outra: ela funciona.

Sem dúvida, nossa ordem se fundirá gradualmente com outra, e a nova também funcionará – mas não tanto em razão do que ela é, mas em razão do que os homens trarão a ela. A razão pela qual o bolchevismo não funcionou e não pode funcionar não é econômica. Não importa se a indústria é gerenciada de forma privada ou socialmente controlada; não importa se você chama a participação dos trabalhadores de "ordenados" ou "dividendos"; não importa se você regimentaliza as pessoas em relação a comida, roupas e abrigo, ou se permite que elas comam, se vistam e vivam como quiserem. Isso são meros detalhes. A incapacidade dos líderes bolchevistas é revelada no rebuliço que eles fizeram quanto a tais detalhes. O bolchevismo falhou porque era antinatural e imoral. Nosso sistema permanece firme. Ele é errado? Claro que é errado, em mil aspectos! É desajeitado? Claro que é desajeitado. Por todo direito e razão, ele deveria desmoronar. Mas não desmorona – porque está instituído em certos fundamentos econômicos e morais.

O fundamento econômico é o trabalho. O trabalho é o elemento humano que torna úteis para os homens as estações frutíferas da Terra. É o trabalho dos homens que faz da colheita ser o que é. Este é o fundamento econômico: cada um de nós trabalha com o material que não criamos e que não pudemos criar, mas que nos foi presenteado pela natureza.

O fundamento moral é o direito do homem a seu trabalho. Isto é afirmado de várias maneiras. Às vezes é chamado de "direito de propriedade". Às vezes é mascarado no mandamento: "Não furtarás". É o direito do outro homem à sua propriedade que torna o roubo um crime. Quando um homem ganha seu pão, ele tem direito a esse pão. Se alguém o rouba, ele faz mais do que roubar pão; ele invade um direito humano sagrado. Se não podemos produzir, não podemos ter – mas alguns dizem que se produzirmos, é apenas para os capitalistas.

Os capitalistas, que se tornam tais porque fornecem melhores meios de produção, são a base da sociedade. Eles realmente não têm nada próprio. Apenas gerenciam propriedades para o benefício de outras pessoas. Os capitalistas, que se tornam tais por meio do comércio de dinheiro, são um mal temporariamente necessário. Eles podem não ser maus se o dinheiro deles for para a produção. Se o dinheiro deles for para complicar a distribuição, aumentando as barreiras entre o produtor e o consumidor, então são maus capitalistas e desaparecerão quando o dinheiro for mais bem ajustado ao trabalho; e o dinheiro será mais bem ajustado ao trabalho quando se perceber plenamente que por meio do trabalho e somente do trabalho serão inevitavelmente garantidas a saúde, a riqueza e a felicidade.

Não há razão para que um homem que esteja disposto a trabalhar não seja capaz de fazê-lo e receber o valor integral por isso. Igualmente, não há razão para que um homem que pode trabalhar mas não o faz não receba o valor integral de seus serviços à comunidade. Ele certamente deveria ter permissão para tirar da comunidade o equivalente àquilo com que ele contribui. Se ele não contribui com nada, não deve tirar nada. Ele deveria ter a liberdade de passar fome. Não estamos chegando a lugar algum quando insistimos que todo homem deve ter mais do que merece – apenas porque alguns conseguem mais do que merecem.

Não pode haver maior absurdo e maior desserviço à humanidade em geral do que insistir na ideia de que todos os homens são iguais. Certamente, nem todos os homens são iguais, e qualquer concepção democrática que se esforce para torná-los iguais apenas impede o progresso. Os homens não podem ter o mesmo serviço. Os homens de habilidade superior são menos numerosos do que os de habilidade inferior; é possível que uma massa de homens inferiores derrube os superiores – mas, ao fazê-lo, eles derrubam a si mesmos. São os homens superiores que lideram a comunidade e permitem que os homens inferiores vivam com menos esforço.

A concepção de democracia que aponta para um rebaixamento de capacidade gera desperdício. Não há duas coisas iguais na natureza. Os carros que construímos são absolutamente intercambiáveis. Todas as partes são tão parecidas quanto a análise química, as melhores máquinas e o melhor acabamento podem fazer.

Nenhum tipo de ajuste é necessário, e certamente pareceria que dois Fords colocados lado a lado são iguais, pois parecem exatamente iguais e são fabricados tão exatamente iguais que qualquer peça poderia ser retirada de um e colocada no outro. Entretanto, eles não são iguais. Terão diferentes hábitos no trânsito. Temos homens que dirigiram centenas e, em alguns casos, milhares de Fords, e eles dizem que dois modelos nunca se comportam exatamente da mesma maneira – que, se eles tivessem de dirigir um carro novo por uma hora ou até menos, e então o carro fosse misturado com um grupo de outros novos, cada um dirigido por uma única hora e nas mesmas condições, embora não pudessem reconhecer o carro que estavam dirigindo apenas ao olhar para ele, poderiam fazê-lo ao dirigi-lo.

Tenho falado em termos gerais. Sejamos mais concretos. Um homem deve ser capaz de viver em uma escala compatível com o serviço que entrega. Este é até certo ponto um bom momento para falar sobre essa questão, pois recentemente passamos por um período em que a prestação de serviço era a última coisa em que a maioria das pessoas pensava. Estávamos chegando a um momento em que ninguém se preocupava com custos ou serviços. Os pedidos vinham sem esforço, uma vez que era o cliente quem favorecia o comerciante ao lidar com ele. As condições mudaram: o comerciante passou a favorecer o cliente ao vender para ele. Isso é ruim para o negócio. O monopólio é ruim para o negócio.

O lucro em demasia é ruim para o negócio. A falta de necessidade de se apressar é ruim para o negócio. O negócio nunca é muito saudável quando, assim como uma galinha, precisa ciscar muito a terra para conseguir o que deseja. As coisas estavam vindo muito facilmente. Houve uma decepção com o princípio de que a relação entre valores e preços deveria ser honesta. O público não tinha mais que ficar "satisfeito". Havia até uma atitude de "maldito seja o público" em muitos lugares. Isso foi péssimo para os negócios. Alguns homens chamaram essa condição anormal de "prosperidade". Não era prosperidade, era apenas uma caça desnecessária ao dinheiro. Caçar dinheiro não é negócio.

É fácil, a menos que se mantenha um plano em mente, encher-se de dinheiro e depois, em um esforço para conseguir mais, esquecer tudo sobre vender para as pessoas o que elas querem. O negócio com base na geração de dinheiro é mais inseguro. É arriscado movimentar grande quantidade de maneira irregular e raramente ao longo de um período de anos. É função do negócio produzir para consumo e não para o dinheiro ou para a especulação. Produzir para consumo implica que a qualidade do artigo produzido será alta e que o preço será baixo – que o artigo seja aquele que serve às pessoas e não apenas ao produtor. Se o recurso monetário for distorcido de sua perspectiva própria, então a produção será distorcida para servir ao produtor.

O produtor depende, para sua prosperidade, de servir às pessoas. Ele pode sobreviver por um tempo enquanto servindo a si mesmo, mas se o fizer, isso será puramente acidental, e, quando as pessoas acordarem para o fato de que não estão sendo servidas, o fim desse produtor estará à vista. Durante o período de expansão, o maior esforço de produção foi servir a si próprio, e, portanto, no momento em que as pessoas acordaram, muitos produtores foram esmagados. Eles disseram que haviam entrado em um "período de depressão". Na verdade, não foi o que aconteceu. Eles estavam simplesmente tentando lançar disparates contra o bom senso, algo que não pode ser feito com sucesso. Ser ávido por dinheiro é a maneira mais segura de não o obter, mas quando se serve por causa do serviço – pela satisfação de fazer o que se acredita ser certo –, o dinheiro cuida de si mesmo.

O dinheiro vem, de modo natural, como resultado do serviço. E é absolutamente necessário ter dinheiro. Mas não queremos esquecer que a finalidade do dinheiro não é a ociosidade, mas, sim, ter a oportunidade de prestar mais serviços. Em minha opinião, nada é mais repugnante do que uma vida ociosa. Nenhum de nós tem direito à ociosidade. Não há lugar na civilização para o preguiçoso. Qualquer esquema que pretenda abolir o dinheiro está apenas tornando os negócios mais complexos, pois precisamos ter uma medida. É passível de dúvida que nosso atual sistema monetário seja uma base satisfatória para intercâmbio. Falarei sobre isso em um capítulo subsequente. A essência da minha objeção ao atual sistema monetário é que ele tende a se tornar uma coisa em si e a bloquear em vez de facilitar a produção.

Meu esforço vai na direção da simplicidade. As pessoas em geral têm tão pouco e custa tanto comprar até as necessidades mais básicas (sem falar na parte dos luxos aos quais acho que todos têm direito) porque quase tudo o que fazemos é muito mais complexo do que precisa ser. Nossas roupas, nossa comida, nossos móveis domésticos – tudo poderia ser muito mais simples do que é agora e, ao mesmo tempo, ter uma aparência melhor. As coisas em épocas passadas eram feitas de determinadas maneiras, e os fabricantes, desde então, apenas seguiram o modelo de produção.

Não quero dizer que devemos adotar estilos excêntricos. Não há necessidade de que a roupa seja um saco com um orifício. Isso pode ser fácil de fazer, mas seria inconveniente de usar. Um cobertor não requer muita modelagem, mas nenhum de nós poderia fazer muitas tarefas se passássemos a usar cobertores indianos. A verdadeira simplicidade significa aquilo que oferece o melhor serviço e é o mais conveniente em uso. O problema das reformas drásticas é que elas sempre insistem que um homem é feito para usar determinados artigos. Acredito que a reforma de roupas para mulheres, o que parece significar roupas feias, deve sempre se originar de mulheres comuns que querem fazer com que todos os outros pareçam simples. Esse não é o processo correto.

Comece com um artigo que combine e, em seguida, estude para encontrar uma maneira de eliminar as partes totalmente inúteis. Isso se aplica a tudo – um sapato, um vestido, uma casa, uma peça de maquinaria, uma ferrovia, um navio a vapor, um avião.

Quando cortamos as partes inúteis e simplificamos as necessárias, também reduzimos o custo de fabricação. Essa é uma lógica simples, mas, por incrível que pareça, o processo comum começa com um barateamento da fabricação e não com a simplificação do artigo. O começo deve ser com o artigo. Primeiro, devemos descobrir se ele é tão bem-feito quanto deveria ser e se é o mais adequado à sua função. Em seguida, se os materiais são os melhores ou apenas os mais caros. Depois, se sua complexidade e peso podem ser reduzidos. E assim por diante.

Há tanto sentido no fato de um artigo pesar mais do que deve como no laço do chapéu de cocheiro. De fato, há até menos sentido, pois o laço pode ajudar o cocheiro a identificar seu chapéu, enquanto o peso extra significa apenas um desperdício de força. Não consigo imaginar de onde veio a ilusão de que peso significa força. Está tudo bem em um bate-estaca, mas por que mover um peso-pesado se não vamos bater em nada com ele? No transporte, por que colocar peso extra em uma máquina? Por que não o adicionar à carga que a máquina foi projetada para transportar? Os homens gordos não podem correr tão rápido quanto os magros, mas construímos a maioria de nossos veículos como se o peso morto aumentasse a velocidade! Um acordo de pobreza cresce com o transporte de excesso de peso. Um dia descobriremos como eliminar o peso. Vejam a madeira, por exemplo. Para certos propósitos, a madeira agora é a melhor matéria-prima que conhecemos, mas ela é extremamente antieconômica. A madeira em um carro Ford comporta treze litros de água. Deve haver alguma maneira de fazer melhor que isso. Deve haver algum método pelo qual possamos obter a mesma força e elasticidade sem precisar carregar peso inútil. E assim, por meio de mil processos.

O agricultor realiza um trabalho complexo demais em sua tarefa diária. Acredito que o agricultor médio coloca apenas cerca de cinco por cento da energia que gasta em um propósito realmente útil. Se alguém alguma vez equipasse uma fábrica da mesma forma que, digamos, uma fazenda média, o lugar ficaria cheio de homens. A pior fábrica da Europa não é tão má quanto um celeiro médio. A energia é utilizada no menor grau possível. Nem tudo é feito à mão, como raramente se pensa em arranjos lógicos. Um agricultor que faz seu trabalho de rotina vai subir e descer uma escada raquítica uma dúzia de vezes. Vai carregar água por anos, em vez de colocar alguns tubos. Sua única ideia, quando há trabalho extra para fazer, é contratar mais homens. Ele pensa que investir dinheiro em melhorias é uma despesa. Mesmo os produtos agrícolas de preços mais baixos são mais caros do que deveriam ser. Os lucros agrícolas mais elevados são mais baixos do que deveriam ser. É o desperdício de movimento – desperdício de esforço – que torna os preços agrícolas altos e os lucros baixos.

Na minha própria fazenda, em Dearborn, fazemos tudo com máquinas. Eliminamos muito desperdício, mas ainda não tocamos na economia real. Ainda não fomos capazes de avaliar cinco ou dez anos de intenso estudo noturno e diurno para descobrir o que realmente deveria ser feito. Deixamos mais por fazer do que fizemos. No entanto, em nenhum momento, não importa qual seja o valor das colheitas, falhamos em obter um lucro de primeira classe. Não somos agricultores – somos industriais na fazenda. No momento em que o agricultor se considerar um industrial, com horror ao desperdício, seja material ou de homens, então vamos ter produtos agrícolas a preços tão baixos que todos terão o suficiente para comer, e os lucros serão tão satisfatórios que a agricultura será considerada uma das profissões menos perigosas e mais lucrativas.

A falta de conhecimento quanto ao que está acontecendo e quanto ao que realmente constitui o trabalho agrícola e a melhor maneira de fazê-lo são as razões pelas quais se pensa que a agricultura não compensa. Nada poderia pagar a maneira como a agricultura é conduzida. O agricultor segue a sorte e seus antepassados. Ele não sabe como produzir economicamente e não sabe como comercializar. Um fabricante que não soubesse nem produzir nem comercializar não permaneceria por muito tempo no ramo. O fato de o agricultor poder fazê-lo mostra como a agricultura pode ser maravilhosamente lucrativa.

A maneira de produzir um alto volume a preço baixo na fábrica ou na fazenda – e isso significa abundância para todos – é bastante simples.

O problema é que a tendência geral é complicar coisas muito simples. Tomemos, por exemplo, um "aperfeiçoamento".

Quando falamos de aperfeiçoamentos, em geral temos em mente modificar alguns aspectos de um produto. Um produto "aperfeiçoado" é aquele que foi alterado. Não é disso que se trata. Não acredito em começar a fabricar até descobrir a melhor coisa possível. Obviamente, isso não significa que um produto nunca deve ser alterado, mas acho que, no final, será mais econômico nem tentar produzir um artigo até que você esteja plenamente convencido de que a utilidade, o *design* e o material são os melhores. Se suas pesquisas não lhe dão essa confiança, continue pesquisando até ter certeza. Tudo começa com o artigo. A fábrica, a organização, a venda e os planos financeiros se moldarão ao artigo. Você terá uma redução, uma vantagem no seu cinzel de negócios e, no final, economizará tempo. Precipitar-se na fabricação sem ter certeza do produto é a causa não reconhecida de muitos fracassos nos negócios.

As pessoas parecem pensar que o importante é a fábrica, a loja, o apoio financeiro ou a administração. O principal é o produto, e qualquer pressa em iniciar a fabricação antes que os projetos estejam concluídos significa apenas um grande desperdício de tempo. Levei doze anos para ter o modelo T – que hoje é conhecido como o carro Ford – que me convinha. Não tentamos entrar em produção real até termos um produto real. Esse produto não foi essencialmente alterado.

Estamos constantemente experimentando novas ideias. Se você viaja pelas ruas do bairro de Dearborn, pode encontrar todos os tipos de modelos de carros Ford. São carros experimentais – não são novos modelos. Não deixo qualquer boa ideia passar por mim, mas não decidirei de maneira precipitada se uma ideia é boa ou ruim. Se uma ideia parece boa ou parece ter possibilidades, acredito em fazer o que for necessário para testá-la de todos os ângulos. Todavia, testar a ideia é algo muito diferente de fazer uma alteração no carro. Enquanto a maioria dos fabricantes é mais rápida em fazer uma alteração no produto em vez de no método de fabricação, seguimos exatamente o caminho oposto.

Nossas grandes alterações têm sido nos métodos de fabricação. Eles nunca ficam parados. Acredito que dificilmente existe uma única operação na fabricação do nosso carro que seja a mesma de quando fizemos o nosso primeiro carro do modelo atual. É por isso que os fabricamos tão baratos. As poucas alterações que têm sido feitas no carro foram em direção à conveniência do uso ou onde descobrimos que uma mudança no design poderia acrescentar mais força. Os materiais mudam à medida que aprendemos cada vez mais sobre eles. Além disso, não queremos ficar atrasados na produção ou que as despesas de produção se elevem por causa da possível escassez de um material em particular; portanto, no que tange à maioria das peças, trabalhamos com materiais substitutos. O cromo vanádio, por exemplo, é o nosso principal aço. Com ele, podemos obter a maior força com o menor peso, mas não seria um bom negócio deixar todo o nosso futuro depender da capacidade de obtê-lo. Então, arranjamos um substituto.

Todos os nossos aços são especiais, mas para cada um deles temos pelo menos um – e às vezes vários – substituto totalmente provado e testado. E o mesmo ocorre com todos os nossos materiais e igualmente com nossas peças. No começo, fabricávamos muito poucas peças e nenhum de nossos motores. Agora, fabricamos todos os nossos motores e a maioria de nossas peças, porque achamos mais barato fazer assim. Mas também pretendemos fabricar algumas unidades de cada peça para que não sejamos pegos em nenhuma emergência do mercado nem paralisados por causa de algum fabricante externo incapaz de atender aos pedidos. Os preços do vidro estavam aumentando de modo escandaloso durante a guerra; estamos entre os maiores usuários de vidro do país.

Agora estamos construindo nossa própria fábrica de vidro. Se tivéssemos dedicado toda essa energia a fazer alterações no produto, não estaríamos em lugar nenhum; mas, ao não alterar o produto, somos capazes de fornecer nossa energia ao aperfeiçoamento da fabricação.

A parte principal de um cinzel é a aresta de corte. Se existe um único princípio sobre o qual nossa empresa se baseia, é esse. Não faz diferença quão delicadamente fabricado é um cinzel ou quão esplêndido é o seu aço, ou quão bem forjado ele é – se ele não tem aresta de corte, não é um cinzel. É apenas um pedaço de metal.

 Traduzindo, tudo isso significa que o que importa é o que uma coisa faz – não o que deveria fazer. Qual é a utilidade de colocar uma força tremenda em um cinzel sem corte, se um leve golpe em um cinzel afiado fizer o trabalho? O cinzel existe para cortar, não para ser martelado. A martelada é apenas incidental. Então, se queremos trabalhar, por que não nos concentrar no trabalho e fazê-lo da maneira mais rápida possível? O fio condutor do comércio é o ponto em que o produto atinge o consumidor. Um produto insatisfatório é aquele que tem o corte frouxo. É necessário muito desperdício de esforço para transpô-lo. O fio condutor de uma fábrica é o homem e a máquina em que se trabalha. Se o homem não estiver bem, a máquina não estará; se a máquina não estiver bem, o homem não estará. O fato de qualquer pessoa ser obrigada a usar mais força do que a absolutamente necessária para o trabalho manual constitui um desperdício.

 A essência da minha ideia, então, é que o desperdício e a ganância bloqueiam a entrega de um serviço verdadeiro. Ambos, desperdício e ganância, são desnecessários. O desperdício é devido em grande parte ao não entendimento do que se faz ou ao descuido ao fazê-lo. A ganância é apenas uma espécie de miopia. Tenho me esforçado para fabricar com um mínimo de desperdício, tanto de materiais quanto de esforço humano, e depois para distribuir com um mínimo de lucro, dependendo do lucro total do volume de distribuição. No processo de fabricação, quero distribuir o máximo de ordenado – ou seja, o máximo de poder de compra.

 Como isso também gera um custo mínimo e vendemos com um lucro mínimo, podemos distribuir um produto em consonância com o poder de compra. Assim, todo mundo que está conectado conosco – seja como gerente, trabalhador ou comprador – é o melhor para a nossa existência. A instituição que montamos está executando um serviço. Essa é a única razão que tenho para falar sobre ela. Os princípios desse serviço são:

 1. *ausência de medo no futuro e de veneração pelo passado* – Quem teme o futuro ou o fracasso limita suas atividades. O fracasso é apenas a

oportunidade mais inteligente para começar novamente. Não há desgraça no fracasso honesto; há desgraça em temer falhar. O passado é útil apenas porque sugere maneiras e meios para o progresso;

2. *desrespeito à concorrência* – Quem faz uma coisa melhor deve ser o único a fazê-lo. É criminoso tentar tomar o negócio de outro homem – criminoso porque se está então tentando diminuir, para vantagem pessoal, a condição de seus semelhantes, para governar pela força, e não pela inteligência;

3. *colocar o serviço antes do lucro* – Sem lucro, os negócios não podem se estender. Não há nada inerentemente errado em obter lucro. As empresas de negócios bem conduzidas não podem deixar de dar lucro, que deve ser encarado como uma recompensa por um bom serviço. Ele não pode ser a base – deve ser o resultado do serviço;

4. *fabricar não é comprar barato e vender caro* – É o processo de comprar materiais de maneira justa e, com o menor custo possível, transformar esses materiais em um produto consumível e distribuí-lo ao consumidor. O jogo, as especulações e a negociação perspicaz tendem a obstruir essa progressão.

O modo como tudo isso surgiu, como tem funcionado e como se aplica são os assuntos dos próximos capítulos.

O INÍCIO DA EMPRESA

Em 31 de maio de 1921, a Ford Motor Company entregou o carro nº 5.000.000. Ele está no meu museu, junto com o *buggy* a gasolina em que comecei a trabalhar trinta anos antes e que correu satisfatoriamente pela primeira vez na primavera de 1893. Estava correndo quando as tristes-pias[1] vieram para Dearborn, e elas vêm sempre em 2 de abril. Há toda a diferença do mundo na aparência dos dois veículos e quase tanta diferença na construção e nos materiais, mas, nos princípios básicos, os dois são curiosamente parecidos – exceto que o velho *buggy* tem algumas rugas que nós ainda não adotamos muito no nosso carro moderno. Esse primeiro carro, ou *buggy*, mesmo tendo apenas dois cilindros, fazia trinta quilômetros por hora e corria cem quilômetros com os três galões de gasolina que o pequeno tanque continha, e é tão bom hoje como no dia em que foi construído. O desenvolvimento dos métodos de fabricação e materiais tem sido maior do que o do desenho básico. Todo o desenho

---

[1] No original, *bobolinks* (*Dolichonyx oryzivorus*): ave migratória da subfamília dos icteríneos, de cabeça negra e corpo acastanhado, encontrada em campos, pântanos e plantações de arroz e sorgo do Canadá e do norte dos Estados Unidos, com grandes migrações para a América do Sul.

era refinado; o atual carro Ford, que é o "Modelo T", tem quatro cilindros e uma partida automática, e é, em todos os aspectos, um carro mais conveniente e mais fácil de conduzir. Ele é mais simples do que o primeiro. Porém, quase todos os seus elementos podem ser encontrados também no primeiro carro. As mudanças foram produzidas por meio da experiência na fabricação e não por meio de qualquer mudança no princípio básico – que eu considero um fato importante, demonstrando que, tendo-se uma boa ideia para começar, é melhor se concentrar em aperfeiçoá-la do que em caçar uma nova. Uma ideia de cada vez é o máximo com que qualquer um pode lidar.

Foi a vida na fazenda que me levou a conceber maneiras e meios para melhorar o transporte. Nasci a 30 de julho de 1863, em uma fazenda em Dearborn, Michigan, e minha primeira recordação é que, considerando os resultados, havia muito trabalho no local. É assim que ainda me sinto em relação à agricultura.

Há uma lenda de que os meus pais eram muito pobres e que os primeiros tempos foram duros. Certamente eles não eram ricos, mas também não eram pobres. Assim como os agricultores de Michigan, nós prosperamos. A casa em que eu nasci ainda está de pé, e ela e a fazenda fazem parte da minha atual propriedade.

Havia muito trabalho manual pesado por nossa própria conta e em todas as outras fazendas da época. Mesmo quando muito jovem, eu suspeitava que, de alguma forma, muita coisa podia ser feita de uma maneira melhor. Isso foi o que me levou à mecânica, embora minha mãe sempre dissesse que eu já nasci um mecânico. A primeira coisa que tive foi uma espécie de oficina de ferramentas com artigos diversos de metal. Naqueles dias não tínhamos os brinquedos de hoje; o que tínhamos era feito em casa. Todos os meus brinquedos eram ferramentas – ainda são! E cada fragmento de maquinaria era um tesouro.

O maior evento daqueles primeiros anos foi o encontro com um motor de estrada a cerca de treze quilômetros de Detroit, um dia, quando estávamos a caminho da cidade. Eu tinha 12 anos de idade. O segundo maior evento foi ganhar um relógio – o que aconteceu no mesmo ano. Lembro-me daquele motor como se o tivesse visto ainda ontem, pois foi o primeiro veículo não puxado a cavalo que eu já tinha visto. Era destinado principalmente a conduzir debulhadoras e serrarias, constituído de um simples motor portátil e uma caldeira montada sobre rodas com tanque de água e uma carroça de carvão arrastando-se atrás. Eu já tinha visto muitos desses motores puxados por cavalos, mas esse tinha uma corrente que fazia uma conexão entre o motor e as rodas traseiras da estrutura em forma de vagão na qual a caldeira fora montada. O motor estava sobre a caldeira, e um homem de pé na plataforma atrás da caldeira jogava carvão com uma pá, controlava o acelerador e dirigia. Ele fora produzido pela Nichols, Shepard & Companhia, de Battle Creek. Descobri isso imediatamente. O motor parou para nos deixar passar com os nossos cavalos, e eu saltei da carroça e fui falar com o maquinista antes que meu pai, que estava conduzindo, soubesse o que eu estava tramando. O maquinista ficou muito contente por explicar todo o processo. Ele estava orgulhoso disso; mostrou-me como a corrente era desconectada da roda propulsora e uma correia colocada para conduzir outra máquina. Ele me disse que o motor fazia duzentas rotações por minuto e que o pinhão da corrente podia ser deslocado para fazer o vagão parar enquanto o motor ainda estivesse funcionando. Esta última é uma característica que, embora de forma diferente, está incorporada nos automóveis modernos. Não foi essencial para motores a vapor, que são facilmente parados e ligados, mas tornou-se muito importante no motor a gasolina. Foi aquele motor que me levou ao transporte automotivo. Tentei fazer modelos dele, e, alguns anos mais tarde, fiz um que correu muito bem, mas desde que vi aquele motor de estrada, aos 12 anos, até hoje, meu grande interesse tem sido fazer uma máquina que percorresse as estradas. Quando dirigia para a cidade, sempre tinha um bolso cheio de bugigangas – porcas, anilhas, artigos diversos de maquinaria. Com frequência, pegava um relógio quebrado e tentava montá-lo. Quando eu tinha 13 anos, consegui pela primeira vez montar um relógio para que ele marcasse a hora exata. Aos 15, podia fazer quase tudo em termos de consertos de relógios, embora minhas ferramentas fossem das mais rudimentares. Pode-se aprender muito simplesmente mexendo com as coisas. Não é possível aprender nos livros como se faz tudo – e um verdadeiro mecânico deve saber como quase tudo é feito. As máquinas são para um mecânico o que os livros são para um escritor. Elas lhe dão ideias, e, se ele tem alguma inteligência, aplicará essas ideias.

Desde o início, nunca consegui me interessar muito pelo trabalho agrícola. Queria ter algo para fazer com maquinário. Meu pai não estava inteiramente de acordo com minha inclinação para a mecânica. Ele achava que eu deveria ser agricultor. Quando saí da escola, aos 17 anos, e me tornei aprendiz na oficina de máquinas da Dry Dock Engine Works, eu estava quase me dando por vencido. Passei no aprendizado sem problemas – ou seja, estava qualificado para ser um mecânico muito antes que meu acordo de três anos tivesse expirado –, e, tendo uma inclinação para o trabalho cuidadoso e uma queda por relógios, trabalhava à noite em reparos em uma joalheria. Em um período daqueles primeiros dias, acho que devo ter recebido trezentos relógios. Pensei que poderia construir um relógio aproveitável por cerca de trinta centavos e quase entrei no negócio. Mas não o fiz porque percebi que os relógios não eram necessidades universais, e, portanto, as pessoas geralmente não os compravam. Como cheguei a essa conclusão surpreendente, sou incapaz de afirmar. Não gostava de joias comuns e de assistir à execução do trabalho, exceto se o processo fosse difícil de executar. Mesmo assim, queria fazer algo em quantidade. Era exatamente o momento em que o horário padrão da ferrovia estava sendo organizado. Antes estávamos na estação quente, e por um bom tempo, assim como em nossos atuais dias de horário de verão, o horário da estrada de ferro era diferente do horário local. Aquilo me incomodava bastante, e, por isso, consegui fazer um relógio que mantinha ambos os horários. Ele tinha dois indicadores e foi uma verdadeira curiosidade no bairro.

Em 1879, isto é, cerca de quatro anos depois que vi pela primeira vez aquele motor Nichols-Shepard, consegui ter a chance de operar um, e, quando meu aprendizado terminou, trabalhei com um representante local da Westinghouse Company of Schenectady, como especialista em instalação e reparação dos seus motores rodoviários. O motor que eles desenvolveram era muito parecido com o da Nichols-Shepard, exceto que esse ficava na frente, a caldeira na parte traseira, e a força era aplicada às rodas de trás por uma correia.

Esses motores podiam fazer trinta e dois quilômetros por hora na estrada, embora o recurso de autopropulsão fosse apenas um incidente da construção. Às vezes eram usados como tratores para puxar cargas pesadas, e, se acontecesse de o proprietário também estar no negócio de debulhadoras, ele amarrava a sua e outras parafernálias ao motor, movendo-se de fazenda em fazenda. O que me incomodava eram o peso e o custo. Eles pesavam duas toneladas e eram muito caros para pertencer a alguém que não fosse um agricultor com uma grande quantidade de terra. Eram usados principalmente por pessoas que haviam embarcado na debulha como um negócio ou que tinham serrarias ou alguma outra linha que requeresse energia portátil.

Mesmo antes dessa época, eu tinha a ideia de fazer um tipo de veículo a vapor leve que ocuparia o lugar dos cavalos – algo como um trator que se encarregaria do trabalho excessivamente duro de aragem. Ocorreu-me, como me lembro vagamente, que precisamente a mesma ideia poderia ser aplicada a uma carruagem ou a uma carroça na estrada. Uma carruagem sem cavalos era uma ideia comum. As pessoas conversavam sobre carruagens sem cavalos havia muitos anos – de fato, desde que o motor a vapor fora inventado –, mas a ideia da carruagem a princípio não me pareceu tão prática quanto a de um motor para fazer o trabalho mais duro da lavoura – e, de todo o trabalho da lavoura, a aragem era o mais árduo. Nossas estradas eram ruins, e não tínhamos o hábito de nos deslocar. Uma das características mais marcantes do automóvel na agricultura é a maneira como ele ampliou a vida do agricultor. Nós simplesmente tínhamos como certo que, a menos que a missão fosse urgente, não iríamos à cidade, e acho que raramente fazíamos mais de uma viagem por semana. Com mau tempo, não íamos com tanta frequência.

Sendo um mecânico diplomado e com uma oficina bastante razoável na fazenda, não foi difícil para mim construir uma carroça ou um trator a vapor. Ao construí-la, veio-me a ideia de que talvez pudesse ser feita para uso na estrada. Eu estava perfeitamente certo de que os cavalos, considerando todo o incômodo de tratá-los e o custo da alimentação, não rendiam o suficiente para o seu sustento. A coisa óbvia a fazer era projetar e construir um motor a vapor que fosse leve o suficiente para mover uma carroça comum ou para puxar um arado. Julguei que era mais importante primeiro desenvolver o trator. Tirar da fazenda o estafante trabalho feito por seres de carne e osso e colocá-lo no aço e nos motores tem sido minha ambição mais constante. Foram as circunstâncias que primeiro me levaram à fabricação de carros de estrada. Descobri por fim que as pessoas estavam mais interessadas em algo que viajaria na estrada do que em algo que faria o trabalho nas fazendas. De fato, duvido que o trator agrícola leve pudesse ser introduzido na fazenda se o agricultor não tivesse aberto os olhos lenta mas definitivamente para o automóvel. Mas estou me adiantando. Naquela época eu achava que o agricultor estava mais interessado no trator.

Construí um carro a vapor que funcionava. Tinha uma caldeira aquecida a querosene que produzia bastante energia e um controle engenhoso – o que é muito fácil com um acelerador a vapor. No entanto, a caldeira era perigosa. Obter a potência necessária sem uma central elétrica muito grande e pesada exigia que o motor trabalhasse sob alta pressão; sentar em uma caldeira a vapor de alta pressão não é nada agradável. Para torná-lo ainda razoavelmente seguro, foi necessário um excesso de peso que anulou a economia da alta pressão. Por dois anos, continuei experimentando com vários tipos de caldeiras – os problemas de motor e controle eram bastante simples –, e então abandonei definitivamente a ideia de dirigir um veículo rodoviário a vapor. Eu sabia que na Inglaterra eles tinham o que equivalia a locomotivas rodando nas estradas, puxando linhas de reboques, e que também não havia dificuldade em projetar um grande trator a vapor para uso em uma grande fazenda. Mas as nossas estradas não eram como as inglesas; elas teriam parado ou destruído em pedaços o trator rodoviário mais forte e mais pesado. E de qualquer maneira, a fabricação de um grande trator que apenas alguns agricultores ricos poderiam comprar não me pareceu valer a pena.

No entanto, não desisti da ideia de uma carruagem sem cavalos. O trabalho com o representante da Westinghouse serviu apenas para confirmar a opinião que eu havia formado de que o vapor não era adequado para veículos leves. Por isso fiquei apenas um ano com essa empresa. Não havia mais nada que os grandes tratores e motores a vapor pudessem me ensinar, e eu não queria perder tempo com algo que não levaria a lugar nenhum. Alguns anos antes – quando eu era aprendiz – li no *World of Science*, uma publicação inglesa, uma matéria sobre o "motor silencioso a gás" que estava então surgindo na Inglaterra. Acho que era o motor Otto. Ele funcionava com gás de iluminação, tinha um único cilindro grande, e os impulsos de potência intermitentes exigiam um volante extremamente pesado. No que diz respeito ao peso, ele não dava nada como a potência por libra de metal de um motor a vapor, e a utilização de gás de iluminação parecia descartar seu uso na estrada. Eu me interessei por ele apenas porque considerava todas as máquinas interessantes. Segui, nas revistas inglesa e americana que adquirimos na loja, o desenvolvimento do motor e, mais particularmente, as dicas da possível substituição do gás de iluminação por um gás formado pela vaporização da gasolina. A ideia de motores a gás não era de modo algum nova, mas foi a primeira vez que um esforço realmente sério foi feito para colocá-los no mercado. Eles foram recebidos com interesse, mas não com entusiasmo, e não me lembro de ninguém que pensasse que o motor de combustão interna pudesse ter mais do que um uso limitado. Todas as pessoas sensatas demonstraram conclusivamente que o motor não podia competir com o vapor. Elas nunca acharam que isso poderia ajudá-las a construir uma carreira. As pessoas sensatas são assim – elas são tão sensatas e práticas que sempre sabem porque não se pode fazer algo. Elas sempre conhecem as limitações. É por isso que eu nunca emprego um especialista em plena floração. Se alguma vez eu quisesse matar a oposição por meios injustos, dotaria a oposição com especialistas. Eles teriam tantos bons conselhos a oferecer que eu poderia ter certeza de que trabalhariam pouco.

O motor a gás me interessou, e eu acompanhei seu progresso, mas apenas por curiosidade, até 1885 ou 1886. Quando o motor a vapor foi descartado como força motriz da carruagem que eu pretendia algum dia construir, tive de procurar outro tipo de força motriz. Em 1885, consertei um motor Otto na Eagle Iron Works, em Detroit. Ninguém na cidade sabia nada sobre eles. Houve um rumor de que eu o fizera, e, embora eu nunca tivesse tido contato com um deles, encarreguei-me do trabalho e o executei. Isso me deu a chance de estudar o novo motor em primeira mão e, em 1887, construí um para o modelo Otto de quatro ciclos, apenas para ver se havia entendido os princípios. "Quatro ciclos" significa que o pistão atravessa o cilindro quatro vezes para obter um impulso de potência. O primeiro golpe atrai o gás, o segundo o comprime, o terceiro é o golpe de explosão ou de força, enquanto o quarto golpe esgota o gás residual. O pequeno modelo funcionou bem o suficiente; tinha um diâmetro de dois centímetros e meio e um curso de pistão de sete centímetros e sessenta, operava com gasolina e, embora não produzisse muita energia, era mais leve em proporção do que os motores oferecidos comercialmente. Mais tarde, entreguei-o a um jovem que o queria de uma forma ou de outra e cujo nome esqueci; e ele acabou sendo destruído. Esse foi o começo do trabalho com o motor de combustão interna.

Estava então na fazenda, para a qual havia retornado, mais porque queria experimentar do que porque quisesse cultivar, e, sendo então um mecânico consumado, tinha uma oficina de primeira classe para substituir a oficina de brinquedos do passado. Meu pai me ofereceu dezesseis hectares de área de floresta para que eu deixasse de ser mecânico. Concordei de maneira provisória, pois cortar a madeira me deu a chance de me casar. Adaptei uma serraria e um motor portátil e comecei a cortar e serrar madeira na região. Algumas das primeiras tábuas foram para um chalé na minha nova fazenda, e lá começamos nossa vida de casados.

Não era uma casa grande, nove metros quadrados e apenas um andar e meio de altura, mas era um lugar confortável. Anexei a ela a minha oficina, e quando não estava cortando madeira, estava trabalhando nos motores a gás – aprendendo como funcionavam. Li tudo o que pude encontrar, mas o maior conhecimento veio do trabalho. Um motor a gás é um tipo de coisa misteriosa – nem sempre vai funcionar como deveria. Você pode imaginar como eram aqueles primeiros motores!

Foi em 1890 que comecei a trabalhar com um motor de dois cilindros. Não era nada prático considerar um único cilindro para fins de transporte – o volante tinha de ser muito pesado. Entre a fabricação do primeiro motor de quatro ciclos do tipo Otto e o começo do trabalho com um cilindro duplo, eu havia feito muitos motores experimentais com tubos. Sabia exatamente o que fazer. Imaginei que o cilindro duplo poderia ser aplicado a um veículo rodoviário, e minha ideia original era colocá-lo em uma bicicleta com uma conexão direta com o eixo da manivela, permitindo que a roda traseira funcionasse como roda de equilíbrio. A velocidade seria alterada apenas pelo acelerador. Nunca executei esse plano porque logo ficou claro que o motor, o tanque de gasolina e os vários controles necessários seriam pesados demais para uma bicicleta. O plano de dois cilindros opostos era que, enquanto um forneceria energia, o outro a gastaria. Naturalmente, isso não exigiria um volante tão pesado para equilibrar a aplicação de energia. O trabalho começou na oficina da minha fazenda. Então me ofereceram um emprego na Detroit Electric Company como engenheiro e mecânico, por quarenta e cinco dólares por mês. Aceitei, pois era mais dinheiro do que a fazenda me proporcionava, e eu havia decidido me afastar da vida de fazendeiro de qualquer maneira. A madeira havia sido toda cortada. Alugamos uma casa na Bagley Avenue, em Detroit. Montei a oficina em um galpão de tijolos nos fundos da casa. Durante os primeiros meses, ficava no turno da noite na fábrica de luz elétrica, o que me dava pouquíssimo tempo para experimentações, mas depois de um tempo, passei para o turno do dia, e todas as noites e todos os sábados à noite eu trabalhava no novo motor. Não posso dizer que fosse um trabalho árduo. Nenhum trabalho interessante é árduo. Sempre tenho certeza dos resultados. Eles sempre vêm se você trabalhar duro. Porém, foi muito bom verificar que minha esposa era ainda mais confiante do que eu. Ela sempre foi assim.

Tive de começar do zero, ou seja, embora soubesse que várias pessoas estavam trabalhando em carruagens sem cavalos, não sabia o que elas estavam fazendo. Os problemas mais difíceis de superar estavam na fabricação, na quebra da faísca e em como evitar o excesso de peso. Para a transmissão, a caixa de direção e a construção geral, poderia recorrer à minha experiência com os tratores a vapor. Em 1892, completei meu primeiro automóvel, mas foi somente na primavera do ano seguinte que ele funcionou, para minha satisfação. Esse primeiro carro tinha aparência semelhante à de um *buggy*.

Havia dois cilindros com um diâmetro de seis centímetros e meio e um curso de pistão de quinze centímetros colocados lado a lado e sobre o eixo traseiro. Eu os tirei do tubo de escape de um motor a vapor que havia comprado. Eles produziam cerca de quatro cavalos de potência. A potência era transmitida do motor ao contraeixo por uma correia, e do contraeixo à roda traseira por uma corrente. O carro comportava duas pessoas, o assento era preso em pilares, e a carroceria, em molas elípticas. Havia duas velocidades – uma de dezesseis e a outra de trinta e dois quilômetros por hora – obtidas pela troca da correia, o que era feito por uma alavanca de embreagem na frente do banco do motorista. Lançada para a frente, a alavanca colocava o carro em alta velocidade; lançada para trás, em baixa velocidade; com a alavanca na posição vertical, o motor podia funcionar livremente. Para dar partida no carro, era necessário virar o motor manualmente com a embreagem livre. Para pará-lo, bastava soltar a embreagem e usar o freio de pé. Não havia marcha à ré, e velocidades diferentes das da correia eram obtidas por meio do acelerador. Comprei a ferragem para a estrutura da carroceria e também para o assento e as molas. As rodas eram de arame de setenta centímetros, de bicicleta, com pneus de borracha. A direção eu fundi com base em um padrão criado por mim, e todo o mecanismo mais delicado eu mesmo fiz. Uma das características que achei necessária era uma engrenagem compensadora, que permitia que a mesma potência fosse aplicada a cada uma das rodas traseiras ao virar as esquinas. A máquina pesava no total cerca de duzentos e trinta quilos. Um tanque embaixo do assento continha três galões de gasolina que alimentavam o motor por meio de um pequeno tubo e uma válvula de combinação. A ignição era por faísca elétrica. A máquina original era resfriada a ar – ou, para ser mais preciso, o motor simplesmente não era resfriado. Descobri que em uma corrida de uma hora ou mais o motor esquentava, e então rapidamente coloquei uma câmara de água em volta dos cilindros e encanei-a em um tanque na parte traseira do carro, sobre eles. Quase todas essas várias características foram planejadas com antecedência. Sempre trabalhei assim. Desenho um plano e resolvo todos os detalhes antes de começar a construir. Caso contrário, perde-se muito tempo em improvisos à medida que o trabalho avança, e o artigo final não terá coerência, não terá a proporção correta. Muitos inventores falham porque não distinguem entre planejamento e experimentação. O mais difícil era obter os materiais adequados, e depois as ferramentas. Tinha de haver alguns ajustes e alterações nos detalhes do projeto, mas o que mais me conteve foi que eu não tinha nem tempo nem dinheiro para procurar o melhor material para cada peça. Contudo, na primavera de 1893, a máquina estava funcionando, para minha parcial satisfação, o que me deu a oportunidade de continuar a testar o projeto e o material na estrada.

O QUE APRENDI SOBRE NEGÓCIOS

Meu "*buggy* a gasolina" foi o primeiro e, durante muito tempo, o único automóvel em Detroit. Foi considerado um tanto incômodo, pois fazia barulho e assustava os cavalos. Ele também bloqueava o tráfego. Pois quando eu parava minha máquina em qualquer lugar da cidade, uma multidão a rodeava antes que eu pudesse dar partida novamente. Quando o deixava sozinho por um minuto, alguma pessoa curiosa sempre tentava dirigi-lo. Finalmente, tinha de carregar uma corrente e amarrá-la a um poste de luz sempre que o deixava em qualquer lugar. E então houve problemas com a polícia. Não sei bem o porquê, pois minha impressão é de que não havia leis para limites de velocidade naqueles dias. De qualquer forma, tive de obter uma permissão especial do prefeito e, por um tempo, desfrutei a honra de ser o único motorista licenciado na América. Dirigi a máquina por cerca de mil e seiscentos quilômetros entre 1895 e 1896 e depois a vendi para Charles Ainsley, de Detroit, por duzentos dólares. Essa foi a minha primeira venda. Tinha construído o carro não para vender, mas apenas para experimentar. Queria começar outro carro. Ainsley queria comprar. Eu poderia usar o dinheiro, e não tivemos problemas em estabelecer o preço.

Não foi apenas ideia minha fazer carros de maneira tão mesquinha. Estava olhando para o futuro da produção, mas antes que isso pudesse acontecer, precisava ter algo para produzir. A pressa não compensa. Comecei um segundo carro em 1896; era muito parecido com o primeiro, mas um pouco mais leve. Ele também tinha correia de transmissão, da qual não desisti até algum tempo depois; as correias funcionavam bem, exceto na época de calor. Por isso mais tarde adotei engrenagens. Aprendi muito com aquele carro. Outros neste país e no exterior estavam construindo carros naquela época, e, em 1895, ouvi dizer que um carro Benz da Alemanha estava em exposição na loja da Macy's em Nova Iorque. Viajei para verificar, contudo ele não tinha características que parecessem valer a pena. Também tinha correia de transmissão, mas era muito mais pesado que o meu carro. Eu estava trabalhando em prol da leveza; os fabricantes estrangeiros nunca pareciam apreciar o que a leveza significa. Construí três carros ao todo em minha oficina, e todos eles correram durante anos em Detroit. Ainda tenho o primeiro carro; eu o comprei de volta, alguns anos depois, de um homem para quem o sr. Ainsley o havia vendido. Paguei cem dólares por ele.

Durante todo esse tempo, mantive minha posição na companhia elétrica e gradualmente alcancei o cargo de engenheiro-chefe, com um salário de cento e vinte e cinco dólares por mês. Entretanto, meus experimentos com motores a gasolina não eram mais populares com o presidente da companhia do que minhas primeiras inclinações mecânicas com meu pai. Não que meu empregador se opusesse a experimentos – apenas a experimentos com um motor a gás. Ainda posso ouvi-lo dizer: "Eletricidade, sim, é isso que está por vir. Mas gás, não".

Ele tinha amplos motivos para seu ceticismo – para usar um termo brando.

Praticamente ninguém tinha a mais remota noção do futuro do motor de combustão interna, enquanto estávamos apenas à beira do grande desenvolvimento elétrico. Como em toda ideia relativamente nova, esperava-se que a eletricidade fizesse muito mais do que agora sabemos que ela pode fazer. Não vi a utilidade de experimentar a eletricidade para meus propósitos. Um carro de estrada não podia rodar em um trole, mesmo que os fios do trole fossem menos caros; não havia nenhuma bateria de armazenamento com um peso prático. Um carro elétrico tinha de ser limitado a um raio e conter uma grande quantidade de máquinas motrizes na proporção da potência exercida. Isso não quer dizer que eu desprezasse manter a eletricidade a baixo custo; nós ainda não começamos a usar eletricidade. Mas ela tem o seu lugar, e o motor de combustão interna tem o lugar dele. Nenhum pode substituir o outro, o que é muito bom.

Ainda tenho o dínamo que eu havia carregado pela primeira vez na Detroit Edison Company. Quando iniciei em nossa fábrica canadense, comprei-o de um prédio comercial que havia sido vendido pela companhia elétrica. Ele fora ligeiramente remodelado, e durante vários anos prestou um excelente serviço na fábrica canadense. Quando tivemos de construir uma nova central elétrica, por causa do aumento nos negócios, levei o velho motor para meu museu, uma sala em Dearborn que contém um grande número de meus tesouros mecânicos.

A Edison Company me ofereceu a superintendência geral da empresa, mas apenas com a condição de que eu desistisse do meu motor a gás e me dedicasse a algo realmente útil. Tive de escolher entre meu trabalho e meu automóvel. Escolhi o automóvel, ou melhor, desisti do emprego – não havia realmente dúvida quanto a essa escolha, pois eu já sabia que o carro estava destinado a ser um sucesso. Larguei o emprego em 15 de agosto de 1899 e entrei no ramo de automóveis.

Isso poderia ser considerado um pequeno passo, porque eu não tinha fundos pessoais. O dinheiro que havia sobrado da subsistência foi todo usado nas experiências. Mas minha esposa concordou que o automóvel não podia ser abandonado – que precisávamos construí-lo ou quebrar. Não havia "demanda" por automóveis – nunca há para um novo artigo. Eles foram aceitos da mesma maneira que mais recentemente se aceitou o avião. A princípio, a "carruagem sem cavalos" foi considerada apenas uma ideia excêntrica, e muitas pessoas sensatas explicavam detalhadamente por que ela nunca poderia ser mais do que um brinquedo. Nenhum homem de dinheiro sequer pensou nisso como uma possibilidade comercial. Não consigo imaginar por que cada novo meio de transporte encontra tal oposição. Hoje existem até aqueles que balançam a cabeça ao falar sobre o luxo do automóvel e apenas admitem de má vontade que talvez o caminhão a motor seja de algum uso. Mas, no começo, não havia quase ninguém que percebesse que o automóvel poderia ser um grande fator na indústria. O mais otimista esperava apenas um desenvolvimento parecido com o da bicicleta. Quando se descobriu que um automóvel realmente podia correr e vários fabricantes começaram a anunciar carros, a pergunta imediata era sobre qual seria o mais rápido. Foi um desenvolvimento curioso, mas natural – essa ideia de corrida. Nunca pensei em corrida, mas o público se recusou a considerar o automóvel sob qualquer outra óptica que não fosse a de um brinquedo veloz. Portanto, mais tarde tivemos de correr. A indústria foi atrasada por causa dessa inclinação inicial para a corrida, pois a atenção dos fabricantes foi desviada para a produção de carros rápidos, e não bons. Era um negócio para especuladores.

Um grupo de homens de espírito especulativo organizou, assim que deixei a empresa de eletricidade, a Detroit Automobile Company, para explorar meu carro. Eu era o engenheiro-chefe e mantinha uma pequena quantidade do estoque. Por três anos, os modelos que fabricamos eram relativamente parecidos com o do meu primeiro carro.

Vendemos pouquíssimos deles; não pude obter apoio algum para fazer carros melhores e vendê-los ao público em geral. O único objetivo era fazer o pedido e conseguir o maior preço possível para cada carro. A ideia principal parecia ser conseguir o dinheiro. E, não dispondo de outra autoridade além da que minha posição de engenheiro me dava, descobri que a nova empresa não era um veículo para a realização de minhas ideias, mas apenas uma empresa feita para ganhar dinheiro, mas que não ganhava muito dinheiro. Em março de 1902 renunciei, determinado a nunca mais me submeter a ordens. A Detroit Automobile Company mais tarde tornou-se a Cadillac Company, sob a propriedade dos Lelands, que vieram posteriormente.

Aluguei uma oficina – um galpão térreo de tijolos – na 81 Park Place para continuar meus experimentos e descobrir o que aquele negócio realmente significava. Pensei que deveria ser diferente da minha primeira aventura.

O ano de 1902 até a formação da Ford Motor Company foi praticamente uma investigação. Na minha pequena oficina de tijolos de um cômodo, trabalhei no desenvolvimento de um motor de quatro cilindros e, por fora, tentei descobrir o real significado de um negócio, e se precisava ser uma disputa por dinheiro tão egoísta quanto a minha primeira curta experiência. Desde o período do primeiro carro, que eu descrevi, até a formação da minha companhia atual, construí cerca de vinte e cinco carros, dos quais dezenove ou vinte foram construídos com a Detroit Automobile Company. O automóvel passou da fase inicial, em que o fato de ele poder rodar era suficiente, para a etapa em que ele tinha de mostrar velocidade. Alexander Winton, de Cleveland, o fundador do carro Winton, era o campeão de pista do país e estava disposto a conhecer todos os novos carros. Projetei um motor fechado de dois cilindros de um tipo mais compacto do que havia usado antes, encaixei-o em um esqueleto de chassi, descobri que podia ganhar velocidade e organizei uma corrida com Winton. Nós nos conhecemos na pista de Grosse Point, em Detroit. Eu o venci. Essa foi minha primeira corrida, e angariou o único tipo de publicidade que deixava as pessoas interessadas. O público não pensava em carro, a menos que produzisse velocidade – a menos que batesse outros carros de corrida. Minha ambição de construir o carro mais rápido do mundo me levou a planejar um motor de quatro cilindros. Mas isso foi mais tarde.

A característica mais surpreendente do negócio, quando ele foi realizado, foi a grande atenção dada ao financiamento e a pequena atenção dada ao serviço. Isso me pareceu reverter o processo natural, em que o dinheiro deve vir como resultado do trabalho e não à sua frente. A segunda característica era a indiferença geral a melhores métodos de fabricação, contanto que o que fosse feito perdurasse e fosse lucrativo. Em outras palavras, aparentemente, a razão para se construir um artigo não era servir ao público, mas quanto dinheiro se poderia obter com ele – e isso sem nenhuma preocupação especial com a satisfação do cliente.

Vendê-lo era suficiente. Um cliente insatisfeito não era visto como um homem cuja confiança havia sido violada, mas como um incômodo ou como uma possível fonte de mais dinheiro para consertar o trabalho que deveria ter sido feito de maneira correta em primeiro lugar. Por exemplo, ninguém se preocupava com o que acontecia com o carro depois que ele fora vendido, nem com a quantidade de gasolina que ele usava por quilômetro percorrido, ou com o tipo de serviço que ele prestava; e se ele quebrasse e as peças precisassem ser trocadas, azar do proprietário. Um bom negócio consistia em peças pelo preço mais alto possível, segundo a teoria de que, como o homem já havia comprado o carro, ele simplesmente precisaria da peça e estaria disposto a pagar por ela.

O negócio automobilístico não se pautava no que eu chamaria de uma base honesta, para não dizer, do ponto de vista da produção, em uma base científica, mas não era pior do que os negócios em geral. Aquele foi um período, é bom que seja lembrado, em que muitas empresas estavam sendo lançadas e financiadas. Os banqueiros, que antes se haviam confinado às ferrovias, entraram na indústria. Eu achava – e ainda acho – que, que se um homem fizesse bem o seu trabalho, o preço que receberia por ele, os lucros e todas as questões financeiras cuidariam de si mesmos, e que uma empresa deveria começar pequena e construir a si mesma e a partir de seus ganhos. Se não há ganhos, então isso é um sinal para o proprietário de que ele está desperdiçando seu tempo e não deveria estar nesse ramo. Nunca achei necessário mudar essas ideias, mas descobri que essa fórmula simples de fazer um bom trabalho e ser pago por ele seria considerada atrasada hoje em dia. O plano mais favorável na época era começar com a maior capitalização possível e depois vender todas as ações e todos os títulos que fosse possível. O que quer que restasse do dinheiro, depois de todas as despesas da venda de ações e títulos e de promotores, encargos e tudo mais, seria empregado com relutância na base do negócio. Um bom negócio não era aquele que fazia um bom trabalho e obtinha um lucro justo, mas aquele que daria a oportunidade de lançar uma grande quantidade de ações e títulos a preços altos. Eram as ações e os títulos, não o trabalho, que importavam. Eu não conseguia entender como se podia esperar que um negócio novo ou antigo fosse capaz de cobrar por seu produto altos juros em títulos e depois vendê-lo a um preço justo. Nunca fui capaz de entender isso.

Nunca fui capaz de entender com base em que teoria o investimento original de dinheiro pode ser cobrado contra uma empresa. Os homens de negócios que se autodenominam financistas dizem que o dinheiro "vale" seis por cento, ou cinco por cento, ou algum outro percentual, e que, se uma empresa tem cem mil dólares investidos, o homem que fez o investimento tem o direito de cobrar juros sobre o dinheiro, porque se, em vez de colocar esse dinheiro no negócio, ele o colocasse em uma poupança no banco ou em valores mobiliários, poderia ter um retorno fixo. Portanto, eles dizem que um encargo adequado sobre as despesas operacionais de uma empresa são os juros sobre esse dinheiro. Essa ideia está na raiz de muitos fracassos nos negócios e da maioria dos fracassos no serviço. O dinheiro não vale uma quantia específica. Como dinheiro, ele não vale nada, pois não fará nada por si só. O único uso do dinheiro é comprar ferramentas para trabalhar ou o produto das ferramentas. Portanto, o dinheiro vale o que o ajudará a produzir ou comprar e nada mais. Se um homem pensa que seu dinheiro vai render cinco ou seis por cento, ele deve colocá-lo onde possa obter esse retorno, mas o dinheiro colocado em uma empresa não é um encargo para ela – ou, melhor dizendo, não deveria ser. Ele deixa de ser dinheiro e se torna, ou deveria se tornar, um mecanismo de produção, e portanto vale o que produz – e não uma soma fixa de acordo com alguma escala que não tem relação com o negócio específico em que o dinheiro foi colocado. Qualquer retorno deve vir depois de produzido, não antes.

Os homens de negócios acreditavam que você poderia fazer qualquer coisa "financiando". Se não fosse aprovado no primeiro financiamento, a ideia era "refinanciar". O processo de "refinanciamento" era simplesmente o jogo de enviar um bom dinheiro depois do mau. Na maioria dos casos, a necessidade de refinanciamento surge da má administração, e o efeito do refinanciamento é simplesmente pagar aos pobres gerentes para que mantenham sua má administração por mais algum tempo. É apenas um adiamento do dia do julgamento. Esse improviso de refinanciamento é um estratagema de financistas especulativos. O dinheiro deles não é bom a menos que possam conectá-lo a um lugar onde o trabalho real está sendo feito, e isso não pode acontecer a menos que, de alguma forma, esse local seja mal administrado. Assim, os financistas especulativos se iludem, como se estivessem colocando o dinheiro deles em uso. Não estão; estão a desperdiçá-lo.

Decidi que nunca me associaria a uma empresa em que o financiamento viesse antes do trabalho ou em que banqueiros ou financistas tivessem parte dele. Além disso, se não houvesse maneira de começar o tipo de negócio que eu acreditava poder ser administrado no interesse do público, então eu simplesmente não começaria nada. Na minha curta experiência, o que vi acontecer ao meu redor era prova mais que suficiente de que o negócio como um mero jogo de ganhar dinheiro não valia muito a pena, e não tinha nada a ver com um homem que quisesse de fato realizar alguma coisa. Também não me parecia ser uma boa maneira de ganhar dinheiro. Ainda tenho que demonstrar que esse é o caminho. Pois o único fundamento do negócio real é o o serviço que ele presta.

Um fabricante não termina a relação com seu cliente quando uma venda é concluída.

Ele apenas começa essa relação com seu cliente. No caso de um automóvel, a venda da máquina é apenas uma apresentação.

Se a máquina não presta o serviço, então é melhor para o fabricante não ter tido a apresentação, pois ele terá a pior de todas as publicidades: um cliente insatisfeito. Nos primeiros dias do automóvel, havia algo mais do que uma tendência de considerar a venda de uma máquina uma conquista real, e, a partir de então, não importava o que acontecesse ao comprador. Essa é a atitude imprudente de um vendedor comissionado. Se um vendedor é pago apenas pelo que vende, não é de se esperar que ele faça um grande esforço pelo cliente do qual não conseguirá mais comissão. E esse foi o maior argumento de venda para a Ford. O preço e a qualidade do carro, sem dúvida, constituiriam um mercado, e um mercado grande. Fomos além disso. Um homem que comprasse um de nossos carros tinha, em minha opinião, direito ao seu uso contínuo, e, portanto, se ele tivesse uma avaria de qualquer tipo, era nosso dever fazer com que essa máquina fosse colocada em forma novamente o mais cedo possível. A prestação antecipada de serviço foi um elemento marcante no sucesso do carro Ford. A maioria dos carros caros daquele período estava mal provida de estações de serviço. Se o seu carro quebrasse, você tinha que depender do técnico de manutenção local – quando na verdade tinha o direito de depender do fabricante. Se o técnico de manutenção local fosse um tipo de pessoa prudente, mantendo à mão um bom estoque de peças (embora em muitos dos carros as peças não fossem intercambiáveis), o proprietário teria sorte. Todavia, se o técnico de manutenção fosse uma pessoa ineficiente, com um conhecimento adequado de automóveis e um desejo desordenado de tirar uma coisa boa de cada carro que entrasse em sua oficina para reparos, então até mesmo uma pequena avaria significaria semanas em desuso e uma imensa conta de reparo que teria de ser paga antes que o carro pudesse ser retirado. Os reparadores foram por algum tempo a maior ameaça à indústria automobilística. Mesmo mais tarde, em 1910 e 1911, o proprietário de um automóvel era considerado essencialmente um homem rico, cujo dinheiro poderia ser extorquido. Enfrentamos desde o começo essa situação. Não queríamos ter nossa distribuição bloqueada por causa de homens estúpidos e gananciosos.

Isso é estar alguns anos à frente da história, mas é o controle das finanças que interrompe a prestação de serviço, porque ele olha para o dólar imediato. Se a primeira preocupação é ganhar certa quantia de dinheiro, então, a menos que, por algum golpe de sorte, as questões estejam indo especialmente bem e haja um excedente de serviço para que os operadores possam ter uma chance, o negócio futuro deve ser sacrificado pelo dólar de hoje.

E também notei entre muitos homens de negócios a tendência de sentir que seu destino era um fardo – eles trabalhavam à espera do dia em que poderiam se aposentar e viver com uma renda, fugindo à luta. A vida para eles era uma batalha que devia terminar o mais cedo possível. Esse era outro ponto que eu não conseguia entender, pois, como argumentei, a vida não é uma batalha, exceto com nossa própria tendência a ceder ao impulso de "nos acomodarmos". Se o sucesso consiste em se petrificar, tudo que precisamos fazer é animar o lado preguiçoso da mente; mas, se consiste em crescer, então é preciso acordar novamente todas as manhãs e ficar acordado o dia todo. Vi grandes empresas se tornarem o fantasma de um nome porque alguém pensou que elas poderiam ser administradas exatamente como sempre haviam sido, e embora a administração possa ter sido excelente nesses dias, sua excelência consistia em estar atenta ao presente e não à sequência servil de seu passado. A vida, a meu ver, não é um local, mas uma jornada. Mesmo o homem que se sente mais "estabelecido" não está – ele provavelmente está recuando. Tudo consiste num fluxo, e assim deveria ser. A vida flui. Podemos morar no mesmo número da rua, mas nunca é o mesmo homem que mora lá.

E da ilusão de que a vida é uma batalha que um movimento em falso pode pôr a perder cresce, notei, um grande amor pela regularidade. Os homens se habituam à meia-vida. É difícil o sapateiro se dedicar à maneira ultramoderna de solar sapatos, e é raro o artesão aceitar prontamente novos métodos em seu ofício. O hábito conduz a certa inércia, e qualquer perturbação afeta a mente como um problema. Devemos lembrar que, quando foi feito um estudo dos métodos de oficina para que os operários fossem ensinados a produzir com menos movimento e fadiga, isso foi mais contestado pelos próprios operários. Embora eles suspeitassem que se tratava de um jogo para tirar mais deles, o que mais os aborrecia era o fato de isso interferir na rotina desgastada com que eles estavam acostumados. Os homens de negócios vão à falência porque gostam muito da maneira antiga e não conseguem mudar; eles não sabem que o ontem é passado e que acordaram esta manhã com as mesmas ideias do ano anterior. Isso quase poderia ser escrito como uma fórmula em que, quando um homem começa a pensar que finalmente encontrou o método perfeito, é melhor ele começar um exame mais minucioso de si mesmo para ver se alguma parte de seu cérebro não foi dormir. Existe um perigo sutil em um homem que pensa que está "estabelecido" por toda a vida. Isso indica que o próximo solavanco da roda do progresso vai arremessá-lo para fora.

Há também o grande medo de ser considerado tolo. Muitos homens têm medo de ser considerados tolos. Admito que a opinião pública é uma poderosa influência para aqueles que dela precisam. Talvez seja verdade que a maioria dos homens precise da restrição da opinião pública. Ela pode manter um homem melhor do que ele seria – se não melhor moralmente, pelo menos melhor no que diz respeito à sua conveniência social. Mas não é uma coisa ruim ser um tolo por causa da justiça. O melhor de tudo é que esses tolos geralmente vivem o suficiente para provar que não eram tolos – ou o trabalho que iniciaram dura o suficiente para provar isso.

A influência do dinheiro – a pressão para obter lucro com um "investimento" – e sua consequente negligência ou economia de trabalho – e, portanto, de serviço – se revelaram a mim de várias maneiras. Parecia estar na base da maioria dos problemas. Foi a causa de baixos salários, pois, se o trabalho não for bem conduzido, não se pode pagar altos salários. E se não se der toda a atenção ao trabalho, ele não poderá ser bem conduzido. A maioria dos homens quer ser livre para trabalhar; sob o sistema em vigência, eles jamais conseguiriam isso. Durante minha primeira experiência, eu não era livre – não pude executar por completo as minhas ideias.

Tudo tinha de ser planejado para ganhar dinheiro; a última coisa a considerar era o trabalho. E a parte mais curiosa de tudo era a insistência de que era o dinheiro e não o trabalho que contava. Não parecia ocorrer a ninguém que colocar o dinheiro à frente do trabalho era ilógico – mesmo que todos tivessem de admitir que o lucro tinha de vir do trabalho. Queriam encontrar um atalho para o dinheiro e ignorar o atalho óbvio – que é por meio do trabalho.

Vejamos a concorrência; descobri que ela deveria ser uma ameaça e que um bom gerente driblava seus concorrentes ao conseguir o monopólio por meios artificiais. Pensava-se que havia apenas certo número de pessoas que podia comprar e que era necessário levar o comércio a elas antes de outra pessoa. Alguns se lembrarão que mais tarde muitos fabricantes de automóveis entraram em uma associação sob o regime de Selden Patente apenas para que fosse possível, de modo legal, controlar o preço e a produção de automóveis. Eles tinham a mesma opinião que muitos sindicatos – a noção ridícula de que se pode obter mais lucro com menos trabalho do que com mais. O plano, acredito, é muito antiquado. Na época eu não entendia – e ainda sou incapaz de fazê-lo – que nem sempre há o suficiente para o homem que faz seu trabalho; o tempo gasto na luta contra a concorrência é desperdiçado; seria melhor gastá-lo fazendo o trabalho. Sempre há um número suficiente de pessoas prontas e ansiosas para comprar, desde que você forneça o que elas desejam e pelo preço apropriado – e isso se aplica tanto a serviços pessoais quanto a bens.

Durante esse período de reflexão, fiquei longe da ociosidade. Estávamos construindo um motor de quatro cilindros e dois grandes carros de corrida. Eu tinha bastante tempo, porque nunca deixei meus negócios. Não acredito que um homem possa deixar seus negócios. Ele deveria pensar durante o dia e sonhar durante a noite. É bom fazer o trabalho no horário de expediente – iniciá-lo pela manhã, abandoná-lo à noite e não ter nenhuma preocupação até a manhã seguinte. É perfeitamente possível fazer isso se alguém, durante toda a vida, estiver disposto a aceitar a direção, a ser um empregado – possivelmente um empregado responsável, mas não um diretor ou gerente de nada. Um trabalhador manual deve ter um limite de horas, caso contrário ele se desgastará. Se ele pretende permanecer sempre como trabalhador manual, então deve esquecer seu trabalho quando o sinal tocar, mas se ele pretende seguir em frente e fazer qualquer coisa, o sinal apenas serve para começar a pensar sobre o trabalho do dia, para descobrir como isso pode ser mais bem-feito.

O homem que tem maior capacidade para o trabalho e a reflexão é que está destinado a ter sucesso. Não pretendo dizer, porque não sei, que o homem que trabalha sempre, que nunca deixa seus negócios, que está absolutamente decidido a progredir e que, portanto, avança é mais feliz do que o que mantém o horário de expediente tanto pelo cérebro como pelas mãos. Não é necessário que ninguém decida a questão. Um motor com potência de dez cavalos não puxa mais que um de vinte. O homem que mantém o horário de expediente mental limita sua potência. Se ele está satisfeito em puxar apenas a carga que tem, muito bem, esse é o seu caso – mas ele não deve reclamar se outro que aumentou sua potência puxar mais do que ele. Lazer e trabalho trazem resultados diferentes. Se um homem quer lazer e o consegue, então ele não tem motivo para reclamar. Mas ele não pode ter ambos: o lazer e os resultados do trabalho.

De modo concreto, o que percebi sobre negócios naquele ano – e tenho aprendido mais a cada ano que passa, sem achar necessário alterar minhas primeiras conclusões – é o seguinte:

1. que o financiamento é considerado mais importante que o trabalho e, portanto, tende a acabar com ele e a destruir os fundamentos do serviço;

2. que pensar primeiro no dinheiro em vez de no trabalho traz o medo do fracasso, e esse medo bloqueia todos os caminhos do negócio – faz um homem ter medo da concorrência, de mudar seus métodos ou de fazer qualquer coisa que possa mudar sua condição;

3. que o caminho está claro para quem pensa primeiro em serviço ou em fazer o trabalho da melhor maneira possível.

INICIANDO O VERDADEIRO NEGÓCIO

Na pequena oficina de tijolos da 81 Park Place, tive oportunidade de trabalhar com afinco no desenho e em alguns dos métodos de fabricação de um novo carro. Até que fosse possível organizar o tipo exato de negócio que eu queria, aquele em que fazer bem o trabalho e servir ao público seriam fatores determinantes, tornou-se evidente que eu nunca poderia produzir um automóvel totalmente bom que pudesse ser vendido a um preço baixo com os métodos de fabricação de tentativa e erro já existentes.

Todo mundo sabe que sempre é possível fazer algo melhor no segundo tempo. Não sei por que a fabricação naquele momento não deveria ter, de modo geral, reconhecido isso como um fato básico, a menos que os fabricantes estivessem com tanta pressa de obter algo para vender que não tivessem tempo para uma preparação adequada. Fazer "sob encomenda" em vez de fazer em volume é, suponho, um hábito, uma tradição que descendia dos velhos tempos de artesanato. Pergunte a cem pessoas como elas querem que um artigo específico seja feito. Cerca de oitenta não saberão; elas vão deixar que você responda a essa questão. Quinze vão pensar que precisam dizer algo, enquanto cinco realmente têm preferências e razões. Os noventa e cinco, compostos das que não sabem e admitem isso e dos quinze que não sabem mas não admitem constituem o mercado real de qualquer produto. Os cinco que querem algo especial podem ou não ser capazes de pagar o preço por esse trabalho. Se eles têm o montante necessário, podem adquirir o trabalho, mas constituem um mercado especial e limitado. Dos noventa e cinco, talvez dez ou quinze vão pagar pela qualidade. Dos restantes, alguns comprarão apenas pelo preço e sem considerar a qualidade. Os números se estreitam a cada dia. Os compradores estão aprendendo a comprar. A maioria vai considerar a qualidade e pagar por ela. Se, portanto, você descobrir o que dará a esses noventa e cinco por cento de pessoas o melhor serviço completo e, em seguida, providenciar a fabricação com a mais alta qualidade e vender a um preço muito mais baixo, estará atendendo a uma demanda tão grande que pode ser considerada universal.

Isso não é padronização. O uso da palavra "padronização" não é muito apropriado, pois implica certo congelamento de projeto e método e em geral funciona para que o fabricante selecione qualquer artigo que ele possa fazer e vender mais facilmente e com o maior lucro. O público não é considerado nem no projeto nem no preço. A maioria da padronização visa a obtenção de um lucro maior. O resultado é que, com as inevitáveis economias, se o fabricante faz apenas uma coisa, obtém um lucro cada vez maior. A produção também se torna maior – suas instalações produzem mais –, e, antes que ele perceba, os mercados estão transbordando de mercadorias que não venderão. Essas mercadorias venderiam se o fabricante cobrasse um preço mais baixo por elas. Sempre há poder de compra presente – mas esse poder de compra nem sempre responde a reduções de preço. Se um artigo é vendido a um preço muito alto e, em seguida, por causa de negócios estagnados, o preço é subitamente reduzido, a resposta às vezes é muito decepcionante. E por uma boa razão. O público é cauteloso, supõe que o corte de preço é falso e fica esperando um corte real. Vimos muito disso no ano passado. Se, pelo contrário, as economias de produção são transferidas de uma só vez para o preço e o público souber que essa é a política do fabricante, terá confiança nele e responderá. Confiará que o valor dado por ele é honesto. Portanto, a padronização pode parecer um negócio ruim, a menos que inclua o plano de constantemente reduzir o preço pelo qual o artigo é vendido. E o preço deve ser reduzido (isso é muito importante), por causa das economias que surgiram na produção, e não porque a queda na demanda do público indique que ele não está satisfeito com o preço. O público deve sempre se perguntar como é possível dar tanto pelo dinheiro.

A padronização (para usar a palavra como eu a entendo) não consiste apenas em pegar o artigo mais vendido e se concentrar nele. É planejar dia e noite, e provavelmente durante anos, primeiro algo que melhor se adapte ao público e depois o modo como ele deve ser produzido. Os processos exatos de fabricação vão se desenvolver por si mesmos. Então, se transferirmos a produção do lucro para a base de serviço, teremos um negócio real no qual os lucros serão tudo o que alguém poderia desejar.

Tudo isso parece evidente para mim. É a base lógica de qualquer negócio que deseje atender a noventa e cinco por cento da comunidade. É a maneira lógica pela qual a comunidade pode servir a si mesma. Não consigo compreender por que todo negócio não segue essa base. A única coisa que se precisa fazer para adotar isso é superar o hábito de pegar o dólar mais próximo como se fosse o único dólar no mundo. O hábito já foi até certo ponto superado. Todos os grandes e bem-sucedidos varejistas deste país seguem uma base de preço único. O único passo adicional necessário é livrar-se da ideia de precificar acima do que o comércio vai suportar, e, em vez disso, partir para a base de preços do senso comum – quanto custa para produzir – e depois reduzir o custo de fabricação. Se o projeto do produto tiver sido estudado de maneira suficiente, as mudanças virão muito lentamente. Contudo, as mudanças nos processos de fabricação virão de forma muito rápida e totalmente natural.

Essa tem sido a nossa experiência em tudo o que empreendemos. Nos próximos capítulos contarei como tudo aconteceu. O ponto que desejo frisar é que é impossível obter um produto que valha a pena a menos que se estude muito antes de fazê-lo. Isto não é apenas um trabalho de uma tarde.

Desenvolvi essas ideias durante esse ano de experimentações. A maioria delas era sobre a construção de carros de corrida. A ideia, naqueles dias, era que um carro de primeira classe deveria ser um piloto. Realmente nunca pensei muito em corridas, mas, seguindo a ideia da bicicleta, os fabricantes tinham a noção de que vencer uma corrida em uma pista dizia ao público algo sobre os méritos de um automóvel, embora eu mal possa imaginar qualquer teste que dissesse menos.

Entretanto, como os outros estavam fazendo isso, também tive de fazê-lo. Em 1903, com Tom Cooper, construí dois carros exclusivamente para correr. Eles eram muito parecidos. Um deles chamamos de "999", e o outro, de "Arrow". Se a razão para que um automóvel fosse conhecido era a velocidade, então eu faria um que seria conhecido pelos apreciadores de velocidade. Coloquei quatro grandes cilindros que resultavam em 80 cv, o que ninguém antes havia feito. O rugido daqueles cilindros já era suficiente para quase matar um homem. Havia apenas um assento. Uma vida para um carro era suficiente. Experimentei os carros. Cooper experimentou os carros. Nós os dirigimos a toda a velocidade. Não consigo descrever bem a sensação. Andar sobre as Cataratas do Niágara não passaria de um passatempo depois de uma volta em um daqueles carros. Eu não queria assumir a responsabilidade de correr com o 999, que colocamos em primeiro lugar, nem Cooper. Ele disse que conhecia um homem que vivia da velocidade, que nada poderia ser muito rápido para ele. Ele ligou para Salt Lake City, e em seguida fomos procurados por um ciclista profissional chamado Barney Oldfield. Ele nunca havia dirigido um carro, mas gostou da ideia de experimentá-lo. Ele disse que tentaria qualquer coisa.

Levamos apenas uma semana para ensiná-lo a dirigir. O homem não sabia o que era medo. Tudo o que ele precisava aprender era a controlar o monstro. Controlar o carro mais rápido de hoje não era nada comparado a controlar aquele carro. O volante ainda não havia sido criado. Todos os carros anteriores que eu havia construído tinham lemes. Nesse, coloquei um leme de duas mãos, pois manter o carro na linha exigia toda a força de um homem forte. A corrida para a qual estávamos trabalhando era a de três milhas, na pista de Grosse Point. Mantivemos nossos carros como azarões. Deixamos as previsões para os outros. As pistas na época não eram cientificamente seguras. Não se sabia que velocidade um automóvel poderia alcançar. Ninguém sabia melhor que Oldfield o que significavam as curvas, e, quando ele se sentou, enquanto estava dando partida no carro, comentou, animado: "Bem, esta carruagem pode me matar, mas depois dirão que eu estava correndo como louco quando ela me levou".

E ele foi... Nem ousou olhar para os lados. Não reduziu nas curvas. Simplesmente deixou o carro ir – e ele foi. No final da corrida, ele estava cerca de um quilômetro à frente do segundo lugar!

O 999 fez o que fora destinado a fazer: anunciou o fato de que eu podia construir um automóvel rápido. Uma semana após a corrida, fundei a Ford Motor Company. Fui vice-presidente, projetista, mecânico-chefe, superintendente e gerente-geral. A capitalização da empresa era de cem mil dólares, e disso eu possuía vinte e cinco e meio por cento.

O valor total subscrito em dinheiro era de cerca de vinte e oito mil dólares – o único dinheiro que a empresa recebeu pelo fundo de capital de outras operações. No começo, pensei que era possível, apesar da minha experiência anterior, prosseguir com uma companhia cujo controle acionário eu não detinha. Logo descobri que precisava ter o controle; portanto, em 1906, com os fundos que recebera na companhia, comprei ações suficientes para elevar minhas participações a cinquenta e um por cento e, um pouco mais tarde, o suficiente para ter cinquenta e oito e meio por cento. O novo equipamento e todo o progresso da companhia sempre foram financiados com ganhos. Em 1919, meu filho Edsel comprou os quarenta e um e meio por cento restantes das ações, porque alguns acionistas minoritários discordaram de minhas políticas. Por essas ações, ele pagou à taxa de doze mil e quinhentos dólares cada ação de cem dólares, e ao todo pagou cerca de setenta e cinco milhões de dólares.

A empresa original e seus equipamentos, como se pode concluir, não foram agregados. Alugamos a Carpintaria Strelow, na Mack Avenue. Ao fazer meus projetos, também havia formulado os métodos de fabricação, porém, como naquela época não tínhamos dinheiro suficiente para comprar maquinário, o carro inteiro era fabricado de acordo com meus projetos, mas por vários fabricantes, e quase tudo o que fazíamos, até mesmo na montagem, era colocar as rodas, os pneus e a carroceria. Esse seria realmente o método mais econômico de fabricação se apenas se pudesse ter certeza de que todas as várias peças seriam fabricadas de acordo com o plano de fabricação que descrevi acima. A fabricação mais econômica do futuro será aquela em que todo o artigo não seja fabricado sob o mesmo teto – a menos, é claro, que seja um artigo muito simples. O método moderno – ou melhor, o futuro – é que cada peça seja feita no melhor lugar para isso, e, em seguida, que todas as peças sejam montadas em uma unidade completa nos pontos de consumo. Esse é o método que estamos seguindo agora e que esperamos desenvolver. Não faria diferença se uma companhia ou um indivíduo possuísse todas as fábricas que produzissem os componentes de um único produto ou se tal peça fosse feita em nossa fábrica independente, desde que todos adotassem os mesmos métodos de serviço. Se pudermos comprar uma peça tão boa quanto a que podemos fabricar e se a oferta for ampla e o preço justo, não tentaremos fazê-la nós mesmos ou, de qualquer forma, fabricar mais do que um suprimento de emergência. De fato, seria melhor ter a propriedade amplamente dispersa.

Experimentei principalmente a redução de peso. O excesso de peso mata qualquer veículo automotor. Existem muitas ideias absurdas sobre peso. É estranho, quando você pensa nisso, como alguns termos tolos entram em uso corrente. Existe a frase "pessoa de peso" aplicada ao aparato mental de um homem! O que isso significa? Ninguém quer ser gordo e pesado de corpo – então por que na mente? Por alguma razão deselegante, viemos a confundir força com peso. Os métodos grosseiros de construção anteriores sem dúvida tinham muito a ver com isso. O velho carro de boi pesava uma tonelada – e tinha tanto peso que era fraco! Para transportar algumas toneladas de seres humanos de Nova Iorque a Chicago, a ferrovia constrói um trem que pesa muitas centenas de toneladas, e o resultado é uma absoluta perda de força e o extravagante desperdício de incontáveis milhões em forma de energia.

A lei dos retornos decrescentes começa a operar no ponto em que a força se torna peso. O peso pode ser desejável em um rolo compressor, mas em nenhum outro lugar. Força não tem nada a ver com peso. A mentalidade do homem que faz as coisas no mundo é ágil, leve e forte. As coisas mais belas do mundo são aquelas das quais todo o excesso de peso foi eliminado. Força nunca significa apenas peso, seja em homens ou em coisas. Sempre que alguém sugere que eu aumente o peso ou adicione uma peça, busco diminuir o peso e eliminar uma peça! O carro que projetei era mais leve do que qualquer um que já havia sido fabricado. Teria sido ainda mais leve se eu soubesse como fazê-lo – mais tarde, consegui os materiais para fazer o carro mais leve.

Em nosso primeiro ano, construímos o "Modelo A", vendendo-o por oitocentos e cinquenta dólares e a capota por mais cem dólares. Esse modelo tinha um motor de dois cilindros que fazia oito cavalos de potência. Tinha acionamento por corrente, distância entre os eixos de um metro e oitenta – considerada longa – e capacidade para cinco galões de combustível. Fabricamos e vendemos 1.708 carros no primeiro ano. Foi assim que o público respondeu.

Cada um desses "Modelos A" tem uma história. Vejamos o número 420. O coronel D. C. Collier, da Califórnia, comprou-o em 1904. Ele o usou por alguns anos, vendeu-o e comprou um novo Ford. O 420 mudou de mãos com frequência até 1907, quando foi comprado por Edmund Jacobs, que morava perto de Ramona, no coração das montanhas. Ele o dirigiu por vários anos no tipo mais penoso de locomoção. Então ele comprou um Ford novo e vendeu o antigo. Em 1915, o número 420 havia passado para as mãos de um homem chamado Cantello, que retirou o motor, amarrou-o a uma bomba de água, improvisou hastes no chassi e agora, enquanto o motor se move com ruídos de descarga no bombeamento de água, o chassi, atrelado a um burro, age como um *buggy*. A moral, certamente, é que você pode dissecar um Ford, mas não pode matá-lo.

Em nosso primeiro anúncio, dissemos:

Nosso objetivo é construir e comercializar um automóvel projetado em especial para uso diário – comercial, profissional e familiar; um automóvel que atinja uma velocidade suficiente para satisfazer a pessoa comum, e não uma dessas velocidades alucinantes que são tão universalmente condenadas; uma máquina que será admirada por homens, mulheres e crianças por sua compacidade, simplicidade, segurança, conveniência total e – por último, mas não menos importante – seu preço extremamente razoável, que a coloca ao alcance de muitos milhares que não poderiam pensar em pagar os preços relativamente fabulosos pedidos pela maioria das máquinas.

E estes são os pontos que enfatizamos:

Bom material.

Simplicidade – o manuseio da maioria dos carros naquela época exigia considerável habilidade.

O motor.

A ignição, que era abastecida por dois conjuntos de seis baterias de células secas.

A lubrificação automática.

A simplicidade e a facilidade de controle da transmissão, que era de tipo planetário.

O acabamento.

Nós não fizemos o apelo ao prazer. Nunca o fizemos. Em seu primeiro anúncio, mostramos que um carro a motor era uma utilidade. Nós dissemos:

Muitas vezes ouvimos citar o velho provérbio: "Tempo é dinheiro" – e ainda assim poucos homens de negócios e profissionais agem como se realmente acreditassem que isso é verdade.

Homens que estão constantemente reclamando de falta de tempo e lamentando a escassez de dias na semana, homens para quem cinco minutos desperdiçados significam um dólar jogado fora, homens para quem o atraso de cinco minutos às vezes significa a perda de muitos dólares insistem em depender do meio de transporte aleatório, desconfortável e limitado oferecido pelos transportes públicos, etc., quando o investimento de uma soma extremamente moderada na compra de um automóvel aperfeiçoado, eficiente e de alta qualidade suprimiria a ansiedade e a falta de pontualidade e proporcionaria um meio luxuoso de viajar sempre às suas ordens. Sempre pronto, sempre seguro.

Construído para lhes poupar tempo e, consequentemente, dinheiro.

Construído para levá-los aonde quiserem ir e trazê-los de volta a tempo.

Construído para aumentar a sua reputação por pontualidade; para manter seus clientes bem-humorados e dispostos a comprar.

Construído para o negócio ou para o prazer – como quiserem.

Construído também para o bem da sua saúde – para transportá-los "sem solavancos" por qualquer tipo de estradas minimamente decentes, para refrescar seu cérebro luxuosamente "ao ar livre" e seus pulmões com o "tônico dos tônicos", o tipo certo de atmosfera.

É a sua opinião, também, quando se trata de velocidade. Vocês podem – se assim escolherem – demorar-se por avenidas sombreadas ou pressionar o acelerador até que todos os cenários pareçam iguais e vocês tenham de se manter atentos para contar os marcos enquanto eles passam.

Descrevi a essência desse anúncio para mostrar que, desde o início, estávamos procurando prestar serviço – nunca nos incomodamos com um "carro esportivo".

O negócio evoluiu quase como por mágica. Os carros ganharam reputação por se consolidarem. Eles eram resistentes, simples e bem-feitos. Eu estava trabalhando no meu projeto para um modelo universal único, mas não havia decidido os detalhes nem tínhamos dinheiro para construir e equipar o tipo adequado de fábrica para a produção. Não tínhamos dinheiro para descobrir os melhores e mais leves materiais. Ainda tínhamos de aceitar os materiais que o mercado oferecia – conseguimos o melhor, mas não tínhamos instalações para a investigação científica de materiais ou para pesquisas originais.

Meus sócios não estavam convencidos de que era possível restringir nossos carros a um único modelo. O comércio de automóveis estava seguindo o exemplo dos fabricantes de bicicletas, em que cada um deles achava necessário lançar um novo modelo a cada ano e torná-lo tão diferente de todos os modelos anteriores que aqueles que haviam comprado os antigos quisessem se desfazer deles e comprar o novo. Acreditavam ser um bom negócio. É a mesma ideia a que as mulheres se submetem com relação a roupas e chapéus. Isso não é prestar serviço – busca apenas fornecer algo novo, não algo melhor. É extraordinário quão firmemente enraizada é a noção de que o negócio – a venda contínua – depende não de satisfazer o cliente de uma vez por todas, mas, primeiro, de obter seu dinheiro para um artigo e depois persuadi-lo de que ele deveria comprar um novo e diferente. O plano que eu tinha em mente, mas que não estávamos suficientemente avançados para expressar, era que, quando um modelo era fixo, todas as melhoras deveriam ser estendidas ao modelo antigo, de forma que um carro nunca ficasse desatualizado. Minha ambição é que cada peça, ou outros produtos não consumíveis que produzo, seja tão forte e bem-feita que ninguém precise comprar uma segunda. Uma boa máquina de qualquer tipo deve durar tanto quanto um bom relógio.

No segundo ano, dispersamos nossas energias entre três modelos. Fizemos um carro de turismo de quatro cilindros, o "Modelo B", vendido por dois mil dólares; o "Modelo C", que era um "Modelo A" ligeiramente melhorado e vendido por cinquenta dólares a mais do que o preço anterior; e o "Modelo F", um carro de turismo vendido por mil dólares. Ou seja, dispersamos nossa energia e aumentamos os preços – e, portanto, vendemos menos carros do que no primeiro ano. As vendas foram de 1.695 carros.

Aquele Modelo B – o primeiro carro de quatro cilindros para uso geral na estrada – teve de ser anunciado. Ganhar uma corrida ou bater um recorde era o melhor tipo de publicidade. Então consertei o Arrow, o gêmeo do velho 999 – na verdade, ele foi praticamente refeito –, e uma semana antes do Show do Automóvel de Nova Iorque eu mesmo o dirigi por mais de um quilômetro no gelo, em linha reta. Nunca vou esquecer aquela corrida. O gelo parecia suave o suficiente, tão suave que, se eu tivesse cancelado o teste, teríamos garantido uma imensa quantidade de publicidade equivocada, pois, em vez de ser suave, aquele gelo estava coberto de fissuras que eu sabia que significariam problemas no momento em que aumentasse a velocidade. Mas não havia nada a fazer a não ser ir em frente com o teste, e deixei o velho Arrow partir. A cada fissura, o carro saltava para o ar. Nunca sabia o que viria a seguir. Quando não estava no ar, estava derrapando, porém de alguma forma ficava para cima e para baixo, mas na trajetória da pista, conquistando um recorde que foi visto no mundo inteiro! Isso colocou o Modelo B no mapa – mas não o suficiente para superar os avanços do preço. Nenhum truque publicitário e nenhum anúncio vão vender um artigo por qualquer período de tempo. Um negócio não é um jogo. Veremos a moral dessa história.

Nossa pequena oficina de madeira, com o negócio que estávamos fazendo, tornou-se totalmente inadequada, e em 1906 tiramos do nosso capital de giro fundos suficientes para construir uma fábrica de três andares na esquina das ruas Piquette e Beaubien – o que pela primeira vez nos deu instalações adequadas à produção. Começamos a produzir e a montar um grande número de peças, embora ainda fôssemos principalmente uma oficina de montagem. Em 1905-1906 fizemos apenas dois modelos – um de quatro cilindros por dois mil dólares e outro de turismo por mil dólares, sendo ambos os modelos do ano anterior – e as nossas vendas caíram para 1.599 carros.

Alguns disseram que foi porque não tínhamos lançado novos modelos. Eu achava que nossos carros eram muito caros – eles não apelavam para os noventa e cinco por cento. Mudei a política no ano seguinte – primeiro adquiri o controle acionário. Em 1906-1907 deixamos de fabricar completamente carros de turismo e fizemos três modelos de *runabout*[2] e *roadsters*[3], nenhum dos quais diferia materialmente do outro no processo de fabricação ou nos componentes, mas eram um pouco diferentes na aparência. A única coisa era que o carro mais barato era vendido por seiscentos dólares, e o mais caro por apenas setecentos e cinquenta dólares, e logo veio a demonstração completa do que o preço significava. Vendemos 8.423 carros – quase cinco vezes mais do que em nosso melhor ano. Nossa melhor semana foi a de 15 de maio de 1908, quando montamos trezentos e onze carros em seis dias úteis. Isso quase inundou nossas instalações. O encarregado tinha um quadro de registro no qual anotava cada carro que era finalizado e entregue aos testadores. O quadro não estava à altura da tarefa. Em um dia do mês de junho seguinte, nós montamos cem carros.

No ano seguinte, partimos do programa que havia sido tão bem-sucedido e eu projetei um grande carro – cinquenta cavalos de potência, seis cilindros – que incendiaria as estradas. Continuamos fabricando nossos carros pequenos, mas o pânico financeiro de 1907 e a diversificação para o modelo mais caro reduziram as vendas para 6.398 carros.

Passamos por um período de experiência de cinco anos. Os carros estavam começando a ser vendidos na Europa. O negócio, por ser de automóveis, era considerado extraordinariamente próspero. Tínhamos bastante dinheiro. Desde o primeiro ano, praticamente, sempre tivemos bastante dinheiro. Vendemos por dinheiro, não emprestamos dinheiro e vendemos diretamente ao comprador. Não tínhamos créditos duvidosos e mantivemos internamente cada movimento. Sempre me mantive bem

---

[2] Pequeno carro de um assento e sem capota. (N.T.)
[3] Pequeno carro conversível barulhento e com dois assentos. (N.T.)

dentro dos meus recursos. Nunca achei necessário forçá-los, porque, inevitavelmente, se você der atenção ao trabalho e ao serviço, os recursos aumentarão de modo mais rápido do que se você inventar maneiras e meios de dispor deles.

Fomos cuidadosos na seleção de nossos vendedores. No começo, houve muita dificuldade em conseguir bons profissionais porque o comércio de automóveis não era considerado estável. Era um luxo ter um veículo de passeio. Eventualmente, designamos agentes, selecionando os melhores homens que pudemos encontrar, pagando-lhes um salário maior do que poderiam ganhar nos negócios por conta própria. No começo não pagávamos muito em termos de salários. Estávamos encontrando nosso caminho, mas quando soubemos qual era, adotamos a política de pagar a mais alta recompensa pelo serviço e depois insistir em obter o melhor resultado.

Entre os requisitos de um agente, estabelecemos o seguinte:

1. um homem progressista e moderno, entusiasmado com as possibilidades do negócio;

2. um local de negócios adequado, de aparência limpa e digna;

3. um estoque de peças suficiente para fazer substituições rápidas e manter em serviço ativo todos os carros Ford em seu território;

4. uma oficina de reparos adequadamente equipada, com máquinas corretas para todos os reparos e ajustes necessários;

5. mecânicos completamente familiarizados com a construção e a operação de carros Ford;

6. um abrangente sistema de contabilidade e um sistema de acompanhamento de vendas, para que se verifique instantaneamente qual é a situação financeira dos vários departamentos de sua empresa, a condição e o tamanho de seus estoques, os atuais proprietários de carros e as perspectivas futuras;

7. limpeza absoluta em todos os departamentos. Não deve haver janelas sem lavar, móveis empoeirados, pisos sujos;

8. letreiro adequado;

9. adoção de políticas que garantam uma negociação absolutamente regularizada e a mais alta ética nos negócios.

E esta é a instrução geral que foi divulgada:

Um negociante ou vendedor deve ter o nome de todos os possíveis compradores de automóveis de seu território, incluindo todos aqueles que nunca pensaram no assunto. Ele deve então solicitar a visita pessoalmente, se possível – por correspondência, pelo menos –, de todos os homens dessa lista e, depois dos protocolos necessários, verificar a situação do automóvel relacionada a todos os residentes solicitados. Se seu território for muito grande para permitir isso, você tem muito território.

O caminho não foi fácil. Fomos assolados por um grande processo contra a empresa que tentava nos forçar a nos alinhar a uma associação de fabricantes de automóveis que operava sob o falso princípio de que havia apenas um mercado limitado para carros, e que o monopólio desse mercado era essencial. Esse foi o famoso processo Selden Patent. Por vezes, os gastos com nossa defesa sobrecarregaram severamente nossos recursos. O sr. Selden, que morreu recentemente, teve pouco a ver com o processo. Era a associação que buscava o monopólio da patente. A situação era a seguinte:

George B. Selden, advogado de patentes, apresentou um pedido em 1879 para uma patente cujo objeto foi declarado como "A produção de uma locomotiva rodoviária segura, simples e barata, leve, fácil de controlar, que possuía força suficiente para superar uma inclinação comum". Esse pedido foi mantido no Instituto de Patentes, por métodos perfeitamente legais, até 1895, quando a patente foi concedida. Em 1879, quando o pedido foi apresentado, o automóvel era praticamente desconhecido do público em geral, mas quando a patente foi expedida, todos já estavam familiarizados com veículos automotores, e a maioria dos homens, incluindo eu, que haviam trabalhado durante anos na propulsão motora, se surpreenderam ao descobrir que o que havíamos tornado praticável estava protegido por um pedido de patente de anos anteriores, embora o requerente tivesse mantido sua ideia somente no papel. Ele não fez nada para colocá-la em prática.

As reivindicações específicas sobre a patente foram divididas em seis grupos, e acredito que nenhum deles era uma ideia realmente nova, mesmo em 1879, quando o pedido foi apresentado. O Instituto de Patentes permitiu e emitiu a chamada "patente de combinação", decidindo que tornava uma patente válida a combinação: (a) de uma carruagem com carroceria e volante com (b) mecanismo propulsor de embreagem e engrenagem, e, finalmente, (c) o motor.

Não estávamos preocupados com tudo isso. Eu acreditava que meu motor não tinha nada em comum com o que Selden tinha em mente. A poderosa fusão de fabricantes que se autodenominavam "fabricantes licenciados", porque operavam sob licenças do titular da patente, entrou com um processo contra nós assim que começamos a nos destacar na produção de motores. O processo se arrastou. A intenção era nos assustar. Recolhemos volumes de testemunhos, e o golpe ocorreu em 15 de setembro de 1909, quando o juiz Hough proferiu uma decisão no Tribunal Distrital dos Estados Unidos contra nós. Imediatamente, a Associação de Licenciados começou a publicar a sentença, alertando potenciais compradores contra nossos carros. Eles haviam feito a mesma coisa em 1903, no início do processo, quando se pensava que poderíamos ficar fora do negócio. Eu tinha confiança implícita em que eventualmente deveríamos vencer nosso processo. Sabia que estávamos certos, mas foi um golpe considerável receber a primeira decisão contra nós, pois acreditávamos que muitos compradores – embora nenhuma injunção tenha sido emitida contra nós – ficariam com medo de comprar por causa das ameaças da ação do tribunal contra proprietários individuais. A ideia era espalhar que, se o processo fosse por fim decidido contra mim, todo homem que possuísse um carro Ford seria processado. Alguns dos meus oponentes mais entusiastas divulgaram particularmente que haveria processos criminais e civis e que um homem que comprasse um carro Ford poderia muito bem estar comprando uma passagem para a cadeia. Respondemos com um anúncio de quatro páginas nos principais jornais do país. Explicamos nosso caso, explicamos nossa confiança na vitória – e, para finalizar, dissemos:

Concluindo, declaramos que, caso haja algum potencial comprador de automóvel que esteja intimidado pelas reivindicações feitas por nossos adversários, nós lhe daremos, além da proteção da Ford Motor Company, com seus cerca de seis milhões de dólares em ativos, um título individual endossado por uma empresa com mais de seis milhões de dólares em ativos, de modo que cada proprietário individual de um carro Ford estará protegido até que pelo menos doze milhões de dólares em ativos tenham sido liquidados por aqueles que desejam controlar e monopolizar esta indústria maravilhosa.

O título é seu a requerimento; portanto, não permita que lhe vendam carros inferiores a preços extravagantes por causa de qualquer declaração feita por essa "divina" organização.

Nota – Esta luta não está sendo travada pela Ford Motor Company sem a consultoria e assessoria dos mais competentes advogados de patentes do Leste e do Oeste.

Acreditamos que o título daria garantia aos compradores – que eles precisavam de confiança. Mas eles não precisavam. Vendemos mais de dezoito mil carros – quase o dobro da produção do ano anterior –, e acho que cerca de cinquenta compradores requisitaram os títulos – talvez menos do que isso.

Na verdade, esse processo provavelmente nada mais fez do que divulgar muito bem o carro Ford e a Ford Motor Company. Parecia que éramos a vítima e tínhamos a simpatia do público. A associação tinha setenta milhões de dólares – no começo não tínhamos metade desse número. Nunca tive dúvida quanto ao resultado, mas poderíamos fazer melhor sem uma espada pairando sobre nossa cabeça.

Mover aquele processo foi provavelmente um dos atos mais imprudentes que qualquer grupo de homens de negócios americanos já cometeu.

Visto de todos os ângulos, constitui o melhor exemplo possível de união involuntária para exterminar uma indústria. Considero que, por fim, nossa vitória foi a maior felicidade para os fabricantes de automóveis do país, e a associação deixou de ser um fator sério nos negócios. Em 1908, no entanto, apesar desse processo, chegamos a um ponto em que era possível anunciar e fabricar o tipo de carro que eu queria construir.

O SEGREDO DE PRODUZIR E SERVIR

Não estou delineando a carreira da Ford Motor Company por algum motivo pessoal. Não estou dizendo: "Faça o mesmo". O que estou tentando enfatizar é que a maneira comum de fazer negócio não é a melhor. Estou chegando ao ponto em que abandonei os métodos comuns. A partir desse ponto tem início o sucesso extraordinário da empresa.

Estávamos seguindo o costume do comércio. Nosso automóvel era menos complexo do que qualquer outro. Não tínhamos dinheiro externo na empresa. Mas, além desses dois pontos, não diferíamos materialmente das outras empresas automobilísticas, exceto pelo fato de sermos um pouco mais bem-sucedidos e seguirmos de modo rígido a política de obter todos os descontos à vista, colocando nossos lucros de volta nos negócios e mantendo um grande saldo em caixa. Introduzimos carros em todas as corridas. Anunciamos e impulsionamos nossas vendas. Além da simplicidade na construção do carro, nossa principal diferença no projeto era que não fizemos nenhuma provisão para o carro exclusivamente "de passeio". Éramos um carro de passeio tanto quanto qualquer outro, mas não demos atenção aos recursos luxuosos. Faríamos um trabalho especial para um comprador, e suponho que teríamos feito um carro especial por certo preço. Éramos uma empresa próspera. Poderíamos facilmente nos sentar e dizer: "Agora chegamos. Vamos manter o que adquirimos".

De fato, havia alguma disposição para assumir essa postura. Alguns acionistas ficaram seriamente alarmados quando nossa produção atingiu cem carros por dia. Eles queriam fazer algo para me impedir de arruinar a empresa, e quando respondi que cem carros por dia era um número insignificante e que esperava em breve fazer mil por dia, eles ficaram inexprimivelmente chocados, e entendo seriamente a ação judicial contemplada. Se seguisse a opinião geral de meus sócios, deveria ter mantido os negócios como estavam, colocado nossos fundos em um bom prédio administrativo, tentado negociar com concorrentes que pareciam ativos demais, feito novos projetos de tempos em tempos para captar a imaginação do público e, no geral, ter passado para a posição de um cidadão tranquilo e respeitável, com um negócio tranquilo e respeitável.

A tentação de parar e manter o que se tem é bastante natural. Posso simpatizar inteiramente com o desejo de abandonar uma vida de atividade e se retirar para uma vida tranquila. Nunca tive esse desejo, mas posso compreendê-lo – embora pense que um homem que se aposenta deva se retirar inteiramente do negócio. Existe uma disposição a se aposentar e reter o controle. No entanto, não era parte do meu plano fazer algo desse tipo. Considerava nosso progresso apenas um convite para fazer mais – como uma indicação de que havíamos chegado a um lugar onde podíamos começar a executar um serviço real. Todos os dias ao longo desses anos eu havia planejado um carro universal. O público havia mostrado suas reações aos vários modelos. Os carros em uso, as corridas e os testes de estrada deram excelentes orientações quanto às mudanças que deveriam ser feitas, e, mesmo em 1905, eu tinha em mente as especificações do tipo de carro que queria construir. Porém, faltava-me o material para dar força sem peso. Deparei-me com esse material quase por acidente.

Em 1905, eu estava em uma corrida de automóveis em Palm Beach. Houve uma grande colisão, e um carro francês foi destruído. Introduzimos nosso "Modelo K" – com alta potência de seis cilindros. Eu achava que os carros estrangeiros tinham peças menores e melhores do que as que conhecíamos. Após a destruição, apanhei uma pequena haste de válvula. Era muito leve e muito forte. Perguntei do que era feita. Ninguém sabia. Entreguei a haste ao meu assistente. "Descubra tudo sobre isso", eu disse a ele. "Esse é o tipo de material que devemos ter em nossos carros."

Ele acabou descobrindo que era um aço francês e que havia vanádio nele. Tentamos todas as siderúrgicas dos Estados Unidos – ninguém podia fazer aço vanádio. Enviei para a Inglaterra um homem que sabia como fabricar o aço comercialmente. A etapa seguinte era conseguir uma usina para produzi-lo. Esse foi outro problema. O vanádio requer mil e seiscentos graus Celsius. O forno comum não podia ultrapassar mil e quatrocentos graus. Encontrei uma pequena companhia siderúrgica em Canton, Ohio. Ofereci-me para lhes dar garantia contra perda se eles aquecessem o vanádio para nós. Eles concordaram. O primeiro aquecimento foi um fracasso. Pouquíssimo vanádio permaneceu no aço. Fiz com que tentassem de novo, e, na segunda vez, funcionou. Até então, tínhamos sido forçados a ficar satisfeitos com o aço funcionando entre sessenta mil e setenta mil libras de força de tensão. Com o vanádio, a força subiu para cento e setenta mil libras.

Com o vanádio em mãos, desmembramos nossos modelos e testei-os em detalhes para determinar que tipo de aço era melhor para cada peça – um aço duro, um aço resistente ou um aço elástico. Acho que, pela primeira vez na história de qualquer grande construção, determinamos cientificamente a qualidade exata do aço. Como resultado, selecionamos vinte tipos de aço para as várias peças. Cerca de dez deles eram de vanádio. O vanádio era usado sempre que se precisasse de força e leveza, mas é óbvio que não se tratava sempre do mesmo tipo de aço vanádio. Os outros elementos variam de acordo com o desgaste da peça ou com a necessidade de mola – em resumo, de acordo com o necessário. Antes desses experimentos, acredito que não mais de quatro tipos de aço tenham sido usados na construção de automóveis. Seguimos experimentando, especialmente no que se referia ao tratamento térmico; assim conseguimos elevar ainda mais a resistência do aço e, portanto, reduzir o peso do carro. Em 1910, o Departamento de Comércio e Indústria da França pegou uma de nossas bielas do eixo de direção – selecionando-a como uma unidade vital – e testou-a comparando-a com uma parte semelhante à do que eles consideravam o melhor carro francês, e em todos os testes nosso aço provou ser mais forte.

O aço vanádio eliminou grande parte do peso. Eu já havia aprimorado os outros requisitos de um carro universal, e muitos deles estavam em uso. O projeto teve de se equilibrar. Muitos homens morrem porque uma parte se solta. Muitas máquinas são destroçadas, pois algumas partes são mais fracas que outras. Portanto, uma parte do problema ao se projetar um carro universal era ter, na medida do possível, a equivalência entre todas as peças de força, considerando-se o propósito de colocar um motor em uma carroceria leve. Também devia ser à prova de enganos. Isso foi difícil, porque um motor a gasolina é essencialmente um instrumento delicado, e isso constitui uma impressionante oportunidade para quem tem propensão a bagunçar tudo. Adotei este slogan:

"Quando um dos meus carros quebra, sei que sou culpado".

Desde o dia em que o primeiro automóvel surgiu nas ruas, ele me pareceu uma necessidade. Essa compreensão e essa garantia é que me levaram a construir até o fim um carro que atendesse às necessidades das multidões. Todos os meus esforços foram e ainda são voltados para a produção de um carro – um único modelo. E, ano após ano, a pressão foi, e ainda é, para aprimorar, refinar e melhorar, com uma redução crescente no preço. O carro universal deveria ter os seguintes atributos:

1. qualidade do material para assegurar o uso. O aço vanádio é o mais forte, mais resistente e mais duradouro dos aços. Ele forma a base e a

superestrutura dos carros. É o aço da mais alta qualidade a esse respeito no mundo, independentemente do preço;

2. simplicidade na operação – porque as massas não são mecânicas;

3. potência suficiente;

4. confiabilidade absoluta – por causa dos usos variados aos quais os carros seriam submetidos e da variedade de estradas pelas quais eles passariam;

5. leveza – no Ford, apenas quatro quilos são transportados por cada polegada cúbica de deslocamento do pistão. Essa é uma das razões pelas quais os carros Ford estão "sempre funcionando" onde e quando você os vê – através da areia e da lama, através do lamaçal, da neve e da água, subindo montanhas, através de campos e planícies sem estradas;

6. controle – para manter a velocidade sempre à mão, atendendo com calma e segurança a todas as emergências e contingências, seja nas ruas movimentadas da cidade ou em estradas perigosas. A transmissão planetária do Ford oferecia esse controle e qualquer um podia manejá-lo. Essa é a razão do ditado: "Qualquer um pode dirigir um Ford". Ele pode rodar quase em qualquer lugar;

7. quanto mais um automóvel pesa, naturalmente mais combustível e lubrificante são usados na direção; quanto mais leve o peso, menor a despesa de operação. A leveza do carro Ford nos primeiros anos foi usada como argumento contra ele. Agora isso tudo mudou.

O projeto que defini foi chamado de "Modelo T". A característica importante do novo modelo – com o qual, se fosse aceito, como acreditava que seria, eu pretendia criar o modelo único e depois começar a produzir de verdade – era sua simplicidade. Havia apenas quatro unidades estruturais no carro – a central elétrica, a armação, o eixo dianteiro e o eixo traseiro. Todas elas eram facilmente acessíveis e foram projetadas para que nenhuma habilidade especial fosse necessária para seu reparo ou substituição. Eu acreditava então, embora tenha falado muito pouco sobre isso por causa da novidade da ideia, que deveria ser possível ter peças tão simples e tão baratas que a ameaça de reparos caros seria totalmente eliminada. As peças podiam ser fabricadas com custo tão baixo que seria mais barato comprar peças novas do que consertar as antigas. Elas podiam ser transportadas nas lojas de ferragens, assim como pregos ou parafusos. Pensei que dependia de mim, como projetista, tornar o carro tão simples que ninguém poderia deixar de entendê-lo.

Isso funciona e se aplica a tudo. Quanto menos complexo um artigo, mais fácil fabricá-lo, mais barato vendê-lo – e, portanto, em maior número.

Não é necessário entrar nos detalhes técnicos da construção, mas talvez este seja o melhor momento para revisar os vários modelos, porque o Modelo T foi o último dos modelos e tirou esse negócio da linha de negócio comum. A aplicação da mesma ideia tiraria qualquer negócio da corrida comum.

Projetei oito modelos antes do Modelo T. Eles eram: "Modelo A", "Modelo B", "Modelo C", "Modelo F", "Modelo N", "Modelo R", "Modelo S" e "Modelo K". Desses, os modelos A, C e F tinham motor horizontal de dois cilindros opostos. No Modelo A, o motor estava na parte traseira do banco do motorista. Em todos os outros, estava em um capô na frente. Os modelos B, N, R e S tinham motor do tipo vertical de quatro cilindros. O Modelo K tinha seis cilindros. O Modelo A desenvolvia oito cavalos de potência. O Modelo B desenvolvia vinte e quatro cavalos de potência com um cilindro de onze centímetros e meio e um curso de treze centímetros. A potência mais alta estava no Modelo K, o carro de seis cilindros que desenvolvia quarenta cavalos de potência. Os cilindros maiores eram os do Modelo B. Os menores eram os dos modelos N, R e S, com nove centímetros e meio de diâmetro e um curso do pistão de oito centímetros e meio. O Modelo T tem um cilindro de nove centímetros e meio com um curso do pistão de dez centímetros. A ignição era por baterias secas em todos os carros, exceto no Modelo B, que tinha baterias de armazenamento, e no Modelo K, que tinha bateria e magneto. No modelo atual, o magneto faz parte da central elétrica e é construído dentro dela. A embreagem dos quatro primeiros modelos era do tipo cone; nos últimos quatro e no modelo atual, do tipo de disco múltiplo. A transmissão de todos os carros era planetária. O Modelo A tinha acionamento por corrente. O Modelo B, acionamento por eixo. Os dois modelos seguintes tinham acionamentos por corrente. Desde então, todos os carros tiveram acionamentos por eixo. O Modelo A tinha distância entre os eixos de um metro e oitenta centímetros. O Modelo B, que era um carro extremamente bom, tinha dois metros e trinta centímetros. O Modelo K tinha três metros. O Modelo C, dois metros. Os outros tinham dois metros e treze, e o carro atual tem dois metros e meio. Nos cinco primeiros modelos, todo o equipamento era extra. Os três seguintes foram vendidos com um equipamento parcial. O carro atual é vendido com equipamento completo. O Modelo A pesava cerca de quinhentos e setenta quilos. Os carros mais leves eram os modelos N e R. Eles pesavam quase quatrocentos e oitenta quilos, mas ambos eram *runabouts*. O carro mais pesado era o de seis cilindros, que pesava novecentos quilos. O carro atual pesa quase quinhentos e cinquenta quilos.

O Modelo T praticamente não tinha características que não constassem em um ou outro dos modelos anteriores. Todo detalhe foi totalmente testado na prática. Não havia como adivinhar se seria ou não um modelo de sucesso. Tinha de ser. Não havia como escapar disso, pois ele não fora feito em um dia. Continha tudo o que eu era capaz de colocar em um automóvel mais o material, que pela primeira vez consegui obter. Lançamos o Modelo T para a temporada 1908-1909.

A empresa tinha então cinco anos de idade. O espaço original da fábrica tinha 0,28 acre. Empregamos uma média de trezentas e onze pessoas no primeiro ano, construímos 1.708 carros e tínhamos uma filial. Em 1908, o espaço da fábrica aumentou para 2,65 acres e nós compramos o edifício. O número médio de funcionários aumentou para 1.908. Construímos 6.181 carros e tínhamos catorze filiais. Era um negócio próspero.

Durante a temporada de 1908-1909, continuamos a fabricar os modelos R e S, os *runabouts* e *roadsters* de quatro cilindros, os modelos que antes haviam sido tão bem-sucedidos e que eram vendidos por setecentos dólares e por setecentos e cinquenta dólares. Mas o Modelo T varreu-os imediatamente. Vendemos 10.607 carros – um número maior do que qualquer fabricante já havia vendido. O preço do carro de turismo era oitocentos e cinquenta dólares. No mesmo chassi, montamos um carro de cidade por mil dólares, um *roadster* por oitocentos e vinte e cinco dólares, um cupê e um *landaulet* por novecentos e cinquenta dólares cada um.

Essa temporada demonstrou conclusivamente para mim que era hora de colocar a nova política em vigor. Os vendedores, antes de eu anunciar a política, foram estimulados pelas grandes vendas a pensar que poderiam realizar vendas ainda maiores se apenas tivéssemos mais modelos. É estranho como, assim que um artigo se torna bem-sucedido, alguém começa a pensar que seria mais bem-sucedido se fosse diferente. Há uma tendência a continuar modificando os estilos e estragar uma coisa boa mudando-a. Os vendedores insistiram em aumentar a linha. Eles ouviram os cinco por cento, os clientes especiais que podiam dizer o que queriam, e se esqueceram dos noventa e cinco por cento, que tinham acabado de comprar sem criar caso. Nenhuma empresa pode melhorar, a menos que esteja absolutamente atenta às reclamações e sugestões.

Se houver algum defeito no serviço, isso deve ser instantânea e rigorosamente investigado, mas quando a sugestão é apenas quanto ao estilo, é preciso ter certeza de que não se trata apenas de um capricho pessoal. Os vendedores sempre querem satisfazer aos caprichos em vez de adquirir conhecimento suficiente sobre seu produto para serem capazes de explicar aos clientes com capricho que seu produto vai satisfazer a todos os seus requisitos – isto é, é claro, desde que o que eles tenham satisfaça esses requisitos.

Portanto, um dia, em 1909, anunciei sem nenhum aviso prévio que no futuro construiríamos apenas um modelo, que seria o Modelo T, e que o chassi seria exatamente o mesmo para todos os carros, e comentei:

"Qualquer cliente pode ter um carro pintado da cor que quiser, desde que seja preto".

Não posso dizer que alguém tenha concordado comigo. Os vendedores não podiam, é claro, ver as vantagens que um único modelo traria para a produção. Mais do que isso, eles não se importavam particularmente com isso. Achavam que nossa produção era boa o suficiente e tinham uma opinião muito decidida de que a redução do preço prejudicaria as vendas, que as pessoas que desejavam qualidade se afastariam e que não haveria ninguém para substituí-las. Havia muito pouca concepção da indústria automobilística. Um automóvel ainda era considerado um artigo de luxo. Os fabricantes fizeram um bom trabalho para espalhar essa ideia. Algumas pessoas inteligentes inventaram o nome "carro de lazer", e a publicidade enfatizou essas características. O pessoal de vendas tinha motivo para objetar, em particular quando fiz o seguinte anúncio:

"Vou construir um automóvel para a grande maioria. Será grande o suficiente para a família, mas pequeno o suficiente para o indivíduo correr e cuidar dele. Será construído com os melhores materiais, pelos melhores homens contratados, de acordo com os projetos mais simples que a engenharia moderna pode conceber. Todavia, seu preço será tão baixo que qualquer homem que ganhe um bom salário será capaz de possuir um – e desfrutar com sua família a bênção de horas de prazer nos belos espaços criados por Deus".

Esse anúncio foi mal recebido. O comentário geral era:

"Se Ford fizer isso, estará fora dos negócios em seis meses".

A impressão era de que um bom carro não podia ser construído a um preço baixo e que, de qualquer forma, não havia utilidade na construção de um carro de baixo preço, porque apenas as pessoas ricas estavam no mercado de carros. As vendas de mais de dez mil carros de 1908-1909 me convenceram de que precisávamos de uma nova fábrica.

Já tínhamos uma grande fábrica moderna – a fábrica da Piquette Street. Era tão boa quanto qualquer fábrica de automóveis do país – talvez um pouco melhor. Mas não vi como isso cuidaria das vendas e da produção que eram inevitáveis. Então, comprei sessenta acres em Highland Park, que era considerado fora da área de Detroit. A quantidade de terreno comprado e os planos para a maior fábrica que o mundo já vira encontraram oposição. A pergunta já estava sendo feita:

"Quando a Ford explodirá?".

Ninguém sabe quantas mil vezes isso foi questionado. E questionado apenas por causa da falha em não compreender que um princípio, e não um indivíduo, está em ação, e o princípio é tão simples que parece misterioso.

Em 1909-1910, para pagar o novo terreno e a construção, aumentei um pouco os preços. Isso é perfeitamente justificável e resulta em um benefício, não em prejuízo, para o comprador. Fiz exatamente a mesma coisa há alguns anos – ou melhor, naquele caso, não abaixei o preço, como é meu costume anual, a fim de construir a fábrica de River Rouge. Em cada caso, o dinheiro extra poderia ser obtido por meio de empréstimos, mas então deveríamos ter um encargo contínuo sobre a empresa, e todos os carros subsequentes teriam de arcar com ele. O preço de todos os modelos aumentou cem dólares, com exceção do *roadster*, que aumentou apenas setenta e cinco dólares, e do *landaulet* e do carro de cidade, que aumentaram cento e cinquenta e duzentos dólares, respectivamente. Vendemos 18.664 carros, e, em 1910-1911, com as novas instalações, reduzi o valor do carro de turismo de novecentos e cinquenta para setecentos e oitenta dólares, e vendemos 34.528 carros. Esse é o começo da constante redução do preço dos carros, ante o custo cada vez maior dos materiais e dos salários cada vez mais altos.

Compare o ano de 1908 com o ano de 1911. O espaço da fábrica aumentou de 2,65 acres para trinta e dois. O número médio de funcionários, de 1.908 para 4.110, e os carros fabricados, de pouco mais de seis mil para quase trinta e cinco mil. Você notará que os homens não foram empregados na proporção da produção.

Passamos, quase da noite para o dia, para grande produção. Como isso tudo aconteceu?

Simples. Por meio da aplicação de um princípio inevitável: pela aplicação de energia e maquinário conduzidos de maneira inteligente. Em uma pequena oficina escura em uma rua lateral, um velho trabalhava há anos fazendo cabos de machado. Ele os modelou a partir de uma nogueira, com a ajuda de um arco de serra, um formão e um estoque de lixa. Com cuidado, cada cabo era pesado e equilibrado. Não havia dois iguais. A curvatura devia se encaixar exatamente à mão e se ajustar à fibra da madeira. Do amanhecer ao anoitecer, o velho trabalhava. Sua produção média era de oito cabos por semana, pelos quais recebia um dólar e meio cada um. E, muitas vezes, alguns deles eram invendáveis – porque o equilíbrio não era exato.

Hoje, você pode comprar um cabo de machado melhor, feito por máquinas, por alguns centavos. E não precisa se preocupar com o equilíbrio. Eles são todos iguais – e todos são perfeitos. Os métodos modernos aplicados em grande escala não apenas reduziram o custo dos cabos de machado a uma fração do custo anterior, mas também melhoraram imensamente o produto.

Foi a aplicação desses mesmos métodos à fabricação do carro Ford que, no início, diminuiu o preço e aumentou a qualidade. Apenas desenvolvemos uma ideia. O núcleo de um negócio pode ser uma ideia. Ou seja, um inventor ou um trabalhador atencioso elaboram uma maneira nova e melhor de atender a alguma necessidade humana estabelecida; a ideia se consagra, e as pessoas querem se valer dela. Dessa maneira, um único indivíduo pode se revelar, por meio de sua ideia ou descoberta, como o núcleo de um negócio. Mas a criação do corpo e da maior parte desse negócio é compartilhada por todos os que têm algo a ver com isso. Nenhum fabricante pode dizer: "Eu construí esse negócio" se ele precisou da ajuda de milhares de homens para construí-lo. É uma produção conjunta. Todos os empregados contribuíram com algo. Ao trabalhar e produzir, eles possibilitam que o mundo das compras continue vindo para esse negócio pelo tipo de serviço que presta e, assim, ajudam a estabelecer um costume, um comércio, um hábito que lhes proporciona um meio de subsistência. Foi assim que nossa empresa cresceu, e começarei a explicar no próximo capítulo como tudo ocorreu.

Enquanto isso, a empresa havia se tornado mundial. Tínhamos filiais em Londres e na Austrália. Estávamos exportando para todas as partes do mundo, e na Inglaterra em particular, estávamos começando a ser tão conhecidos quanto na América. A introdução do carro na Inglaterra foi um pouco difícil por causa do fracasso da bicicleta americana. Como a bicicleta americana não era adequada aos usos ingleses, era dado como certo e defendido pelos distribuidores que nenhum veículo americano poderia atrair o mercado britânico. Dois Modelos A chegaram à Inglaterra em 1903.

Os jornais se recusaram a noticiá-los. Os agentes automobilísticos se recusaram a lhes dar importância. Corria o boato de que os principais componentes de sua fabricação eram de corda e arco de arame, e que um comprador teria sorte se ele se sustentasse por duas semanas! No primeiro ano, cerca de uma dúzia de carros foram usados; o segundo foi um pouco melhor. E posso afirmar, quanto à confiabilidade desse Modelo A, que a maioria deles, após quase vinte anos, ainda eram usados de alguma forma na Inglaterra.

Em 1905, nosso agente introduziu o Modelo C nas provas de resistência do festival escocês. Naqueles dias, as corridas de resistência eram mais populares na Inglaterra do que as corridas de automóveis. Talvez não houvesse indícios de que, afinal, um automóvel não fosse apenas um brinquedo. As provas escocesas percorriam mais de mil e duzentos quilômetros de estradas montanhosas e difíceis. O Ford passou com apenas uma parada involuntária. Isso deu início às vendas da Ford na Inglaterra. Nesse mesmo ano, os táxis da Ford foram implantados em Londres pela primeira vez. Nos anos seguintes, as vendas começaram a melhorar. Os carros passaram por todos os testes de resistência e confiabilidade e venceram todos eles. O revendedor de Brighton fez dez Fords percorrerem as colinas do Sul por dois dias em uma espécie de corrida de obstáculos, e cada um deles passou no teste. Como resultado, seiscentos carros foram vendidos naquele ano. Em 1911, Henry Alexander dirigiu um Modelo T até o topo de Ben Nevis, a mil e quatrocentos metros de altitude.

Naquele ano, catorze mil e sessenta carros foram vendidos na Inglaterra, e, desde então, não foi mais necessário realizar nenhum tipo de façanha sensacional. Por fim, abrimos nossa fábrica em Manchester; a princípio era puramente uma fábrica de montagem. Mas, com o passar dos anos e de modo progressivo, temos feito cada vez mais esse modelo.

INTRODUÇÃO À PRODUÇÃO

Se um dispositivo economiza em tempo apenas dez por cento ou aumenta os resultados em dez por cento, então sua ausência é sempre uma taxa de dez por cento. Se o tempo de uma pessoa vale cinquenta centavos por hora, uma economia de dez por cento equivale a cinco centavos por hora. Se o proprietário de um arranha-céu pudesse aumentar sua renda em dez por cento, pagaria de boa vontade metade do aumento apenas para saber como. A razão pela qual ele possui um arranha-céu é que a ciência provou que certos materiais, usados de determinada maneira, podem economizar espaço e aumentar a renda de aluguel. Um edifício de trinta andares não precisa de mais espaço no terreno do que um de cinco andares. Progredir com a arquitetura de estilo antigo custa ao homem de cinco andares a renda de vinte e cinco andares. Economize dez passos por dia para cada um dos doze mil empregados e terá economizado oitenta quilômetros de movimento perdido e energia desperdiçada.

Esses são os princípios sobre os quais a produção da minha fábrica foi construída. Todos eles vieram quase naturalmente. No começo, tentamos conseguir operários. À medida que a necessidade de produção aumentava, ficou evidente não apenas que não era preciso ter operários em número suficiente, mas também de que a produção não necessitava de homens qualificados, e daí surgiu um princípio que mais tarde quero apresentar na íntegra.

É evidente que a maioria das pessoas do mundo não são mentalmente, mesmo que fisicamente, capazes de viver bem. Ou seja, não são capazes de fornecer com as próprias mãos uma quantidade suficiente dos bens de que este mundo precisa para então trocá-los por produtos de que necessitam. Ouvi dizer – na verdade, acredito que é um pensamento bastante atual – que tiramos a habilidade do trabalho. Não o fizemos. Nós investimos em habilidade. Investimos mais habilidade no planejamento, no gerenciamento e na construção de ferramentas, e os resultados dessa habilidade são apreciados pelo homem que não é qualificado. Mais adiante explicarei isso.

Temos de reconhecer o desnivelamento dos aparatos mentais humanos. Se todo emprego em nossa fábrica exigisse habilidade, ela nunca teria existido. Nem em cem anos poderíamos treinar homens suficientemente qualificados para o número necessário. Um milhão de homens fazendo o trabalho manualmente não conseguiriam sequer alcançar nossa produção diária atual. Ninguém poderia gerenciar um milhão de homens. Mas, mais importante que isso, o produto das mãos não assistidas daqueles milhões de homens não poderia ser vendido a um preço em consonância com o poder de compra. E mesmo que fosse possível imaginar uma agregação desse tipo, sua administração e sua correlação, pense na área que eles ocupariam! Quantos homens estariam envolvidos, não produzindo, mas apenas carregando de um lugar para outro o que os outros haviam produzido? Não vejo como, nessas condições, os homens poderiam receber mais de dez ou vinte centavos de dólar por dia – pois é claro que não é o empregador que paga os salários. Ele apenas manuseia o dinheiro. É o produto que paga os salários, e é a administração que organiza a produção para que o produto possa fazê-lo.

Os métodos mais econômicos de produção não começaram de uma só vez. Eles iniciam de maneira gradual, assim como começamos a fazer nossas peças gradualmente. O Modelo T foi o primeiro automóvel que fabricamos. As grandes economias começaram a se juntar e depois se estenderam a outras seções, de modo que, embora hoje tenhamos muitos mecânicos qualificados, eles não produzem automóveis, mas facilitam a produção para outros. Nossos homens qualificados são os fabricantes de ferramentas, os trabalhadores experimentais, os operários e os modelistas. Eles são tão bons quanto qualquer homem – tão bons que, de fato, não devem ser desperdiçados fazendo aquilo que as máquinas que eles operam podem fazer de um modo melhor. Os homens comuns chegam até nós sem qualificação; eles aprendem o trabalho em poucas horas ou poucos dias. Se não aprendem nesse período, nunca serão úteis para nós. Muitos deles são estrangeiros, e tudo o que é necessário antes de serem contratados é que sejam capazes de trabalhar o suficiente para pagar as despesas gerais do local onde vivem. Eles não precisam ser saudáveis. Temos trabalhos que exigem grande força física, embora estejam diminuindo rapidamente; temos outros que não exigem força alguma – trabalhos que, no que diz respeito à força, podem ser feitos por uma criança de 3 anos.

Não é possível, sem se aprofundar nos processos técnicos, apresentar todo o desenvolvimento da manufatura, passo a passo, na ordem em que cada coisa ocorre. Não sei se isso poderia ser feito, porque algo acontece quase todos os dias que ninguém consegue acompanhar. Tomemos aleatoriamente um número de mudanças. Por meio delas, é possível não apenas ter uma ideia do que vai acontecer quando este mundo for colocado sobre uma base de produção, mas também ver quanto pagamos a mais pelas coisas, e quanto os salários são mais baixos do que deveriam, e também que um vasto campo resta a explorar. A Ford Company está apenas um pouco adiante na jornada.

Um carro Ford contém cerca de cinco mil peças – contando parafusos, porcas e tudo mais. Algumas delas são bastante volumosas, e outras são quase do tamanho de peças de relógios. Em nossa primeira montagem, simplesmente começamos a montar um carro em um ponto no chão, e os trabalhadores trouxeram as peças necessárias, exatamente da mesma maneira que se constrói uma casa. Quando começamos a fabricar peças, foi natural criar um único departamento da fábrica para fazê-las, mas em geral um trabalhador realizava todas as operações necessárias em uma pequena peça. A rápida pressão da produção tornou necessário elaborar planos de produção que evitassem que os trabalhadores caíssem uns sobre os outros. O trabalhador não supervisionado passa mais tempo andando para todos os lados em busca de materiais e ferramentas do que trabalhando; ele ganha pouco porque o pedestrianismo não é muito bem pago.

O passo seguinte da montagem foi dado quando começamos a levar o trabalho aos homens, em vez de os homens ao trabalho. Agora temos dois princípios gerais em todas as operações: que um homem nunca deve dar mais de um passo, se possível, que possa ser evitado, e que nenhum deles precisa se abaixar.

Os princípios de montagem são:

1. coloque as ferramentas e os homens na sequência da operação, de modo que cada peça do componente percorra a menor distância possível durante o processo de acabamento;

2. use deslizadoras de trabalho ou alguma outra forma de transportadora para que, quando um trabalhador completar sua operação, ele solte a peça sempre no mesmo local – esse local sempre deve ser o mais conveniente para sua mão –, e, se possível, faça a gravidade carregar a peça para o próximo trabalhador da sua linha de operação;

3. use fileiras de montagem deslizantes, pelas quais as peças a serem montadas sejam distribuídas a distâncias convenientes.

O resultado da aplicação desses princípios é a redução da necessidade de reflexão por parte do trabalhador e a redução de seus movimentos ao mínimo. Ele faz, tanto quanto possível, apenas uma coisa com apenas um movimento. A montagem do chassi é, do ponto de vista da mente não mecânica, nossa operação mais interessante e talvez mais conhecida, e ao mesmo tempo uma das mais importantes. Depois disso, enviamos as peças para montagem no ponto de distribuição.

Por volta de 1º de abril de 1913, tentamos pela primeira vez experimentar uma linha de montagem. Tentamos montar o magneto do volante.

Primeiro, tentamos de tudo um pouco, e vamos revirar qualquer coisa quando descobrirmos uma maneira melhor de fazê-lo, mas precisamos ter certeza de que a nova maneira será melhor do que a antiga antes de fazer algo drástico.

Acredito que essa foi a primeira linha móvel já instalada. A ideia surgiu, de uma maneira geral, da carretilha aérea que os empacotadores de Chicago usam ao preparar carne bovina. Anteriormente, montávamos o magneto do volante pelo método comum. Um operário, fazendo um trabalho completo, podia produzir de trinta e cinco a quarenta peças em um dia de nove horas, ou cerca de vinte minutos para uma montagem. O que ele fazia sozinho foi então espalhado em vinte e nove operações, o que reduziu o tempo de montagem para treze minutos e dez segundos. Então aumentamos em vinte centímetros a altura da linha (isso foi em 1914) e reduzimos o tempo para sete minutos. Outras experiências com a velocidade do movimento do trabalho reduziram o tempo para cinco minutos. Em resumo, o resultado é este: com a ajuda de estudo científico, um homem agora é capaz de fazer um pouco mais do que quatro faziam alguns anos atrás. Essa linha estabeleceu a eficiência do método, e agora a usamos em qualquer lugar. A montagem do motor, anteriormente feita por um homem, agora está dividida em oitenta e quatro operações – esses homens fazem três vezes mais trabalho do que faziam antes. Em pouco tempo, testamos o plano no chassi.

O melhor resultado que havíamos obtido na montagem de chassi estacionário era em média de doze horas e vinte e oito minutos por chassi. Tentamos o experimento de puxar o chassi com uma corda e um molinete em uma linha de setenta e seis metros de comprimento. Seis montadores se deslocaram com o chassi e recolheram as peças das pilhas colocadas ao longo da fileira. Essa experiência difícil reduziu o tempo para cinco horas e cinquenta minutos por chassi. No início de 1914, elevamos a linha de montagem. Adotamos a política de trabalho de acordo com a altura do homem; tínhamos uma linha a sessenta e seis centímetros e outra a sessenta centímetros do chão – para servir a equipes de diferentes alturas. O arranjo na altura da cintura e uma subdivisão adicional do trabalho para que cada homem executasse menos movimentos reduziram o tempo de trabalho por chassi para uma hora e trinta e três minutos. Somente o chassi era montado na linha. A carroceria era colocada na John R. Street – a famosa rua que atravessa nossas fábricas de Highland Park. Agora a linha monta o carro inteiro.

Não se deve imaginar, no entanto, que tudo isso funcionou tão rápido quanto parece. A velocidade do trabalho tinha de ser testada com cuidado; no magneto do volante, a princípio tivemos uma velocidade de um metro e meio por minuto. Era muito rápido. Então tentamos quarenta e cinco centímetros por minuto. Era muito devagar.

Para finalizar, estabelecemos um metro e dez centímetros por minuto. A ideia é que um homem não deve se apressar em seu trabalho – ele deve ter todos os segundos necessários, mas nem um único segundo desnecessário. Formulamos as velocidades de cada montagem, pois o sucesso da montagem do chassi nos motivou a revisar gradualmente todo o nosso método de fabricação e a colocar toda a montagem em linhas acionadas mecanicamente. A linha de montagem do chassi, por exemplo, funciona em um ritmo de um metro e oitenta centímetros por minuto; a do eixo dianteiro, quatro metros e oitenta centímetros por minuto. Na montagem do chassi, há quarenta e cinco operações ou estações separadas. Os primeiros homens prendem quatro suportes de para-lama na estrutura do chassi; o motor chega à décima operação, e assim por diante. Alguns homens fazem apenas uma ou duas pequenas operações, outros mais. O homem que coloca uma peça não a prende, pois ela pode não estar totalmente no lugar até depois de várias operações. O homem que coloca um parafuso não coloca a porca; o homem que coloca a porca não a aperta. Na operação número trinta e quatro, o motor recebe gasolina; previamente fora lubrificado; na operação número quarenta e quatro, o radiador está cheio de água, e na operação número quarenta e cinco o carro sai para a John R. Street.

Essencialmente, as mesmas ideias têm sido aplicadas na montagem do motor. Em outubro de 1913, foram necessárias nove horas e cinquenta e quatro minutos de tempo de trabalho para montar um motor; seis meses depois, pelo método de montagem móvel, esse tempo foi reduzido para cinco horas e cinquenta e seis minutos. Cada parte do trabalho se move nas oficinas; pode mover-se nos ganchos das correntes suspensas que vão para a montagem na ordem exata em que as peças são necessárias; pode percorrer uma plataforma móvel ou seguir pela gravidade, mas o ponto é que não há elevação ou transporte de nada além de materiais. Os materiais são trazidos em pequenos caminhões ou reboques operados por chassis Ford, que são suficientemente móveis e rápidos para entrar e sair de qualquer corredor onde possam ser necessários. Nenhum trabalhador precisa mover ou levantar algo. Isso é tudo função de um departamento separado – o departamento de transporte.

Começamos a montar um automóvel em uma única fábrica. Então, quando iniciamos a fabricação das peças, começamos a secionar a montagem para que cada departamento fizesse apenas uma coisa. Da maneira como a fábrica está organizada agora, cada departamento faz ou monta apenas uma única peça. Um departamento é uma pequena fábrica em si. A peça entra nele como matéria-prima ou fundida, passa pela sequência de máquinas e tratamentos térmicos, ou o que for necessário, e deixa o departamento finalizada. Foi apenas por causa da facilidade de transporte que os departamentos foram agrupados quando começamos a fabricar. Eu não sabia que tais divisões seriam possíveis; mas, à medida que nossa produção crescia e os departamentos se multiplicavam, na verdade passamos da fabricação de automóveis para a de peças. Então nos demos conta de que havíamos feito outra nova descoberta: a de que de modo algum todas as peças tinham de ser feitas em uma fábrica. Na verdade, não foi uma descoberta, foi algo como um retorno à minha primeira fabricação, quando comprei os motores e provavelmente noventa por cento das peças. Quando começamos a produzir nossas peças, praticamente tínhamos como certo que todas precisavam ser feitas em uma única fábrica – que havia uma virtude especial em ter um único teto sobre a fabricação de todo o carro. Agora caminhamos para longe disso. Se construirmos mais fábricas grandes, será apenas porque a fabricação de uma única peça deve ser em um volume tremendo que exija uma unidade grande. Espero que, com o tempo, a grande fábrica de Highland Park faça apenas uma ou duas coisas. A fundição já foi retirada e passou para a fábrica de River Rouge. Então agora estamos voltando ao ponto de partida – exceto que, em vez de comprar nossas peças, estamos começando a produzi-las em nossas fábricas externas.

Esse desenvolvimento tem consequências excepcionais, pois significa, conforme explicarei melhor em um capítulo posterior, que uma indústria altamente padronizada e altamente subdividida não precisa mais se concentrar em grandes fábricas, com todos os inconvenientes de transporte e habitação que dificultam a existência delas. Mil ou quinhentos homens deveriam ser suficientes em uma única fábrica; então não haveria problema em transportá-los para o trabalho ou do trabalho para longe, e não haveria cortiços ou qualquer outra maneira anormal de superpovoamento, que ocorrem quando os operários moram a distâncias razoáveis de uma fábrica muito grande.

A fábrica de Highland Park agora tem quinhentos departamentos. Em nossa fábrica de Piquette, tínhamos apenas dezoito, e anteriormente, em Highland Park, apenas cento e cinquenta. Isso ilustra até onde estamos indo na produção de peças.

É difícil passar uma semana sem que alguma melhora seja feita em alguma máquina ou processo, e, às vezes, ela é feita em oposição ao que é chamado de "a melhor prática". Lembro-me de que um fabricante de máquinas foi chamado uma vez a uma conferência sobre a construção de uma máquina especial. As especificações exigiam uma produção de duzentos processos por hora.

– Isso é um erro – disse o fabricante –; você quer dizer duzentos por dia. Nenhuma máquina pode ser forçada a executar duzentos processos por hora.

O oficial da empresa mandou buscar o homem que havia projetado a máquina, e eles chamaram sua atenção para as especificações. Ele disse:

– Sim, e quanto a isso?
– Isso não é possível – disse o fabricante taxativamente. – Nenhuma máquina construída fará isso. Está fora de questão.
– Fora de questão! – exclamou o engenheiro. – Se você descer ao andar principal, verá uma fazendo isso; nós construímos uma para ver se isso poderia ser feito, e agora queremos mais uma como ela.

A fábrica não mantém registro de experimentos. Os encarregados e superintendentes se lembram do que foi feito. Se um determinado método já foi tentado antes e falhou, alguém se lembrará dele – mas não estou particularmente ansioso para que os homens se lembrem do que outra pessoa tentou fazer no passado, pois podemos rapidamente acumular muitas coisas que não poderiam ser feitas. Esse é um dos problemas de registros extensos. Se você continuar registrando todas as suas falhas, em breve terá uma lista mostrando que não resta mais nada para tentar, embora isso não signifique que, porque um homem falhou em determinado método, outro não terá sucesso.

Disseram-nos que não podíamos fundir ferro pelo nosso método de corrente contínua, e acredito que registramos alguns fracassos. Mas estamos fazendo isso. O homem que realizou nosso trabalho ou não sabia ou não prestou atenção aos números anteriores. Da mesma maneira, fomos informados de que estava fora de questão despejar o ferro quente diretamente do alto-forno no molde. O método usual é transformar o ferro em gusa, deixá-la temperar por algum tempo e depois remetê-la para fundição. Mas, na fábrica de River Rouge, estamos fundindo diretamente de cúpulas, que são enchidas nos altos-fornos. Além disso, um registro de falhas – especialmente se for um registro digno e bem autenticado – impede um jovem de tentar. Obtemos alguns de nossos melhores resultados ao deixar os tolos se apressarem onde os anjos temem pisar.

Nenhum de nossos homens é "especialista". Infelizmente, achamos necessário nos livrar de um homem assim que ele se considera um especialista – porque ninguém se considera especialista se realmente conhece seu trabalho. Um homem que conhece o trabalho vê muito mais a fazer do que tem feito, está sempre avançando e nunca acha que é muito bom e muito eficiente. Pensar sempre à frente, pensar sempre em tentar fazer mais e melhor o leva a achar que nada é impossível.

No momento em que alguém adota uma mentalidade de "especialista", um grande número de coisas se torna impossível.

Recuso-me a reconhecer que existem impossibilidades. Não consigo encontrar alguém que saiba o suficiente sobre qualquer coisa neste mundo para dizer definitivamente o que é e o que não é possível. O tipo certo de experiência e de treinamento técnico deve ampliar a mente e reduzir o número de impossibilidades. Infelizmente, não é isso que ocorre. A maioria dos treinamentos técnicos e a média daquilo que chamamos de experiência fornecem um registro dos fracassos anteriores, e, em vez de essas falhas serem consideradas pelo que valem, elas são tomadas como obstáculos absolutos para o progresso. Se algum homem, chamando a si mesmo de autoridade, diz que isso ou aquilo não pode ser feito, então uma horda de seguidores não pensantes começa o coro: "Isso não pode ser feito".

Tomemos a fundição, por exemplo. A fundição sempre foi um processo supérfluo e é tão antiga que acumulou muitas tradições que dificultam sobremaneira os progressos. Acredito que uma autoridade em moldagem declarou – antes de iniciarmos nossos experimentos – que qualquer homem que dissesse que podia reduzir custos dentro de meio ano apontaria a si mesmo como uma fraude.

Nossa fundição costumava ser muito parecida com outras. Quando lançamos os primeiros cilindros do Modelo T, em 1910, tudo no local era feito à mão; as pás e os carrinhos de mão abundavam. O trabalho era então qualificado ou não qualificado; tínhamos moldadores e trabalhadores. Agora temos cerca de cinco por cento de moldadores e fixadores de núcleos completamente qualificados, mas os restantes noventa e cinco por cento são não qualificados, ou, para ser mais preciso, devem ter habilidade em exatamente uma operação que o homem mais estúpido pode aprender em dois dias. A moldagem é toda feita por máquinas. Cada peça que temos de fundir tem uma unidade ou unidades próprias – de acordo com o número exigido no plano de produção. O maquinário da unidade é adaptado para fundição única; assim, os homens da unidade realizam uma única operação, que é sempre a mesma. Uma unidade consiste em um trilho suspenso no qual, a intervalos, são penduradas pequenas plataformas para os moldes. Sem entrar em detalhes técnicos, deixe-me dizer que a confecção dos moldes e dos núcleos e a embalagem dos núcleos são feitas com o trabalho em movimento nas plataformas. O metal é derramado em outro ponto à medida que o trabalho avança e, no momento em que o molde no qual o metal foi derramado chega ao terminal, ele está frio o suficiente para iniciar seu modo automático de limpeza, usinagem e montagem. E a plataforma está se movendo para uma nova carga.

Vejamos o desenvolvimento da montagem da haste do pistão. Mesmo de acordo com o plano antigo, essa operação levava apenas três minutos e não parecia ser uma preocupação. Havia duas bancadas e vinte e oito homens no total; eles montaram cento e setenta e cinco pistões e hastes em um dia de nove horas – o que significa apenas três minutos e cinco segundos cada um. Não houve inspeção, e muitas unidades de pistão e haste voltaram defeituosas da linha de montagem do motor. Era uma operação muito simples. O operário tirava o pino do pistão, lubrificava o pino, deslizava a haste no lugar, colocava o pino na haste e no pistão, apertava um parafuso e abria outro. Essa era toda a operação. O encarregado, examinando a operação, não conseguiu descobrir por que isso deveria levar três minutos. Ele analisou os movimentos com um cronômetro e descobriu que quatro horas em um dia de nove horas eram gastas em vaivéns. O montador não saía de lugar nenhum, mas tinha de trocar os pés para reunir os materiais e afastar a peça finalizada. Em toda a tarefa, cada homem realizava seis operações. O encarregado concebeu um novo plano: ele separou a operação em três divisões, colocou uma deslizadora no banco, três homens de cada lado dela e um inspetor no final. Em vez de um homem executando a operação inteira, um homem executava apenas um terço da operação – apenas o máximo que podia fazer sem mexer os pés. Eles reduziram a equipe de vinte e oito para catorze homens. O recorde anterior para vinte e oito homens era de cento e setenta e cinco montagens por dia. Agora, sete homens fazem duas mil e seiscentas montagens em oito horas. Não é necessário calcular a economia!

Certa vez, a pintura do conjunto do eixo traseiro causou alguns problemas. Ele costumava ser mergulhado à mão em um tanque de esmalte. Isso exigia várias manobras e o trabalho de dois homens. Agora, um homem cuida de tudo em uma máquina especial, projetada e construída na fábrica. Ele apenas pendura o conjunto em uma corrente móvel que o carrega sobre o tanque de esmalte; duas alavancas empurram as extremidades do eixo da concha, o tanque de tinta sobe um metro e oitenta centímetros, mergulha no eixo, volta à posição, e o eixo segue para o forno de secagem. Todo o ciclo de operações agora leva apenas treze segundos.

O radiador é um assunto complexo, e soldá-lo costumava ser uma questão de habilidade. Existem noventa e cinco tubos em um radiador. O encaixe e a soldagem desses tubos no local, de modo manual, constituem uma operação longa, que exige habilidade e paciência. Agora tudo é feito por uma máquina que produzirá mil e duzentos núcleos de radiador em oito horas; depois eles são soldados no local, sendo carregados através de um forno por um transportador. Não é necessário nenhum trabalho de funileiro e, portanto, nenhuma habilidade.

Costumávamos rebitar a braçadeira do cárter ao cárter usando martelos pneumáticos, que deviam ser a evolução mais recente. Eram necessários seis homens para segurar os martelos e seis homens para segurar o revestimento, e o barulho era terrível. Agora uma prensa automática, operada por apenas um homem que não faz mais nada, realiza cinco vezes mais trabalho em um dia do que aqueles doze homens.

Na fábrica de Piquette, a fundição do cilindro percorria mil e duzentos metros no decorrer do acabamento; agora percorre apenas pouco mais de noventa metros.

Não há manobra manual de material. Não há uma única operação manual. Se uma máquina pode se tornar automática, ela o faz. Nem uma única operação é considerada melhor ou mais barata. Com isso, apenas cerca de dez por cento de nossas ferramentas são especiais; as outras são máquinas regulares ajustadas ao trabalho específico. E elas são dispostas quase lado a lado. Colocamos mais máquinas por metro quadrado de espaço útil do que qualquer outra fábrica do mundo – cada metro de espaço não usado acarreta despesas gerais. Não queremos esse desperdício. No entanto, há todo o espaço necessário – nenhum homem tem muito espaço, e nenhum tem pouco.

As operações de divisão e subdivisão, que mantêm o trabalho em movimento, são as ideias fundamentais da produção. No entanto, também é preciso lembrar que todas as peças são projetadas para serem feitas com mais facilidade. E a economia? Embora a comparação não seja bastante justa, é surpreendente. Se, em nossa atual taxa de produção, empregássemos o mesmo número de homens por carro que empregávamos quando começamos, em 1903 – e esses homens fossem apenas para montagem –, hoje deveríamos exigir uma força de mais de duzentos mil homens. Temos menos de cinquenta mil homens na produção de automóveis em nosso ponto mais alto – cerca de quatro mil carros por dia!

MÁQUINAS E HOMENS

É preciso lutar duramente contra o excesso de organização e a consequente burocracia para reunir um grande número de pessoas para trabalhar. Na minha opinião, não existe uma distorção mental mais perigosa do que a que às vezes é descrita como o "gênio da organização". Isso geralmente resulta no nascimento de um enorme quadro que mostra, à maneira de uma árvore genealógica, como a autoridade se ramifica. A árvore é pesada, com lindas bagas redondas, cada uma com o nome de um homem ou de um cargo. Todo homem tem um título e certos deveres, que são estritamente limitados pela circunferência de sua baga.

Se um assistente-chefe quer dizer algo ao superintendente geral, sua mensagem deve passar pelo chefe do departamento e por todos os superintendentes assistentes, antes de, com o tempo, chegar ao superintendente geral. E é provável que o que ele queria falar vire história. Demora cerca de seis semanas para que a mensagem de um homem que vive em uma baga no canto inferior esquerdo do quadro chegue ao presidente ou ao presidente do conselho, e, se alguma vez chegar a um desses oficiais augustos, naquele momento, contém um monte de críticas, sugestões e comentários. Pouquíssimas coisas são levadas em "consideração oficial" até bem depois do momento em que realmente deveriam ter sido feitas. O jogo é empurrado de um lado para outro, e e os indivíduos se esquivam de toda a responsabilidade – seguindo a preguiçosa ideia de que duas cabeças são melhores do que uma.

Agora, uma empresa, na minha opinião, não é uma máquina. É uma coleção de pessoas que estão reunidas para trabalhar e não para escrever cartas umas para as outras. Não é necessário que nenhum departamento saiba o que o outro está fazendo. Se um homem está realizando seu trabalho, ele não terá tempo para se dedicar a nenhum outro. O negócio de quem planeja todo o trabalho é garantir que todos os departamentos estejam funcionando de maneira adequada para o mesmo fim. Não é necessário ter reuniões para estabelecer bons sentimentos entre indivíduos ou departamentos. Não é preciso que as pessoas se amem para trabalharem juntas. Camaradagem em demasia pode realmente ser uma coisa muito ruim, pois pode levar um homem a tentar encobrir as falhas de outro. Isso é ruim para ambos.

Quando estamos trabalhando, devemos trabalhar. Quando estamos nos divertindo, devemos nos divertir. Não há utilidade em tentar misturar os dois. O único objetivo deve ser realizar o trabalho e ser pago por isso. Quando o trabalho está concluído, então a diversão pode vir, mas não antes. E, assim, as fábricas e empresas da Ford não têm organização, nem deveres específicos associados a qualquer posição, linha de sucessão ou autoridade, pouquíssimos títulos e nenhuma conferência. Temos somente a ajuda absolutamente necessária do escritório; não temos nenhum tipo de registros elaborados e, em consequência, não há burocracia.

Tornamos completa a responsabilidade individual. O operário é absolutamente responsável por seu trabalho. O assistente-chefe é responsável pelos trabalhadores sob suas ordens. O encarregado é responsável por seu grupo. O chefe do departamento é responsável pelo departamento.

O superintendente-geral é responsável por toda a fábrica. Todo homem tem que saber o que está acontecendo na sua área. Eu digo "superintendente-geral", mas não existe esse título formal. Um homem está há anos no comando da fábrica. Ele tem dois homens que, sem terem seus deveres definidos de alguma maneira, tomaram seções particulares de trabalho para si mesmos.

Com eles estão cerca de meia dúzia de assistentes, mas sem deveres específicos. Todos criaram trabalhos para si mesmos, mas não há limites para esses deveres. Eles apenas trabalham onde melhor se encaixam. Um homem cuida de estoque e escassez. Outro assumiu a inspeção, e assim por diante.

Isso pode parecer casual, mas não é. Um grupo de homens totalmente empenhados em concluir o trabalho não tem dificuldade em compreender que ele está concluído.

Eles não têm problemas com os limites da autoridade, porque não estão pensando em títulos. Se eles tivessem cargos e tudo isso, logo estariam perdendo tempo e se perguntando por que não têm um cargo melhor do que algum outro colega.

Como não há títulos nem limites de autoridade, não se trata de burocracia ou de passar sobre a liderança de um homem. Qualquer operário pode procurar alguém, e esse costume se tornou tão consagrado, que um encarregado não fica ofendido se um operário ignora sua autoridade e procura diretamente o chefe da fábrica. O operário raramente o faz, porque um encarregado sabe tão bem quanto seu próprio nome que, se tem sido injusto, será rapidamente descoberto e perderá o cargo. Uma das coisas que não toleramos é injustiça de nenhum tipo. No momento em que um homem começa a se envaidecer com a autoridade e é descoberto, ou ele sai ou volta para uma máquina.

Grande quantidade de inquietações trabalhistas advém do exercício injusto de autoridade por parte de pessoas em posições subordinadas, e eu temo que em muitas instituições manufatureiras não seja realmente possível para um operário conseguir um acordo justo.

O trabalho e o trabalho por si só nos controlam. Essa é uma das razões pelas quais não temos títulos. A maioria dos homens pode gerenciar um trabalho, mas são cobertos por um título.

O efeito de um título é muito peculiar. Tem sido usado em demasia como sinal de emancipação do trabalho. É quase equivalente a um emblema com a legenda:

"Este homem não tem nada a fazer senão se considerar importante e superior a todos os outros".

Um título não é apenas prejudicial para o usuário, mas também afeta os outros. Talvez não exista uma fonte maior de insatisfação pessoal entre os homens do que o fato de os portadores de títulos nem sempre serem os verdadeiros líderes. Todo mundo reconhece um verdadeiro líder – um homem que está apto a planejar e comandar. E quando você encontrar um verdadeiro líder que tenha um título, terá de perguntar a outra pessoa qual é o título dele. Ele não se vangloria disso.

Os títulos nos negócios têm sido muito exagerados, e os negócios sofreram com isso. Uma das características ruins é a divisão da responsabilidade de acordo com os títulos, que chega a ser uma remoção total da responsabilidade. Nos negócios em que a responsabilidade é fragmentada em muitos pedacinhos e dividida entre muitos departamentos, cada um dos quais sob seu próprio chefe titular, que por sua vez é cercado por um grupo com seus subtítulos, é difícil encontrar alguém que de fato se sinta responsável. Todo mundo sabe o que significa "passar a bola". O jogo deve ter se originado em organizações industriais nas quais os departamentos simplesmente empurram a responsabilidade.

A saúde de toda organização depende de cada membro – seja qual for sua posição – sentir que tudo o que acontece relacionado ao bem-estar da empresa é responsabilidade sua. As ferrovias foram para o inferno sob os olhos de departamentos que dizem:

– Oh, isto não diz respeito ao nosso departamento. O Departamento X, a cento e sessenta quilômetros de distância, se encarrega disso.

Costumava-se aconselhar os funcionários a não se esconderem atrás de seus títulos. A própria necessidade do conselho mostrou uma condição que precisava mais do que de conselhos para ser corrigida. E a correção é exatamente esta: abolir os títulos. Alguns podem ser legalmente necessários; alguns podem ser úteis para orientar o público a fazer negócios com a empresa, mas, de resto, a melhor regra é simples: "Livre-se deles".

Na verdade, o histórico atual dos negócios em geral é depreciar muitíssimo o valor dos títulos. Ninguém se gabaria de ser presidente de um banco falido. No geral, as empresas não têm sido habilmente conduzidas para deixar uma grande margem de orgulho para os diretores. Os homens que agora têm títulos e valem alguma coisa estão se esquecendo deles e procurando os pontos fracos na base dos negócios.

Eles estão de volta aos lugares onde se ergueram – tentando reconstruir de baixo para cima. E quando um homem está realmente trabalhando, ele não precisa de título. Seu trabalho o honra.

Todo o nosso pessoal entra na fábrica ou nos escritórios por meio dos departamentos de recrutamento. Como já disse, não contratamos especialistas – nem contratamos homens pelas experiências passadas ou em qualquer cargo que não seja o mais baixo. Uma vez que não consideramos um homem por sua história passada, não o recusamos por causa de seu passado. Nunca conheci um homem que fosse completamente mau. Sempre há algo de bom nele – se ele tiver uma chance de demonstrá-lo. Essa é a razão pela qual não nos importamos nem um pouco com os antecedentes de um homem – não contratamos a história de um homem, contratamos o homem. Se ele esteve na prisão, isso não é motivo para dizer que ele será preso novamente. Acho que, pelo contrário, se lhe derem uma chance, é provável que ele faça um esforço especial para se manter fora da cadeia. Nosso escritório de recrutamento não barra um homem por nada que ele tenha feito anteriormente – ele é aceitável de maneira igualitária, tanto se esteve em Sing Sing ou em Harvard – e nem sequer perguntamos em que lugar ele se formou. Tudo que ele precisa é ter vontade de trabalhar. Se ele não deseja fazê-lo, é muito improvável que se candidate a uma vaga, pois bem se sabe que na fábrica da Ford se trabalha.

Repetindo, não nos importamos com o que um homem foi. Se ele foi para a faculdade, deve ser capaz de seguir em frente mais rápido, mas precisa começar de baixo e provar sua habilidade. O futuro de cada homem repousa unicamente em si mesmo. Há muita conversa mole sobre o fato de os homens serem incapazes de obter reconhecimento. Conosco, todo homem tem quase certeza de obter o reconhecimento exato que merece.

É natural que existam certos fatores no anseio por reconhecimento que devem ser considerados. Todo o sistema industrial moderno distorceu esse anseio de tal forma que agora é quase uma obsessão. Houve um tempo em que o progresso pessoal de um homem dependia total e imediatamente de seu trabalho, e não do favor de alguém; hoje em dia, porém, muitas vezes depende muito da boa sorte do indivíduo em atrair algum olhar influente. É contra isso que lutamos com sucesso. Muitos homens vão trabalhar com a ideia de atrair o olhar de alguém; com a ideia de que, se falharam em conseguir crédito pelo que fizeram, poderiam também tê-lo feito mal ou não ter feito nada. Assim, o trabalho às vezes se torna uma consideração secundária. O trabalho em si, o artigo em si, o tipo especial de serviço acaba por não ser o trabalho principal.

O trabalho principal se torna um fator de progresso pessoal – uma plataforma para atrair a atenção de alguém. Esse hábito de colocar o trabalho em segundo lugar e o reconhecimento em primeiro é desleal ao trabalho. Ele considera o reconhecimento e o crédito o trabalho real. E isso também tem um efeito lamentável sobre o trabalhador. Incentiva um tipo peculiar de ambição que não é sedutora nem produtiva. Forma o tipo de homem que imagina que ao "ficar ao lado do chefe" terá sucesso. Toda oficina conhece esse tipo de homem. E o pior de tudo é que existem algumas coisas no atual sistema industrial que fazem parecer que o jogo de fato compensa. Os encarregados são apenas humanos.

É natural que se sintam lisonjeados ao acreditarem que têm nas mãos o bem-estar ou o sofrimento dos operários. Também é natural que, estando abertos à bajulação, seus subordinados egoístas os bajulem ainda mais para lucrar com isso. É por isso que quero o mínimo possível do elemento pessoal.

É particularmente fácil para qualquer homem que não sabe tudo avançar para uma posição mais alta conosco. Alguns homens trabalham duro, mas não têm a capacidade de pensar e, em especial, de pensar rápido. Esses homens chegam até onde sua capacidade permite. Um homem pode, por seu trabalho, merecer promoção, mas isso não lhe pode ser dado a menos que ele também tenha certa característica de liderança. Não vivemos em um mundo de sonhos. Penso que todo homem no processo de organização de nossa fábrica acaba chegando ao lugar que merece.

Nunca estamos satisfeitos com a maneira como tudo é feito em qualquer parte da organização; sempre achamos que deve ser mais bem feito e que, eventualmente, isso acontecerá. O espírito de equipe impulsiona o homem qualificado para o lugar mais alto que ele eventualmente conseguir atingir. Talvez ele não chegasse a esse lugar se em algum momento a organização – que é uma palavra que não gosto de usar – se estagnasse, em que houvesse rotina e o mérito não importasse. Mas temos tão poucos cargos que um homem que deveria estar fazendo algo de maneira melhor logo começa a fazê-lo – ele não se restringe ao fato de que não há posição "aberta" diante de si –, pois não há "posições". Não temos posições de tentativa e erro – nossos melhores homens fazem suas posições. Isso é fácil de fazer, pois sempre há trabalho, e quando você pensa em concluí-lo, em vez de encontrar um título para adequar a um homem que quer ser promovido, não há dificuldade quanto à promoção. A promoção em si não é formal; o homem simplesmente se vê fazendo algo diferente do que fazia e recebendo mais dinheiro.

Todo o nosso pessoal veio da base. O chefe da fábrica começou como mecânico. O encarregado da grande fábrica de River Rouge começou como moldador. Outro homem que supervisiona um dos principais departamentos começou como varredor. Não existe um único homem em qualquer lugar na fábrica que simplesmente não tenha vindo da rua.

Tudo que desenvolvemos foi feito por homens que se qualificaram conosco. Felizmente, não herdamos nenhuma tradição e não estamos fundando nenhuma. Se temos uma tradição, é esta: tudo sempre pode ser mais bem feito do que agora.

Essa pressão para sempre fazer um trabalho melhor e mais rápido resolve quase todos os problemas da fábrica. Um departamento se posiciona sobre sua taxa de produção.

A taxa de produção e o custo são elementos distintos. Os encarregados e superintendentes só estariam perdendo tempo se tivessem de controlar os custos em seus departamentos. Existem certos custos – como a taxa de salários, as despesas gerais, o preço dos materiais e similares – que eles não poderiam controlar de forma alguma; dessa maneira, não se importam com eles.

O que eles podem controlar é a taxa de produção de seus departamentos. Ela é obtida dividindo o número de peças produzidas pelo número de mãos que trabalham. Todo encarregado verifica seu próprio departamento diariamente – ele carrega os números sempre consigo. O superintendente tem uma tabela com todas as pontuações; se houver algo errado em um departamento, a produção do resultado mostra isso de uma só vez, o superintendente questiona e o encarregado averigua. Uma parte considerável do incentivo a melhores métodos é diretamente detectável por esse simples método de princípio básico de classificação da produção. O encarregado não precisa ser um contador – ele não seria um encarregado melhor se o fosse. Suas obrigações são as máquinas e os seres humanos do seu departamento. Quando eles estão trabalhando da melhor maneira possível, isso significa que ele executou seu serviço. A taxa de sua produção é o seu guia. Não há razão para ele despender suas energias em assuntos paralelos.

Esse sistema de classificação obriga o encarregado a esquecer as personalidades – a esquecer tudo, exceto o trabalho em questão. Se ele escolher as pessoas de que gosta em vez das que podem fazer o trabalho da melhor maneira, seu registro de departamento rapidamente mostrará esse fato.

Não há dificuldade em escolher homens. Eles se distinguem porque, embora se fale muito sobre a falta de oportunidade de promoção, o operário médio está mais interessado em um emprego estável do que em se promover. Pouco mais de cinco por cento dos que trabalham por salários, embora tenham o anseio de receber mais dinheiro, também têm vontade de aceitar a responsabilidade adicional e o trabalho adicional que acompanha as posições mais altas. Apenas cerca de vinte e cinco por cento estão dispostos a ser chefes-assistentes, e a maioria assume essa posição porque ela implica maior remuneração do que a que se recebe pelo trabalho em uma máquina.

Os homens que têm uma mentalidade mais mecânica mas não anseiam por responsabilidade entram nos departamentos de fabricação de ferramentas, onde recebem uma remuneração consideravelmente maior do que na produção propriamente dita. Mas a maioria deles quer ficar parada. Eles querem ser liderados. Querem que tudo seja feito para eles sem que tenham responsabilidade. Portanto, apesar da grande massa de funcionários, a dificuldade não é descobrir homens para promover, mas os que estejam dispostos a ser promovidos.

A teoria mais aceita é a de que todas as pessoas anseiam por promoção, e muitos planos admiráveis têm sido criados com base nisso. Só posso dizer que não consideramos esse o caso. Os norte-americanos que trabalham em nosso ramo querem avançar, mas, de forma alguma, ir direto ao topo. Os estrangeiros, de um modo geral, contentam-se em permanecer como assistentes-chefes.

Não sei a razão de tudo isso. Estou fornecendo os fatos.

Como afirmei, todos os que trabalham aqui têm a mente aberta sobre a maneira como os trabalhos estão sendo realizados. Se existe alguma teoria fixa – qualquer regra fixa –, é que nenhum trabalho está sendo feito de modo bom o suficiente. Toda a gerência da fábrica está sempre aberta a sugestões, e temos um sistema informal de sugestões pelo qual qualquer operário pode comunicar qualquer ideia que lhe ocorra e agir para concretizá-la.

A economia de um centavo por peça pode claramente valer a pena. Uma economia de um centavo de uma peça na nossa taxa atual de produção representa doze mil dólares por ano. Um centavo economizado em cada peça equivaleria a milhões por ano. Portanto, ao comparar as economias, os cálculos são realizados sobre a milésima parte de um centavo. Se a nova maneira sugerida representar uma economia e o custo de efetuar a alteração se pagar dentro de um período razoável – digamos, em três meses –, a alteração será feita, obviamente. Essas mudanças de maneira alguma se limitam a melhoras que aumentarão a produção ou diminuirão os custos. Muitas – talvez a maioria delas – têm a intenção de facilitar o trabalho.

Não queremos nenhum trabalho duro e fatigante no local, e hoje há muito pouco disso. E, geralmente, adotar o caminho mais fácil para os homens também diminui o custo. Existe uma íntima conexão entre decência e bons negócios. Também investigamos, descendo até a última casa decimal, se é mais barato fabricar ou comprar uma peça.

As sugestões vêm de todos os lugares. Os operários poloneses parecem ser os mais engenhosos de todos os estrangeiros. Um, que não sabia falar inglês, sugeriu que, se a ferramenta fosse colocada em um ângulo em sua máquina, poderia ser usada por mais tempo. Antes ela executava apenas quatro ou cinco cortes. Ele estava certo, e muito dinheiro foi economizado no esmeril. Outro polonês, ao executar uma prensa de broca, instalou um pequeno acessório para economizar no manuseio da peça depois da perfuração. Esse procedimento foi amplamente adotado, e resultou em uma economia considerável. Os homens costumam experimentar pequenos acessórios, porque, ao se concentrarem em uma coisa, geralmente podem, se tiverem a mente aberta, inventar alguma melhora. A limpeza da máquina de um homem também – embora isso não faça parte de seu dever – é, geralmente, um indicador de sua inteligência.

Aqui estão algumas sugestões: uma proposta de que as peças fundidas fossem levadas da fundição para a oficina de máquinas em um transportador suspenso economizou setenta homens na divisão de transporte. Costumava haver dezessete homens – e isso foi quando a produção era menor – tirando as rebarbas das engrenagens, o que consistia em um trabalho duro e desagradável. Um homem esboçou um dia uma máquina especial. Sua ideia foi desenvolvida, e a máquina foi construída. Agora quatro homens dão conta da produção dos dezessete homens – e não têm muito trabalho a fazer.

A mudança de uma haste sólida para uma soldada em uma parte do chassi gerou uma economia imediata de cerca de meio milhão por ano em uma produção bem menor do que a atual. Fazer certos tubos com lâminas planas, em vez de envolvê-los da maneira usual, ocasionou outra economia enorme.

O antigo método de fabricar uma determinada engrenagem compreendia quatro operações, e doze por cento do aço ia para refugo. Usamos a maior parte de nosso refugo, e eventualmente usaremos tudo, mas isso não é motivo para não o reduzir – o simples fato de o lixo não ser uma perda total não é desculpa para permitir o desperdício. Um dos operários desenvolveu um novo método muito simples de fabricar essa engrenagem, no qual o refugo era de apenas um por cento. Mais uma vez, os eixos de comando precisavam de tratamento térmico para tornar a superfície dura; eles sempre saíam deformados do forno de tratamento térmico, e, mesmo em 1918, empregamos trinta e sete homens apenas para endireitá-los.

Vários de nossos homens fizeram experimentos por cerca de um ano e finalmente elaboraram uma nova forma de forno em que os eixos não entortavam. Em 1921, com a produção muito maior do que em 1918, empregamos apenas oito homens em toda a operação.

E ainda há a urgência de suprimir a necessidade de habilidade em qualquer trabalho feito por qualquer pessoa. O mestre de têmpera dos velhos tempos era um especialista. Ele tinha de avaliar as temperaturas de aquecimento. Era uma operação de acerto ou erro. O que admira é que ele golpeava muitas vezes. O tratamento térmico no endurecimento do aço é extremamente importante – desde que se saiba exatamente a quantidade de calor que deve ser aplicada. Isso não pode ser aferido pela regra geral, deve ser medido. Introduzimos um sistema em que o homem do forno não tem nada a ver com o calor. Ele não vê o pirômetro – o instrumento que registra a temperatura. Luzes elétricas coloridas emitem sinais.

Nenhuma de nossas máquinas é construída aleatoriamente. Antes de se implementar qualquer mudança, a ideia é investigada em detalhes. Às vezes constroem-se modelos de madeira, ou, novamente, as peças são desenhadas em tamanho real em um quadro negro. Não estamos ligados por precedentes, mas não deixamos nada à sorte, e nunca construímos uma máquina que não desempenhe o trabalho para o qual foi designada. Cerca de noventa por cento de todas as experiências foram bem-sucedidas.

Seja qual for a especialidade na fabricação que se tenha desenvolvido, ela se deve aos homens. Penso que, se os homens não tiverem obstáculos e souberem por que estão servindo, sempre colocarão toda a sua inteligência e vontade até mesmo nas tarefas mais triviais.

O TERROR DA MÁQUINA

O trabalho repetitivo – fazer uma coisa repetidamente e sempre da mesma maneira – é uma perspectiva aterradora para certo tipo de mente. É assustador para mim. Não poderia fazer a mesma coisa dia após dia, mas, para outras mentes, talvez para a maioria delas, as operações repetitivas não são aterrorizantes. De fato, para alguns tipos, o trabalho que exige reflexão é absolutamente apavorante. Para eles, o trabalho ideal é aquele em que o instinto criativo não precisa ser expresso. Os trabalhos em que é necessário usar a mente e também os músculos têm poucos candidatos, e sempre precisamos de homens que gostem de um emprego porque é difícil. O trabalhador médio, lamento dizer, quer um emprego em que não precise fazer muito esforço físico – acima de tudo, ele quer um emprego em que não precise pensar.

Aqueles que têm o que pode ser chamado de tipo criativo de mente e que detestam a monotonia podem imaginar que todas as outras mentes são igualmente inquietas e, portanto, manifestam uma simpatia bastante indesejada ao trabalhador que, dia após dia, realiza quase a mesma operação.

Quando você se sujeita a isso, a maioria dos trabalhos é repetitiva. Um homem de negócios tem uma rotina que segue com grande exatidão; o trabalho de um presidente de banco é quase todo rotineiro; o de auxiliares e balconistas em um banco é puramente rotineiro. De fato, para a maioria dos propósitos e para a maioria das pessoas, é necessário estabelecer uma rotina e fazer a maioria dos movimentos puramente repetitivos – caso contrário, o indivíduo não fará o suficiente para poder viver de seus próprios esforços. Não há razão para que alguém com uma mente criativa deva estar em um trabalho monótono, pois em todos os lugares a necessidade de homens criativos é fundamental. Nunca haverá escassez de lugares para pessoas qualificadas, mas precisamos reconhecer que a vontade de ser qualificado não é geral. E mesmo que a vontade esteja presente, a coragem de prosseguir com o treinamento está ausente. Não se pode tornar hábil o mero desejo.

Há muitas suposições sobre o que a natureza humana deveria ser, e não há pesquisas suficientes sobre o que é. Suponha que o trabalho criativo possa ser empreendido apenas no contexto da visão. Falamos de "artistas" criativos em música, pintura e outras artes. Aparentemente, limitamos as funções criativas a produções que podem ser penduradas nas paredes das galerias ou tocadas em salas de concerto, ou então exibidas onde pessoas ociosas e exigentes se reúnem para admirar a cultura uma da outra. Entretanto, se um homem deseja um campo para um trabalho criativo vital, deixe-o vir aonde ele vai lidar com leis mais altas que as do som, da linha ou da cor; deixe-o vir aonde possa lidar com as leis da personalidade. Queremos artistas em relacionamento industrial. Queremos mestres no método industrial – tanto do ponto de vista do produtor quanto do produto. Queremos aqueles que possam moldar a massa política, social, industrial e moral em um todo sólido e bem torneado. Limitamos demais a faculdade criativa e a usamos para fins muito triviais.

Queremos homens que possam criar o desenho funcional para tudo o que é certo, bom e desejável em nossa vida. Boas intenções, além de projetos de trabalho bem pensados, podem ser postas em prática e feitas para ter êxito. É possível aumentar o bem-estar do trabalhador – não fazendo com que ele trabalhe menos, mas ajudando-o a fazer mais. Se o mundo dedicar atenção, interesse e energia à elaboração de planos que beneficiarão o outro camarada como ele é, então tais planos poderão ser estabelecidos em uma base prática de trabalho. Tais planos resistirão – e serão os mais lucrativos em valores humanos e financeiros. Esta geração precisa de uma fé profunda, uma convicção profunda na prática de virtude, justiça e humanidade na indústria. Se não podemos ter essas qualidades, estaríamos melhor sem a indústria. De fato, se não podemos obter essas qualidades, os dias da indústria estão contados. Mas podemos obtê-las. Estamos buscando-as.

Se um homem não pode ganhar seu sustento sem o auxílio de maquinário, é benéfico para ele recusar-se a usar esse maquinário por causa da monotonia? E deixá-lo morrer de fome? Ou é melhor colocá-lo no caminho de uma boa vida? Um homem é mais feliz por passar fome? Se ele é mais feliz por usar uma máquina por menos do que sua capacidade, ele é mais feliz por produzir menos do que poderia e, consequentemente, receber menos em troca do que sua parte dos bens do mundo?

Não sou capaz de achar que o trabalho repetitivo ofende um homem de alguma forma. Especialistas me disseram que o trabalho repetitivo é destruidor de alma – assim como do corpo –, mas esse não foi o resultado de nossas investigações. Houve um caso de um homem que durante todo o dia fazia pouco mais do que pisar no disparo de um pedal. Ele achava que o movimento o estava deixando unilateral; o exame médico não mostrou que ele havia sido afetado, mas, é claro, ele foi transferido para outro trabalho que usava uma série diferente de músculos. Em poucas semanas, ele pediu seu antigo emprego de volta. Parece razoável imaginar que fazer a mesma série de movimentos todos os dias, durante oito horas, produziria um corpo anormal, porém nunca tivemos um caso desses. Transferimos os homens sempre que eles pedem para ser trocados e gostaríamos de mudá-los regularmente – isso seria totalmente viável somente se os homens tivessem esse costume. Eles não gostam de mudanças que eles próprios não sugerem. Algumas operações são indubitavelmente monótonas – tão monótonas que mal parece possível que algum homem cuide de permanecer por muito tempo no mesmo trabalho. É provável que a tarefa mais monótona de toda a fábrica seja aquela em que um homem pega uma engrenagem com um gancho de aço, sacode-a em uma tina de óleo e depois a coloca em um cesto.

O movimento nunca varia. As engrenagens chegam a ele sempre no exato lugar, ele dá a cada uma o mesmo número de sacudidas e a coloca em um cesto que está sempre no mesmo lugar. Nenhuma energia muscular é exigida, nenhuma inteligência é necessária. Ele faz pouco mais do que mover as mãos suavemente de um lado para outro – a barra de aço é muito leve. No entanto, um homem executa esse trabalho há oito anos. Ele economizou e investiu seu dinheiro até agora; tem cerca de quarenta mil dólares – e resiste obstinadamente a todas as tentativas de forçá-lo a ter um emprego melhor!

A pesquisa mais completa não trouxe um único caso de uma mente ter sido distorcida ou amortecida pelo trabalho. O tipo de mente que não gosta de trabalho repetitivo não precisa permanecer nele. O trabalho de cada departamento é classificado de acordo com sua conveniência e habilidade nas classes A, B e C, cada uma das quais tem de dez a trinta operações diferentes. Um homem vem diretamente da agência de emprego para a Classe C.

À medida que melhora, ele vai para a Classe B e depois para a Classe A; e da Classe A para a fabricação de ferramentas ou alguma supervisão. Cabe a ele se colocar. Se ele permanece na produção, é porque gosta.

Em um capítulo anterior, comentei que ninguém que se candidata ao trabalho é recusado por causa da condição física. Essa política entrou em vigor em 12 de janeiro de 1914, no momento de fixar o salário mínimo em cinco dólares por dia e o dia útil em oito horas. Trazia consigo a condição adicional de que ninguém seria dispensado por causa da condição física, exceto, é claro, no caso de doenças contagiosas. Penso que, para que uma instituição industrial cumpra todo o seu papel, deve ser possível que um grupo representativo de seus funcionários apresente as mesmas proporções que o de uma sociedade em geral. Sempre temos conosco pessoas que sofreram mutilação e pessoas com deficiência nos membros inferiores. Há uma disposição muito generosa em considerar todas essas pessoas fisicamente incapacitadas para o trabalho como uma carga sobre a sociedade e apoiá-las pela caridade. Há casos em que imagino que o apoio deve ser de caridade – por exemplo, uma pessoa com deficiência mental. Todavia, esses casos são extraordinariamente raros, e descobrimos que, entre o grande número de tarefas diferentes que devem ser executadas em algum lugar da companhia, é possível encontrar uma oportunidade para quase todos na base de produção. A pessoa com deficiência visual ou com deficiência física pode, na posição específica para a qual é designada, realizar o mesmo trabalho e receber exatamente o mesmo salário que um homem sem deficiência. Não temos preferência por pessoas com deficiência física, mas demonstramos que elas podem receber salários integrais.

Estaria muito fora de nosso propósito empregar homens por terem deficiência física, pagar-lhes um salário mais baixo e nos contentar com uma produção menor. Isso pode estar ajudando diretamente os homens, mas não os ajudaria da melhor maneira. A melhor maneira é sempre aquela em que eles podem ser colocados em pé de igualdade com os homens sem deficiência. Acredito que haja pouquíssima ocasião para caridade neste mundo – ou seja, caridade no sentido de fazer doações. Certamente negócios e caridade não podem andar juntos; o objetivo de uma fábrica é produzir, e ela mal serve à comunidade em geral, a menos que produza o máximo que sua capacidade permite.

Estamos prontos para assumir, sem investigação, que a posse plena de faculdades é uma condição necessária para o melhor desempenho de todos os trabalhos. Para descobrir exatamente qual era a situação real, eu tinha todos os diferentes empregos na fábrica classificados para o tipo de máquina e trabalho – se o trabalho físico envolvido era leve, médio ou pesado; se era um trabalho úmido ou seco, e se não, com que tipo de fluido; se era limpo ou sujo; perto de um forno ou fornalha; a condição do ar; se uma ou ambas as mãos tinham de ser usadas; se o empregado se levantava ou sentava no trabalho; se era barulhento ou silencioso; se exigia precisão; se a luz era natural ou artificial; o número de peças que precisavam ser manuseadas por hora; o peso do material manuseado; e a descrição da tensão sobre o trabalhador. No momento da investigação, verificou-se que existiam 7.882 empregos diferentes na fábrica. Destes, 949 foram classificados como trabalhos pesados, exigindo homens fortes, sem deficiência e fisicamente "perfeitos"; 3.338 exigiam homens com desenvolvimento e força física comum. Os 3.595 empregos restantes foram classificados como não exigindo esforço físico e poderiam ser executados pelo menor e mais fraco tipo de homem. De fato, a maioria deles poderia ser satisfatoriamente preenchida por mulheres ou crianças mais velhas. Os trabalhos mais leves foram classificados de novo para descobrir quantos deles exigiam o uso de faculdades completas, e descobrimos que seiscentos e setenta poderiam ser preenchidos por homens sem pernas; 2.637 por homens com apenas uma perna; dois por homens sem braços; setecentos e quinze por homens com apenas um braço; e dez por pessoas com deficiência visual. Portanto, dos 7.882 tipos de empregos, 4.034, embora alguns deles exigissem força, não exigiam capacidade física total. Ou seja, a indústria desenvolvida pode fornecer trabalho remunerado para uma média mais alta de homens comuns do que normalmente são incluídos em qualquer comunidade normal. Se os empregos em qualquer indústria – ou, digamos, em qualquer fábrica – fossem analisados como os nossos, a proporção poderia ser muito diferente, mas tenho certeza de que, se o trabalho for subdividido de modo suficiente (subdividido a ponto de gerar maior economia), não haverá escassez de lugares em que homens com deficiência física possam fazer o trabalho de um homem e obter o salário de um homem. É economicamente mais prejudicial aceitar homens com deficiência física como incumbência e depois ensinar-lhes tarefas triviais, como tecelagem de cestos ou alguma outra forma de trabalho manual não remunerado, na esperança não de ajudá-los a ganhar a vida, mas de evitar a prostração.

Quando um homem é contratado pelo Departamento de Recrutamento, a teoria é colocá-lo em um emprego adequado à sua condição. Se ele já está no trabalho e não parece capaz de realizar a atividade, ou se não gosta do seu trabalho, recebe um cartão de transferência, que ele leva para o departamento responsável; após um exame, ele é testado em algum outro trabalho mais adequado à sua condição ou disposição. Aqueles que estão abaixo dos padrões físicos comuns são tão bons trabalhadores, se corretamente alocados, quanto os que estão acima.

Por exemplo, um homem com deficiência visual foi designado para o departamento de estoque para contar parafusos e porcas que seriam remetidos aos estabelecimentos da filial. Dois outros homens sem deficiência já estavam empregados nesse trabalho. Em dois dias, o encarregado enviou uma nota ao departamento de transferência liberando os homens, porque o homem com deficiência visual era capaz de fazer não apenas o próprio trabalho, mas também o trabalho que anteriormente havia sido feito pelos homens sem deficiência.

Esse resgate pode ser levado mais longe. Em geral, é dado como certo que, quando um homem é ferido, ele fica fora do trabalho e deve receber uma pensão. Mas sempre há um período de convalescença, especialmente em casos de fratura, no qual o homem é forte o suficiente para trabalhar, e, de fato, nessa época fica ansioso para fazê-lo, já que a pensão para possíveis acidentes nunca pode ser maior do que o salário de um homem. Se fosse, uma empresa teria uma taxa adicional sobre isso, e essa taxa apareceria no custo do produto. Haveria menos compras do produto e, portanto, menos trabalho. Essa é uma sequência inevitável que sempre deve ser considerada.

Fizemos experiências com homens acamados – homens capazes de se sentar. Colocamos cobertores ou aventais pretos de oleado sobre as camas e pusemos os homens para trabalhar apertando as porcas em pequenos parafusos. Esse é um trabalho que deve ser feito à mão e no qual quinze ou vinte homens são mantidos ocupados no Departamento de Magneto. Os homens do hospital podiam fazê-lo tão bem quanto os da oficina, e podiam receber seus salários regulares. De fato, a produção deles era cerca de vinte por cento, acredito, acima da produção usual das oficinas. Nenhum homem tinha de fazer o trabalho, a menos que quisesse. No entanto, todos queriam. Dessa forma, eram donos do seu tempo. Eles dormiam e comiam melhor e se recuperaram mais rapidamente.

Nenhuma consideração especial deve ser dada aos empregados com deficiência auditiva total.

Eles fazem seu trabalho cem por cento. Os empregados tuberculosos – e geralmente existem cerca de mil deles – trabalham no departamento de recuperação de materiais. Os casos considerados contagiosos trabalham juntos em um galpão especialmente construído para isso. O trabalho deles é feito em grande parte ao ar livre.

No momento da última análise de empregados, havia 9.563 homens abaixo do padrão. Desses, 123 tinham deficiência ou haviam sofrido amputação nos braços, antebraços ou mãos. Um não tinha ambas as mãos. Havia quatro homens com deficiência visual total; 207 com deficiência visual em um olho; 253 com deficiência visual quase total em um olho; 37 com deficiência auditiva total; sessenta com epilepsia; quatro sem ambas as pernas ou pés; 234 sem um pé ou uma perna. Os outros tinham deficiências menores.

O tempo necessário para se tornar proficiente nas várias ocupações é aproximadamente o seguinte: quarenta e três por cento de todos os trabalhos não requerem mais de um dia de treinamento; trinta e seis por cento exigem de um dia a uma semana; seis por cento exigem de uma a duas semanas; catorze por cento exigem de um mês a um ano; um por cento exige de um a seis anos. Os últimos trabalhos exigem muita habilidade – como na fabricação de ferramentas e na moldagem.

A disciplina em toda a fábrica é rígida. Não existem regras mesquinhas, e e nenhuma cuja justiça possa ser questionada. A injustiça da dispensa arbitrária é evitada limitando o direito de dispensa ao gerente de recrutamento, e ele raramente o exerce. O ano de 1919 foi o último em que as estatísticas foram mantidas. Nesse ano, ocorreram 30.155 dispensas. Dessas, 10.334 foram provocadas por ausências por mais de dez dias sem aviso. Por recusarem o trabalho designado ou, sem justificar a causa, exigirem uma transferência, 3.702 foram dispensados. A recusa em aprender inglês na escola designada representava trinta e oito; cento e oito foram alistados; cerca de três mil foram transferidos para outras fábricas. Ir para casa, entrar na agricultura ou nos negócios representava quase o mesmo número. Oitenta e duas mulheres foram dispensadas porque os maridos estavam trabalhando – não empregamos mulheres casadas cujos maridos tenham emprego. Do total, apenas oitenta foram terminantemente dispensados, e as causas foram: desvirtuamento: cinquenta e seis; por ordem do Departamento de Educação: vinte; e indesejáveis: quatro.

Esperamos que os homens façam o que lhes é dito. A organização é tão especializada e uma parte é tão dependente da outra que nem por um momento pudemos considerar permitir que os homens tivessem o próprio caminho. Sem uma rígida disciplina, teríamos a maior confusão. Acredito que não deveria ser diferente na indústria. Os homens estão lá para realizar a maior quantidade possível de trabalho e receber o maior salário possível. Se fosse permitido a cada homem agir à sua maneira, a produção sofreria, e, portanto, o pagamento sofreria. Quem não gosta de trabalhar do nosso jeito pode sempre sair. A conduta da empresa em relação aos homens deve ser precisa e imparcial. É naturalmente do interesse dos encarregados e dos chefes de departamento que haja poucas dispensas em seus setores. O operário tem toda a chance de contar sua história, e se for tratado de maneira injusta, ele tem todo o recurso. Mas é óbvio e inevitável que ocorram injustiças. Os homens nem sempre são justos com seus colegas de trabalho. A natureza humana de caráter defeituoso obstrui nossas boas intenções de vez em quando. O encarregado nem sempre entende a ideia ou a aplica mal – mas as intenções da empresa são as que afirmei, e usamos todos os meios para que elas sejam entendidas.

É necessário ser mais insistente na questão de ausências. Um homem não pode ir ou vir como quiser; ele deve sempre pedir licença ao encarregado, mas se ele for embora sem avisar, então, ao retornar, os motivos de sua ausência serão cuidadosamente investigados e, às vezes, encaminhados ao Departamento Médico. Se suas razões forem boas, ele poderá retomar o trabalho. Do contrário, ele pode ser dispensado. Ao contratar um homem, os únicos dados obtidos dizem respeito a seu nome, endereço, idade, se ele é casado ou solteiro, o número de seus dependentes, se ele já trabalhou para a Ford Motor Company e as condições de sua visão e audição.

Não fazemos perguntas sobre o que o homem fez no passado, porém temos o que chamamos de "Aviso de Melhor Vantagem", pelo qual um homem que já teve um ofício antes de chegar até nós registra um aviso ao Departamento de Recrutamento declarando qual era seu ofício. Dessa forma, quando precisamos de especialistas de qualquer tipo, podemos tirá-los da produção. Essa também é uma das vias pelas quais os fabricantes de ferramentas e os moldadores alcançam rapidamente as posições mais altas. Certa vez, eu queria um relojoeiro suíço. Os cartões apareceram – ele estava operando uma prensa de broca. O Departamento de Tratamento Térmico queria um perito em tijolos refratários. Ele também foi encontrado na prensa de broca – e agora é um inspetor-geral.

Não há muito contato pessoal – os homens fazem seu trabalho e vão para casa – uma fábrica não é uma sala de visitas. Mas tentamos ser justos, e, embora possa haver poucos apertos de mãos – não temos apertadores de mão profissionais –, também tentamos evitar dar oportunidades para personalidades mesquinhas. Temos tantos departamentos que o local é quase um mundo em si – todo tipo de homem pode encontrar uma posição em algum lugar nele. Vejamos o exemplo de brigas entre homens.

Os homens vão brigar, e geralmente uma briga provoca uma demissão. Achamos que isso não ajuda os oponentes, apenas os tira de vista.

Assim, os encarregados tornaram-se bastante engenhosos em aplicar punições que não vão tirar nada da família do homem e que não requerem tempo para administrar.

Um ponto muito essencial para a alta capacidade, bem como para a produção humana, é uma fábrica limpa, bem iluminada e bem ventilada. Nossas máquinas são colocadas muito próximas umas das outras – cada metro de chão na fábrica carrega, é claro, a mesma sobrecarga. O consumidor deve pagar a despesa extra e o transporte extra envolvido em ter máquinas com quinze centímetros de distância uma da outra. Medimos em cada trabalho a quantidade exata de espaço de que um homem precisa; ele não deve ser apertado, isso seria desperdício. Mas se ele e sua máquina ocupam mais espaço do que o necessário, isso também é desperdício. Isso aproxima nossas máquinas mais do que provavelmente em qualquer outra fábrica do mundo. Para um estranho, elas podem parecer estarem empilhadas uma em cima da outra, mas estão cientificamente organizadas, não apenas na sequência das operações, mas para dar a todos os homens e máquinas cada centímetro quadrado que exigem e, se possível, nem um centímetro quadrado, e, é certo, nem um metro quadrado a mais do que o necessário. Os edifícios de nossas fábricas não devem ser usados como parques. A colocação próxima requer um máximo de proteção e ventilação.

A proteção da máquina é um assunto por si só. Não consideramos nenhuma máquina – não importa quão eficiente ela possa ser – adequada a menos que seja absolutamente segura. Não temos máquinas que não sejam seguras, mas, ainda assim, alguns acidentes acontecerão. Todo acidente, por mais trivial que seja, é rastreado por um técnico qualificado empregado apenas para esse propósito, e ele faz um estudo da máquina para que o mesmo acidente seja impossível no futuro.

Quando construímos os prédios mais antigos, não entendíamos tanto sobre ventilação como hoje. Em todos os edifícios mais recentes, as colunas de sustentação são ocas, e através delas o ar ruim é bombeado e o ar bom é introduzido. Uma temperatura quase uniforme é mantida em todo lugar durante o ano todo, e, durante o dia, não há necessidade de luz artificial. Cerca de setecentos homens são designados apenas para manter as oficinas limpas, as janelas lavadas e toda a pintura fresca.

Os cantos escuros que convidam a escarrar são pintados de branco. Não se pode ter moral sem limpeza. Toleramos a limpeza provisória tanto quanto os métodos provisórios.

Não existe razão para que o trabalho na fábrica seja perigoso. Se um homem trabalhou demais ou por muitas horas, ele entra em um estado mental que pode levar a acidentes. Parte do trabalho de prevenção de acidentes é evitar esse estado mental; parte é prevenir descuido; e parte é fazer com que o maquinário seja absolutamente infalível. As principais causas de acidentes, conforme agrupadas pelos especialistas, são:

1. estruturas defeituosas; 2. máquinas com defeito; 3. espaço insuficiente; 4. ausência de proteção; 5. condições impuras; 6. luzes ruins; 7. ar ruim; 8. roupas inadequadas; 9. descuido; 10. ignorância; 11. condição mental; 12. falta de cooperação.

As questões de estruturas defeituosas, maquinário defeituoso, espaço insuficiente, condições de limpeza, luz ruim, ar ruim, condição mental incorreta e falta de cooperação são facilmente eliminadas. Nenhum dos homens trabalha demais. Os salários resolvem nove décimos dos problemas mentais, e a construção nos livra de outros problemas. Temos então que nos proteger contra roupas inadequadas, descuido e ignorância, e tornar tudo o que temos infalível. Isso é mais difícil onde temos correias. Em toda a nossa nova fábrica, cada máquina tem seu motor elétrico individual, mas na construção mais antiga tínhamos de usar correias. Toda correia é protegida. Sobre os transportadores automáticos são colocadas pontes para que nenhum homem tenha de atravessar em um ponto perigoso. Sempre que há o risco de voar metal, o operário é obrigado a usar óculos de proteção, e os riscos são ainda mais reduzidos ao cercarmos essas máquinas com uma rede. Ao redor de fornos quentes, temos grades. Em nenhum lugar há uma abertura em uma máquina na qual as roupas possam ficar presas. Todos os corredores são mantidos limpos. Os interruptores das prensas de extração são protegidos por grandes etiquetas vermelhas que precisam ser removidas antes que eles sejam ligados – isso impede que a máquina seja iniciada inadvertidamente. Os operários talvez usem roupas inadequadas – gravatas que podem ser presas em uma roldana, mangas esvoaçantes e todo tipo de artigos inadequados. Os chefes têm de prestar atenção a isso, e eles pegam a maioria dos infratores.

As novas máquinas são testadas de todas as formas antes de serem instaladas. Como resultado, praticamente não temos acidentes graves.

A indústria não precisa do custo de uma baixa humana.

SALÁRIOS

Não há nada pior, ao comandar uma empresa, do que o hábito de dizer: "Pago o salário vigente". O mesmo homem não diria tão facilmente: "Não tenho nada melhor ou mais barato do que qualquer um para vender". Nenhum fabricante, em sã consciência, afirmaria que comprar apenas os materiais mais baratos é o caminho para garantir a fabricação do melhor artigo. Então, por que ouvimos tanto falar sobre a "liquidação do trabalho" e os benefícios da redução de salários para o país – o que significa apenas a redução do poder de compra e a restrição do mercado doméstico? De que serve a indústria se for gerenciada de modo tão desajeitado a ponto de não prover o sustento de todos os envolvidos? Nenhuma pergunta é mais importante que a dos salários – a maioria das pessoas do país vive de salários. A escala do seu sustento – a taxa de seus salários – determina a prosperidade do país. Em todas as indústrias da Ford agora temos um salário mínimo de seis dólares por dia; costumávamos ter no mínimo cinco dólares; antes disso, pagávamos o que era necessário. Seria imoral voltar à antiga taxa de mercado de pagamento – e também seria o pior tipo de negócio.

A começar pelos relacionamentos. Não é comum falar de um empregado como parceiro, e, no entanto, o que mais ele é? Quando um homem acha a gestão de uma empresa demasiada para seu tempo ou força, ele convoca assistentes para compartilhar a gestão com ele. Por que, então, se um homem acha a parte da produção de uma empresa demasiada para suas próprias mãos, ele deveria negar o título de "parceiro" àqueles que participam e o ajudam a produzir? Toda empresa que emprega mais de um homem é um tipo de parceria. No momento em que um homem pede ajuda em seus negócios – mesmo que o assistente seja apenas um garoto –, naquele momento, ele tem um parceiro. Ele próprio pode ser o único proprietário dos recursos do negócio e o único diretor de suas operações, mas somente enquanto permanecer como gerente e produtor único ele poderá reivindicar total independência. Nenhum homem é independente se tiver que depender de outro homem para ajudá-lo. É uma relação recíproca – o chefe é o parceiro do seu trabalhador, o trabalhador é o parceiro do seu chefe. E, sendo assim, é inútil para um grupo ou outro assumir que é a única unidade indispensável. Ambos são indispensáveis. Um pode se tornar indevidamente assertivo apenas à custa do outro – e à sua própria custa. É totalmente insensato para o capital ou para o trabalho pensar em si mesmos como grupos. Eles são parceiros. Quando eles puxam e arrastam um contra o outro, prejudicam a organização em que são parceiros e da qual recebem apoio.

A ambição do empregador, como líder, deveria ser salários melhores do que qualquer ramo de negócios semelhante, e a do trabalhador tornar isso possível. É claro que existem homens em todas as oficinas que parecem acreditar que, se derem o melhor de si, será apenas para o benefício do empregador – e não para o próprio benefício. É uma pena que esse sentimento exista. Mas ele existe e talvez tenha alguma justificativa. Se um empregador encoraja os funcionários a fazer o melhor possível, e depois de um tempo eles aprendem que isso não traz recompensa, então eles naturalmente voltam a "sobreviver". Contudo, se eles veem os frutos do trabalho duro em seu envelope de pagamento – prova de que trabalho mais duro significa salários mais altos –, também começam a aprender que são parte da empresa – que o sucesso dela depende deles, e vice-versa.

"Quanto o empregador deve pagar?" "Quanto o empregado deve receber?" São apenas perguntas de pouca importância. A pergunta básica é: "O que a empresa suporta?". Certamente, nenhuma empresa pode suportar um custo que exceda sua receita. Quando você bombeia a água para fora de um poço a uma velocidade mais rápida do que o fluxo dela, o poço fica seco. E quando o poço seca, aqueles que dependem dele ficam com sede. E se, por acaso, eles imaginam que podem bombear um poço seco e depois ir para outro poço, em apenas uma questão de tempo todos os poços estarão secos. Na atualidade, existe uma demanda generalizada por recompensas divididas de modo mais justo, mas deve-se reconhecer que há limites para elas.

A empresa em si define os limites. Você não pode distribuir cento e cinquenta mil dólares em uma empresa que rende apenas cem mil dólares. A empresa limita os salários, mas algo limita a empresa? As empresas se limitam seguindo maus precedentes.

Se os homens, em vez de dizerem "o empregador deveria fazer isso e aquilo", dissessem "a empresa deve ser estimulada e gerenciada para que possa fazê-lo", eles chegariam a algum lugar. Porque apenas a empresa pode pagar salários. O empregador certamente não pode, a menos que a empresa assegure isso.

Entretanto, se essa empresa garante salários mais altos e o empregador recusa a pagá-los, o que deve ser feito? Como regra geral, uma empresa significa o sustento de muitos homens. É crime assassinar uma empresa para a qual um grande número de homens dedicou seu trabalho e para a qual aprenderam a olhar como seu campo de atividade e sua fonte de subsistência.

Matar a empresa por meio de uma greve ou um bloqueio não ajuda. O empregador não ganha nada ao olhar os empregados e se perguntar: "Quão pouco posso lhes pagar?". Nem o empregado, ao olhar para o empregador, perguntar: "Quanto posso forçá-lo a dar?". Eventualmente, ambos terão de se voltar para a empresa e perguntar: "Como essa indústria pode ser segura e lucrativa, para que seja capaz de proporcionar uma convivência segura e confortável a todos nós?".

Mas de maneira nenhuma todos os empregadores ou todos os empregados vão pensar claramente. O hábito de agir cegamente é difícil de quebrar. O que pode ser feito? Nada. Nenhuma regra ou lei vai acarretar mudanças. Porém, esclarecido, o interesse próprio o fará. Demora um pouco para o esclarecimento se espalhar. Mas espalhá-lo é necessário, pois a empresa em que empregador e funcionários trabalham para o mesmo fim é obrigada a avançar constantemente nos negócios.

O que queremos dizer com salários altos, afinal?

Queremos dizer um salário maior do que o pago há dez meses ou dez anos. Não queremos dizer um salário mais alto do que deveria. Nossos altos salários de hoje podem ser considerados baixos daqui a dez anos.

Se é certo para o gestor de uma empresa tentar fazê-la pagar dividendos maiores, é igualmente certo que ele tente fazê-la pagar salários mais altos. Mas não é o gestor da empresa quem paga os altos salários.

Claro, se ele pode e não quer pagar, então a culpa é dele. Mas ele sozinho nunca pode proporcionar altos salários. Os altos salários não podem ser pagos a menos que os operários os mereçam. O trabalho deles é o fator produtivo. Esse não é o único fator produtivo – a má gestão pode desperdiçar trabalho e material e anular os esforços do trabalho. O trabalho pode anular os resultados de uma boa gestão. Mas, em uma parceria de gestão qualificada e trabalho honesto, é o operário quem torna os altos salários possíveis. Ele investe sua energia e habilidade, e, se fizer um investimento honesto e sincero, um alto salário deve ser sua recompensa. Ele não apenas o mereceu, mas teve grande parte na sua criação.

Deve ficar claro, contudo, que o salário alto começa na oficina.

Se não for criado lá, ele não poderá entrar em envelopes de pagamento. Nunca será inventado um sistema que elimine a necessidade de trabalho.

A natureza providenciou isso. Mãos e mentes ociosas nunca foram destinadas a nenhum de nós. O trabalho é nossa sanidade, nosso respeito próprio, nossa salvação. Longe de ser uma maldição, é a maior bênção. A justiça social exata flui apenas do trabalho honesto. O homem que contribui muito deve receber muito. Portanto, não há caridade em pagar salários.

O tipo de trabalhador que dá à empresa o melhor de si é o melhor que uma empresa pode ter. E não se pode esperar que ele faça isso indefinidamente sem o devido reconhecimento por sua contribuição. O homem que vem para o trabalho diário sentindo que, por mais que trabalhe, isso não lhe renderá um retorno suficiente para mantê-lo além da necessidade não está em condições de realizá-lo. Ele está ansioso e preocupado, e tudo reage em detrimento de seu trabalho.

Não obstante, se um homem sente que seu trabalho diário não está apenas suprindo sua necessidade básica, mas também está lhe dando uma margem de conforto e permitindo que ofereça a seus meninos e meninas uma oportunidade e a sua esposa algum prazer na vida, então seu emprego lhe parece bom, e ele é livre para dar o melhor de si. Isso é bom para ele e bom para a empresa. O homem que não obtém certa satisfação de seu trabalho diário está perdendo a melhor parte de seu pagamento.

Pois o trabalho diário é uma grande coisa – uma coisa muito boa! Está na própria criação do mundo; é a base do nosso autorrespeito. E o empregador deve investir constantemente em um dia de trabalho mais árduo do que qualquer um de seus homens. O empregador que está seriamente tentando cumprir seu dever no mundo deve ser um trabalhador esforçado. Ele não pode dizer: "Tenho tantos milhares de homens trabalhando para mim". O fato é que milhares de homens o têm trabalhando para eles, e quanto melhor eles trabalham, mais ocupados o mantêm vendendo seus produtos. Salários e vencimentos são quantias fixas, e assim devem ser, para se ter uma base de cálculo. Salários e vencimentos são uma espécie de participação nos lucros fixada com antecedência, mas acontece que, quando os negócios do ano são encerrados, descobre-se que se pode pagar mais. E então deve-se pagar mais. Quando todos na empresa trabalhamos juntos, todos devemos ter alguma participação nos lucros – por meio de um bom salário, vencimento ou remuneração adicional. E, em geral, isso está começando a ser reconhecido agora.

Agora existe uma demanda decisiva de que o lado humano dos negócios seja elevado a uma posição de igual importância à que se dá ao lado material. E isso vai acontecer. É apenas uma questão de saber se será concretizado com sabedoria, de maneira a conservar o lado material que agora nos sustenta, ou imprudentemente e de tal maneira que nos tire todo o benefício do trabalho dos anos passados. A empresa representa nosso sustento nacional, reflete nosso progresso econômico e nos dá nosso lugar entre outras nações. Não queremos pôr isso em risco. O que queremos é um melhor reconhecimento do elemento humano no negócio. E é certo que ele pode ser alcançado sem deslocamento, sem perda para ninguém – de fato, com mais benefício para todo ser humano. E o segredo de tudo isso está no reconhecimento da parceria humana. Até que cada homem seja absolutamente suficiente para si mesmo, não precisando dos serviços de nenhum outro ser humano, qualquer que seja a capacidade, jamais iremos além da necessidade de parceria.

Tais são as verdades fundamentais dos salários: participação de lucros.

Quando um salário pode ser considerado adequado? Quanto de um sustento é razoavelmente esperado do trabalho? Você já considerou o que um salário faz ou deveria fazer? Dizer que deveria pagar o custo de vida é dizer quase nada. O custo de vida depende em grande parte da eficiência da produção e do transporte; e a eficiência deles é a soma das eficiências da gerência e dos operários. Um bom trabalho, bem administrado, deve resultar em altos salários e baixo custo de vida. Se tentarmos regular os salários com base no custo de vida, não chegaremos a lugar algum. O custo de vida é um resultado, e não podemos esperar manter um resultado constante se continuarmos alterando os fatores que o produzem. Quando tentamos regular os salários de acordo com o custo de vida, estamos imitando um cachorro que persegue seu rabo. De qualquer forma, quem é competente para afirmar com exatidão em que tipo de vida basearemos os custos? Vamos ampliar nossa visão e ver o que é um salário para os operários – e o que deveria ser.

O salário implica todas as obrigações do trabalhador fora da oficina; implica tudo o que é necessário em termos de serviço e gerenciamento dentro dela.

O trabalho diário produtivo é a mina de riqueza mais valiosa que já foi aberta. Certamente deve suportar não menos que todas as obrigações externas do trabalhador. E deve ser feito para cuidar dos seus dias de velhice, quando o trabalho não for mais possível para ele – e não deve mais ser necessário. E se for feito para isso, a indústria terá de se ajustar a um cronograma de produção, distribuição e recompensa, de modo a não entrar no bolso de homens que não colaboram na produção. Para criar um sistema que seja tão independente da boa vontade dos empregadores benevolentes quanto da má vontade dos egoístas, teremos de encontrar uma base nos fatos reais da própria vida.

Produzir um dia de trabalho custa tanta força física quando o trigo custa um dólar por alqueire quanto quando ele custa dois dólares e cinquenta centavos. Os ovos podem custar doze ou noventa centavos por dúzia. Que diferença isso faz nas unidades de energia que um homem usa em um dia de trabalho produtivo? Se apenas o próprio homem estivesse preocupado com isso, o custo de sua manutenção e o lucro que ele deveria ter seriam uma questão simples. Mas ele não é apenas um indivíduo. Ele é um cidadão que contribui para o bem-estar da nação. Ele é um chefe de família. Talvez seja um pai com filhos para criar, que utilizarão o que ele é capaz de ganhar. Devemos contar todos esses fatos. Como você vai imaginar a contribuição da casa para o dia de trabalho? Você paga o homem pelo trabalho, mas quanto esse trabalho deve à casa dele? E à sua posição como cidadão? E à sua posição como pai? O homem faz o trabalho na oficina, mas a esposa faz o trabalho em casa. A oficina deve pagar os dois. Em que sistema de cálculo a casa encontrará seu lugar nas planilhas de custos do dia de trabalho? O próprio sustento do homem deve ser considerado o "custo"? E sua capacidade de ter um lar e uma família é o "lucro"? O lucro de um dia de trabalho deve ser computado apenas em uma base de caixa, medido pela quantia que sobrou depois de um homem suprir suas necessidades e as de sua família? Ou todas essas relações devem ser consideradas estritamente como custo, e o lucro deve ser calculado inteiramente fora delas? Ou seja, depois de sustentar a si mesmo e à família, vesti-los, abrigá-los, educá-los, dar-lhes os privilégios concomitantes ao seu padrão de vida, deve haver provisões para algo mais em termos de lucro de economia? E todos são cobrados corretamente pelo dia de trabalho? Acho que são. Caso contrário, temos a perspectiva hedionda de crianças pequenas e suas mães serem forçadas a trabalhar.

Essas perguntas requerem observação e contabilização precisas.

Talvez não haja um item relacionado à nossa vida econômica que nos surpreenda mais do que o conhecimento do que sobrecarrega o dia de trabalho. Talvez seja possível determinar com precisão – embora com considerável interferência do dia de trabalho em si – quanta energia o dia de trabalho retira de um homem. Mas não é possível determinar precisamente quanto será necessário para lhe devolver essa energia para as demandas do dia seguinte. Tampouco é possível determinar quanto da energia gasta ele nunca será capaz de recuperar. A economia ainda não concebeu um fundo de amortização para a substituição da força de um trabalhador. É possível criar uma espécie de fundo de amortização na forma de pensões de velhice.

Mas as pensões não atendem ao lucro que cada dia de trabalho deve render com o propósito de cuidar de toda a despesa da vida, de todas as perdas físicas e da inevitável deterioração do trabalhador manual.

Os melhores salários já pagos até hoje não são tão altos quanto deveriam ser. As empresas ainda não estão suficientemente bem organizadas e seus objetivos ainda não são suficientemente claros para possibilitar o pagamento de mais de uma fração dos salários que devem ser pagos. Isso faz parte do trabalho que temos diante de nós. Não adianta encontrar uma solução para falar em abolir o sistema de salários e substituir a propriedade comum. O sistema salarial é o único no qual as contribuições para a produção podem ser recompensadas de acordo com o seu valor. Subtraia a medida salarial e teremos injustiça universal. Aperfeiçoe o sistema e podemos ter justiça universal.

Ao longo dos anos, aprendi bastante sobre salários. Acredito em primeiro lugar que, com todas as outras considerações à parte, nossas vendas dependem, em certa medida, dos salários que pagamos. Se pudermos distribuir altos salários, esse dinheiro será gasto e servirá para tornar mais prósperos os lojistas, distribuidores, fabricantes e trabalhadores de outras áreas, e sua prosperidade se refletirá em nossas vendas. Os altos salários pagos em todo o país são sinais de prosperidade, desde que, no entanto, os mais altos sejam pagos pela maior produção. Pagar altos salários e diminuir a produção é começar a inclinar-se para negócios enfadonhos.

Demorou algum tempo para encontrarmos nosso rumo nessa questão, e só depois de termos entrado completamente na produção do Modelo T é que foi possível descobrir quais deveriam ser os salários. Antes disso, tínhamos alguma participação nos lucros. No final de cada ano, há alguns anos, dividíamos uma porcentagem de nossos ganhos com os funcionários. Por exemplo, desde 1909, distribuímos oitenta mil dólares com base em anos de serviço.

Um homem com um ano de empresa recebeu cinco por cento de seu salário anual; com dois anos, sete e meio por cento; e com três anos, dez por cento. A objeção a esse plano era que ele não tinha conexão direta com o dia de trabalho. Um homem não conseguia sua parte até muito tempo depois de concluir seu trabalho, e depois ela chegava a ele quase como um presente. É sempre lamentável confundir salários com caridade.

Além disso, os salários não foram cientificamente ajustados aos empregos. No emprego A um homem pode obter um valor, e no emprego B um valor mais alto, enquanto, na verdade, o trabalho A pode exigir mais habilidade ou esforço do que o B. Há muita desigualdade nos salários, a menos que ambos, empregador e empregado, saibam que o valor pago foi obtido por algo melhor do que uma suposição. Portanto, a partir de 1913, foram feitos estudos de tempo de todas as milhares de operações executadas nas oficinas. Um estudo de tempo pode, teoricamente, determinar qual deve ser a produção de um homem. Então, ao fazer grandes deduções, ainda é possível obter um padrão satisfatório de produção por um dia e, levando em consideração a habilidade, chegar a um valor que expresse com precisão razoável a quantidade de habilidade e esforço necessária para exercer uma tarefa – e quanto é esperado do homem que a executa em troca do salário. Sem um estudo científico, o empregador não sabe por que está pagando um determinado salário, e o trabalhador não sabe por que o está recebendo. No estudo, todas as tarefas de nossa fábrica foram padronizadas, e os valores, definidos.

Não temos trabalho por peça. Alguns homens são pagos por dia e outros por hora, mas, em praticamente todos os casos, há uma produção padrão exigida, e não se espera que nenhum homem produza menos que isso. Caso contrário, nem o operário nem nós saberíamos se os salários eram merecidos ou não. Deve haver um dia fixo de trabalho antes que um salário real possa ser pago. Os vigias são pagos por presença. Os operários são pagos por trabalho.

Tendo esses fatos em mãos, anunciamos e colocamos em operação, em janeiro de 1914, uma espécie de plano de participação nos lucros, em que o salário mínimo para qualquer classe de trabalho e sob certas condições era de cinco dólares por dia.

Ao mesmo tempo, reduzimos o dia útil para oito horas – eram nove –, e a semana para quarenta e oito horas. Esse ato foi inteiramente voluntário.

Todas as nossas remunerações têm sido voluntárias. Isso era, para o nosso modo de pensar, um ato de justiça social, e, em última análise, nós o fizemos com satisfação. Dá prazer sentir que você deixou os outros felizes – que diminuiu em certa medida o fardo de seus companheiros – por ter proporcionado uma margem que pode proporcionar prazer e economia. A boa vontade é um dos poucos trunfos realmente importantes da vida. Um homem determinado pode conseguir quase tudo o que busca, mas a menos que, ao conseguir isso, adquira boa vontade, não terá lucrado muito.

No entanto, não havia nenhum tipo de caridade envolvida nisso. Isso não era entendido. Muitos empregadores pensaram que estávamos apenas fazendo isso porque éramos prósperos e queríamos publicidade, e eles nos condenaram, pois estávamos contrariando os padrões – violando o costume de pagar a um homem o menor valor possível. Não há nada de bom em tais padrões e costumes. Eles precisam ser exterminados. Algum dia serão. Caso contrário, não poderemos abolir a pobreza. Fizemos a mudança não apenas porque queríamos pagar salários mais altos e achamos que poderíamos pagá-los. Queríamos pagar esses salários para que a empresa se mantivesse em uma base duradoura. Não estávamos distribuindo nada, estávamos construindo para o futuro. Uma empresa com baixos salários é sempre insegura.

Provavelmente, poucas decisões industriais foram mais comentadas no mundo todo que essa, e quase ninguém compreendeu a sua natureza.

Os operários geralmente acreditavam que receberiam cinco dólares por dia, independentemente do trabalho que realizassem.

Os fatos eram um pouco diferentes da impressão geral. O plano era distribuir lucros, em vez de esperar até obtê-los – para aproximá-los antecipadamente e adicioná-los, sob certas condições, aos salários das pessoas que estavam no emprego havia seis meses ou mais. Era uma participação classificada entre três classes de empregados:

1. homens casados que viviam com a família e cuidavam bem dela;

2. homens solteiros com mais de vinte e dois anos de idade que tinham hábitos econômicos comprovados;

3. rapazes com menos de vinte e dois anos de idade e mulheres que fossem o único sustento de algum parente próximo.

Um homem foi o primeiro a receber o salário justo – que era então, em média, cerca de quinze por cento acima do salário habitual do mercado. Ele era depois elegível para receber lucro. Seus salários mais seu lucro foram calculados para fornecer uma renda diária mínima de cinco dólares. A taxa de participação nos lucros era dividida em uma base de horas e creditada à taxa horária, de modo a dar aos que recebiam a menor taxa horária a maior proporção de lucros.

Ela era paga a cada duas semanas, com os salários. Por exemplo, um homem que recebia trinta e quatro centavos por hora tinha uma taxa de lucro de vinte e oito centavos e meio por hora – o que lhe daria uma renda diária de cinco dólares. Um homem que recebesse cinquenta e quatro centavos por hora teria uma taxa de lucro de vinte e um centavos por hora – o que lhe daria uma renda diária de seis dólares.

Era uma espécie de plano de participação na prosperidade. Mas sob condições. O homem e sua casa tinham de se elevar a certos padrões de limpeza e cidadania. Não pretendíamos ser paternais! No entanto, houve certa dose de paternalismo nisso, e essa é uma das razões pelas quais todo o plano e o departamento de assistência social foram reajustados. Mas, no começo, a ideia era que deveria haver um incentivo bem definido para proporcionar uma vida melhor, e que o melhor incentivo era um prêmio em dinheiro pela vida digna. Um homem que está vivendo corretamente fará seu trabalho corretamente. E também queríamos evitar a possibilidade de diminuir o padrão de trabalho por meio de um aumento de salário. Foi demonstrado em tempos de guerra que aumentar muito rapidamente o salário de um homem às vezes aumenta apenas sua ambição e, portanto, diminui seu poder aquisitivo. Se, no início, tivéssemos simplesmente colocado o aumento nos envelopes de pagamento, muito provavelmente os padrões de trabalho teriam diminuído. O salário de cerca da metade dos funcionários foi dobrado no novo plano; isso pode ter sido considerado "dinheiro fácil". O pensamento de dinheiro fácil acaba com o trabalho. Existe um perigo em aumentar muito rapidamente o pagamento de qualquer homem – tenha ele recebido anteriormente um dólar ou cem dólares por dia. De fato, se o salário de um empregado fosse aumentado de uma hora para outra de cem dólares por dia para trezentos, ele provavelmente faria tolices maiores do que o trabalhador cujo salário é aumentado de um dólar por hora para três. O homem com uma quantidade maior de dinheiro tem mais oportunidade de fazer tolices.

Nesse primeiro plano, os padrões exigidos não eram insignificantes – embora às vezes pudessem ter sido administrados de maneira insignificante. Tínhamos cerca de cinquenta investigadores no Departamento Social; o padrão de senso comum entre eles era realmente muito alto, mas é impossível reunir cinquenta homens igualmente dotados de bom senso. Eles erram às vezes – sempre se ouve falar dos erros. Esperava-se que, para receber o bônus, os homens casados vivessem com sua família e cuidassem adequadamente dela.

Tivemos de acabar com o péssimo costume, entre muitos dos trabalhadores estrangeiros, de receber pensionistas – considerando sua casa uma fonte para ganhar dinheiro e não um lugar para morar. Os meninos de menos de dezoito anos recebiam um bônus se sustentassem os parentes mais próximos. Os homens solteiros que viviam de maneira saudável recebiam a participação. A melhor evidência de que o plano foi essencialmente benéfico é o histórico. Quando ele entrou em vigor, sessenta por cento dos trabalhadores eram imediatamente qualificados para a participação; ao final de seis meses, setenta e oito por cento e, no final de um ano, oitenta e sete por cento. Em um ano e meio, apenas uma fração de um por cento não recebia a participação.

O salário alto teve outros resultados. Em 1914, quando o primeiro plano entrou em vigor, tínhamos catorze mil empregados, e era necessário contratar cerca de cinquenta e três mil por ano para manter uma força constante de catorze mil. Em 1915, tivemos de contratar apenas 6.508 homens, e a maioria desses novos funcionários foi admitida por causa do crescimento dos negócios. Com a antiga rotatividade de mão de obra e nossa força atual, deveríamos contratar cerca de duzentos mil homens por ano – o que seria praticamente impossível. Mesmo com o mínimo de instruções necessárias para dominar quase qualquer tarefa em nossa fábrica, não podemos contratar uma nova equipe a cada manhã, ou a cada semana, ou a cada mês; pois, embora um homem possa se qualificar para um trabalho aceitável a uma velocidade aceitável dentro de dois ou três dias, ele será capaz de produzir mais depois de um ano de experiência do que fazia no início. A questão da rotatividade de trabalhadores desde então não nos incomodou; é muito difícil fornecer números exatos porque, quando não estamos em plena capacidade, realocamos alguns homens para distribuir o trabalho entre o maior número possível. Isso dificulta a distinção entre saídas voluntárias e involuntárias. Hoje não mantemos números; agora pensamos tão pouco em nossa rotatividade que não nos preocupamos em manter registros a esse respeito. Até onde sabemos, a rotatividade está entre três e seis por cento ao mês.

Fizemos alterações no sistema, mas não nos desviamos deste princípio: se você espera que um homem dedique seu tempo e energia ao trabalho, fixe seu salário para que ele não tenha preocupações financeiras. Compensa. Nossos lucros, depois de pagar bons salários e um bônus – que costumava custar cerca de dez milhões por ano antes de mudarmos o sistema –, mostram que pagar bons salários é a maneira mais lucrativa de fazer negócio.

Houve objeções ao método de bônus por conduta no pagamento de salários. Ele tendia ao paternalismo. O paternalismo não tem lugar na indústria. O trabalho de assistência social que consiste em se intrometer nas preocupações particulares dos funcionários está fora de moda.

Os homens precisam de conselhos e de ajuda – muitas vezes, ajuda especial; e tudo isso deve ser prestado por causa da decência. Mas o amplo plano viável de investimento e participação fará mais para solidificar a indústria e fortalecer a organização do que qualquer trabalho social externo.

Sem mudar o princípio, mudamos o método de pagamento.

POR QUE NÃO TER SEMPRE UM BOM NEGÓCIO?

O empregador tem de viver ao longo do ano. O operário tem de viver ao longo do ano.

Mas os dois, em regra, trabalham por semana. Eles recebem um pedido ou um trabalho quando podem e pelo preço que podem. Durante o que é chamado de tempo próspero, os pedidos e os empregos são abundantes. Durante uma temporada "monótona", eles são escassos. O negócio está sempre oscilando, e sempre é "bom" ou "mau". Embora nunca haja um tempo em que todos tenham muitos bens – em que todos estejam muito confortáveis ou muito felizes –, haverá momentos em que teremos o espetáculo surpreendente de um mundo ávido por mercadorias e uma máquina industrial ávida por trabalho, e os dois – a demanda e os meios para satisfazê-la – estarão separados por uma barreira de dinheiro. Tanto a fabricação quanto o emprego são assuntos passíveis de idas e vindas.

Em vez de uma progressão constante, avançamos aos trancos e barrancos – ora indo rápido demais, ora parando por completo. Quando muitas pessoas querem comprar, diz-se que há uma escassez de mercadorias. Quando ninguém quer comprar, diz-se que há uma superprodução de bens. Sei que sempre tivemos escassez de mercadorias, mas não acredito que já tenhamos tido uma superprodução. Podemos ter, em determinado momento, muitos tipos errados de mercadorias. Isso não é superprodução – é apenas produção impensada. Também podemos ter grandes estoques de mercadorias a preços muito altos. Isso não é superprodução – é má fabricação ou mau financiamento. Os negócios são bons ou ruins de acordo com os ditames do destino? Devemos aceitar as condições como inevitáveis? Os negócios são bons ou ruins conforme o fazemos. A única razão para o cultivo, a mineração ou a fabricação, é que as pessoas precisam comer, se aquecer, ter roupas para vestir e artigos para usar. Não há outra razão possível, embora ela seja forçada a entrar em segundo plano, e, em vez disso, temos operações realizadas não para o fim do serviço, mas para o fim de ganhar dinheiro – e isso porque desenvolvemos um sistema de dinheiro que, em vez de ser um meio conveniente de troca, às vezes é uma barreira à troca. Veremos isso mais adiante.

Sofremos períodos frequentes da chamada má sorte apenas porque gerenciamos muito mal as circunstâncias. Se tivermos uma grande quebra de safra, posso imaginar que o país passe fome, mas não consigo imaginar como toleramos a fome e a pobreza quando elas crescem apenas devido à má gestão e, principalmente, à má gestão implícita de uma estrutura financeira irracional. É claro que a guerra perturbou os negócios neste país. Incomodou o mundo inteiro. Não haveria guerra se a gestão fosse melhor. Mas a culpa não é da guerra por si só. A guerra mostrou um grande número de defeitos do sistema financeiro, porém, mais do que qualquer outra coisa, mostrou quão inseguros são os negócios apoiados apenas em uma base monetária. Não sei se os maus negócios resultam de maus métodos financeiros ou se o motivo errado em que se baseiam os negócios criou maus métodos financeiros, mas sei que, embora seja totalmente indesejável tentar derrubar o atual sistema financeiro, é totalmente desejável remodelar os negócios com base no serviço. Então, um melhor sistema financeiro virá. O sistema atual desaparecerá porque não terá razão de existir. O processo terá de ser gradual.

Qualquer um pode começar a estabilizar o próprio negócio. Não se pode alcançar resultados perfeitos agindo sozinho, mas, à medida que o exemplo começa a se difundir, haverá seguidores, e, com o tempo, poderemos colocar a inflação e sua companheira depressão na classe da varíola – isto é, na classe de doenças preveníveis. É perfeitamente possível, com a reorganização do negócio e das finanças, que está prestes a acontecer, extrair os efeitos negativos das estações na indústria e também as depressões periódicas. A agricultura já está em processo de reorganização. Quando a indústria e a agricultura forem totalmente reorganizadas, elas serão complementares; elas pertencem uma à outra, não se separam.

Como indício, tomemos nossa fábrica de válvulas. Nós a implantamos a vinte e nove quilômetros do campo, para que os trabalhadores também pudessem ser agricultores. Com o uso de maquinários, a agricultura não precisa consumir mais do que uma fração do tempo que consome agora; o tempo que a natureza requer para produzir é muito maior do que o exigido para o homem semear, cultivar e colher; em muitas indústrias em que as peças não são volumosas, não faz muita diferença onde elas são feitas. Com a ajuda da energia hidrelétrica, elas podem ser feitas em fazendas no campo. Assim, podemos, em um grau muito maior do que é comumente conhecido, ter agricultores/industriais que cultivem e trabalhem sob condições mais científicas e saudáveis.

Esse arranjo dará conta de algumas indústrias sazonais; outras podem organizar uma sucessão de produtos de acordo com as estações do ano e o equipamento, e outras ainda, com um gerenciamento mais cuidadoso, eliminam suas estações. Um estudo completo de qualquer problema específico mostrará o caminho.

As depressões periódicas são mais graves, porque parecem tão vastas quanto incontroláveis. Até que toda a reorganização seja realizada, elas não podem ser totalmente controladas, mas cada homem de negócio pode facilmente fazer algo por si mesmo e, ao mesmo tempo em que beneficia sua organização de maneira bem relevante, também ajuda os outros. A produção da Ford não refletiu bons ou maus momentos; continuou assim, independentemente das condições, exceto de 1917 a 1919, quando a fábrica foi entregue ao trabalho de guerra. No ano de 1912-1013, que era para ser fraco, embora agora alguns o chamem de "normal", praticamente dobramos nossas vendas; 1913-1914 foi fraco, mas aumentamos nossas vendas em mais de um terço. Supõe-se que o ano de 1920-1921 tenha sido um dos mais deprimentes da história; no entanto, vendemos um milhão e um quarto de carro, ou cerca de cinco vezes mais do que em 1913-1914 – o "ano normal". Não há nenhum segredo particular nisso. É, como tudo o mais em nosso negócio, o resultado inevitável da execução de um princípio que pode ser aplicado a qualquer negócio.

Agora temos um salário mínimo de seis dólares por dia pago sem reserva. As pessoas estão suficientemente acostumadas a receber altos salários, tornando desnecessária a supervisão. O salário mínimo é pago assim que um trabalhador se qualifica em sua produção – que depende de seu desejo de trabalhar. Colocamos nossa estimativa de lucros no salário e agora pagamos salários mais altos do que durante os períodos de expansão pós-guerra. Mas, como sempre, pagamos com base no trabalho produzido. E a produtividade do homem é evidenciada pelo fato de que, embora seis dólares por dia seja o salário mínimo, cerca de sessenta por cento dos trabalhadores recebe acima do mínimo. Os seis dólares não são um salário fixo, mas um salário mínimo.

Considere primeiro os fundamentos da prosperidade. O progresso não se faz com uma série de manobras. Cada passo deve ser regulado. Um homem não pode esperar progredir sem pensar. Vejamos o exemplo da prosperidade. Um período verdadeiramente próspero é aquele em que o maior número de pessoas obtém tudo o que pode legitimamente comer e vestir e, em todos os sentidos da palavra, está confortável.

É o grau de conforto das pessoas em geral, e não o tamanho do saldo bancário do fabricante, que demonstra prosperidade. A função do fabricante é contribuir para esse conforto. Ele é um instrumento da sociedade e só pode servir a ela ao gerenciar seus empreendimentos, a fim de entregar ao público um produto cada vez melhor a um preço cada vez menor e, ao mesmo tempo, pagar um salário cada vez maior a todos aqueles que contribuem para seu negócio, com base no trabalho que fazem. Dessa maneira, e somente dessa maneira, um fabricante ou qualquer um que trabahe na empresa justifica sua existência.

Não estamos muito preocupados com as estatísticas e as teorias de economistas sobre os ciclos recorrentes de prosperidade e depressão. Eles chamam de "prósperos" os períodos em que os preços estão altos. Um período realmente próspero não deve ser julgado pelos preços cotados pelos fabricantes para os artigos.

Não estamos preocupados com combinações de palavras. Se os preços dos bens estiverem acima da renda das pessoas, então reduza os preços. É normal os negócios serem concebidos começando com um processo de fabricação e terminando com um consumidor. Se esse consumidor não quer comprar o que o fabricante tem para vender e não tem dinheiro para comprá-lo, então o fabricante culpa o consumidor e diz que os negócios estão ruins, e depois, colocando o carro na frente dos bois, continua a se lamentar. Isso não é tolice?

O fabricante existe para o consumidor ou o consumidor existe para o fabricante? Se o consumidor não comprar – ele diz que não pode – o que o fabricante tem a oferecer, isso é culpa do fabricante ou do consumidor? Ou ninguém é culpado? Se ninguém é culpado, então o fabricante deve sair do negócio.

Mas que negócio alguma vez começou com o fabricante e terminou com o consumidor? De onde vem o dinheiro para fazer girar a roda? Do consumidor, é claro. E o sucesso da fabricação se baseia unicamente na habilidade de servir esse consumidor a seu gosto. Ele pode ser servido pela qualidade ou pelo preço. Ele é mais bem servido por mais alta qualidade e menor preço, e qualquer homem que possa dar ao consumidor a mais alta qualidade pelo menor preço está destinado a ser um líder nos negócios, qualquer que seja o tipo de artigo que ele produza. Não se pode ignorar isto.

Então, por que se debater e ficar à espera de bons negócios? Reduza os custos com um melhor gerenciamento. Reduza os preços ao poder de compra.

Cortar salários é a maneira mais fácil e desleixada de lidar com a situação, para não dizer desumana. Com efeito, é lançar sobre a mão de obra a incompetência dos gerentes da empresa. Toda depressão é um desafio para todo fabricante colocar mais cérebros em seu negócio – para superar pela administração o que outras pessoas tentam superar pela redução salarial. Adulterar os salários antes que tudo o mais seja alterado é fugir do problema real. E se o problema for logo enfrentado, nenhuma redução de salário será necessária. Essa é a minha experiência. O ponto prático imediato é que, no processo de ajuste, alguém terá de sofrer uma perda. E quem pode sofrer uma perda, exceto aqueles que têm algo que podem se dar ao luxo de perder? Mas a expressão "sofrer uma perda" é bastante enganosa. De fato, não há perda. Apenas se renuncia a certa parte dos lucros passados para ganhar mais no futuro. Não faz muito tempo, eu estava conversando com um comerciante de ferragens em uma cidade pequena. Ele disse:

– Espero sofrer uma perda de dez mil dólares em meu estoque. Mas é claro, você sabe, isso não é realmente perder muito. Nós, ferreiros, tivemos bons tempos. A maioria do meu estoque foi comprada a preços altos, mas eu já vendi boa parte dele e obtive lucro. Além disso, os dez mil dólares que digo que vou perder não são os mesmos que eu costumava ter. São, de certa forma, dólares especulativos. Eles não são os bons dólares que compraram cem cêntimos. Portanto, embora minha perda possa parecer grande, não é. E, ao mesmo tempo, torno possível que as pessoas da minha cidade continuem construindo suas casas sem desanimar com o aumento do preço da ferragem.

Ele é um comerciante sábio. Prefere ter menos lucro e manter o negócio em movimento do que manter seu estoque a preços altos e impedir o progresso de sua comunidade. Um homem assim é um trunfo para uma cidade. Ele tem a mente equilibrada. Ele é mais capaz de alterar o ajuste em seu inventário do que reduzir os salários de seus entregadores, diminuindo a capacidade de compra deles.

Ele não ficou sentado segurando os preços e esperando que algo novo surgisse. Percebeu o que parece ter sido geralmente esquecido: que faz parte da propriedade de vez em quando perder dinheiro. Tivemos de assumir a nossa perda.

Nossas vendas por fim caíram, assim como todas as outras. Tínhamos um inventário grande e, considerando os materiais e as peças desse inventário pelo preço de custo, não podíamos produzir um carro a um preço menor do que estávamos pedindo, mas esse preço era maior do que as pessoas podiam ou queriam pagar. Fechamos para nos orientarmos. Ou fazíamos um corte de dezessete milhões de dólares no inventário ou sofreríamos uma perda muito maior do que isso por não fazer negócio. Portanto, não havia escolha.

Essa é sempre a escolha que cabe a um homem de negócios. Ele pode aceitar a perda e continuar a fazer negócio ou pode parar de fazer negócio e aceitar a perda para a ociosidade. A perda provocada por não fazer negócio em geral é maior do que o dinheiro real envolvido, pois, durante o período de ociosidade, o medo consumirá a iniciativa, e, se a paralisação for longa o suficiente, não sobrará energia para recomeçar.

Não adianta esperar que os negócios melhorem. Se um fabricante deseja desempenhar sua função, ele deve reduzir seu preço ao valor que as pessoas vão pagar. Sempre existe, não importa qual seja a condição, um preço que as pessoas poderão pagar por uma necessidade, e, se houver vontade, esse preço sempre poderá ser alcançado.

Isso não pode ser alcançado por meio da redução da qualidade ou pela economia imprudente, que resulta apenas em uma força de trabalho insatisfeita. Não pode ser alcançado por meio de confusão ou barulho. Isso só pode se dar com o aumento da eficiência da produção, e, assim sendo, cada crise nos negócios deveria ser considerada um desafio aos cérebros da comunidade empresarial. Concentrar-se nos preços, e não no serviço, é uma indicação clara do tipo de homem de negócios que não pode justificar sua existência como proprietário.

Essa é apenas outra maneira de dizer que as vendas devem ser feitas em uma base natural de valor real, que é o custo da transmutação da energia humana em artigos de mercado e comércio. Entretanto, essa fórmula simples não é considerada eficiente. Não é suficientemente complexa. Temos "negócios" que tomam a mais honesta de todas as atividades humanas e fazem delas sujeito para a astúcia especulativa dos homens que podem produzir falsa escassez de alimentos e outras mercadorias, e, assim, despertar na sociedade a ansiedade por demanda. Temos falsa estimulação e depois falsa inércia.

A justiça econômica está sendo constantemente violada, e, com frequência, de forma inocente.

Você pode dizer que é a condição econômica que faz da humanidade o que é; ou você pode dizer que é a humanidade que faz da condição econômica o que ela é. Muitos alegarão que é o sistema econômico que faz dos homens o que são. Culpam nosso sistema industrial por todas as falhas que contemplamos na humanidade em geral. E você encontrará outros homens que dizem que o homem cria as próprias condições; que se o sistema econômico, industrial ou social é ruim, isso é apenas um reflexo do homem. O que está errado em nosso sistema industrial é um reflexo do que está errado no próprio homem. Os fabricantes hesitam em admitir que os erros dos atuais métodos industriais são, em parte pelo menos, seus próprios erros sistematizados e ampliados. Contudo, exclua a questão das preocupações imediatas de um homem, e ele verá o ponto rapidamente.

Sem dúvida, com uma natureza humana menos defeituosa, o sistema social seria menos defeituoso. Ou, se a natureza humana fosse pior do que é, o sistema social seria pior – embora provavelmente um sistema pior não durasse tanto quanto o atual. Mas poucos afirmarão que a humanidade deliberadamente se propôs a criar um sistema social defeituoso. Admitindo sem reservas que todas as falhas do sistema social estão no próprio homem, isso não significa que ele deliberadamente organizado e estabelecido suas imperfeições. Teremos de cobrar muito da ignorância. Teremos de cobrar muito da inocência.

Vejamos o início de nosso atual sistema industrial. Não havia indício de como ele cresceria. Todo novo avanço era aclamado com alegria.

Ninguém jamais pensou em "capital" e "trabalho" como interesses hostis. Ninguém jamais sonhou que o sucesso em si traria perigos insidiosos consigo. E no entanto, com o crescimento, todas as imperfeições latentes no sistema surgiram. Os negócios de um homem cresceram a tal proporção que ele precisava ter mais ajudantes do que os que ele conhecia pelo primeiro nome; mas esse fato não foi lamentado – foi aclamado com muita alegria. Apesar disso, desde então, levou a um sistema impessoal em que o operário se tornou algo menos que uma pessoa – uma mera parte do sistema. Ninguém acredita, é claro, que esse processo desumanizador foi deliberadamente inventado. Ele apenas cresceu. Estava latente em todo o sistema inicial, mas ninguém o viu e ninguém poderia prevê-lo. Somente um desenvolvimento prodigioso e inédito poderia trazê-lo à tona.

Tomemos a ideia industrial; o que é isso? A verdadeira ideia industrial não é fazer dinheiro. A ideia industrial serve para expressar uma ideia utilizável, para reproduzir uma ideia útil para milhares de pessoas que precisam dela.

Produzir; conseguir um sistema que reduza a produção a uma arte; colocar a produção em uma base que forneça meios para a expansão e a construção de ainda mais lojas, a produção de ainda mais milhares de coisas úteis – essa é a verdadeira ideia industrial. A negação da ideia industrial é o esforço para obter lucro com a especulação e não com o trabalho. Há pessoas imprudentes que não conseguem ver que os negócios são maiores que os interesses de qualquer homem. O negócio é um processo de dar e receber, viver e deixar viver. É a cooperação entre muitas forças e interesses.

Sempre que você encontra um homem que acredita que os negócios são um rio cujo fluxo benéfico deve parar assim que o alcançar, você encontra um homem que pensa que pode manter o negócio vivo interrompendo sua circulação. Ele produziria riqueza detendo a produção dela.

Os princípios de serviço não podem fracassar para curar os maus negócios. O que nos leva à aplicação prática dos princípios de serviço e finanças.

ATÉ QUE PONTO SE PODEM FABRICAR COISAS BARATAS?

Ninguém negará que, se os preços forem suficientemente baixos, sempre haverá compradores, independentemente de quais sejam as condições comerciais. Esse é um dos fatos elementares dos negócios. Às vezes, as matérias-primas encalham, por mais baixo que seja o preço. Vimos algo parecido no ano passado, mas isso porque os fabricantes e os distribuidores estavam tentando alienar estoques de alto custo antes de realizar novos contratos. Os mercados estavam estagnados, mas não "saturados" com mercadorias.

O que é chamado de mercado "saturado" é apenas aquele em que os preços estão acima do poder de compra.

Preços indevidamente altos são sempre um sinal de negócio frágil, porque sempre são causados por alguma condição anormal. Um paciente saudável tem uma temperatura normal; um mercado saudável tem preços normais. Os preços altos surgem geralmente por causa de especulações depois de uma escassez. Embora nunca haja escassez geral, a escassez de apenas algumas mercadorias importantes, ou mesmo de uma, serve para dar início à especulação. Ou as mercadorias podem não estar em falta. Uma inflação de moeda ou crédito causará um rápido inchaço no aparente poder de compra e a consequente oportunidade de especulação. Pode haver uma combinação de escassez real e inflação monetária – como ocorre com frequência durante a guerra. No entanto, em qualquer condição de preços indevidamente altos, não importa qual seja a causa real, as pessoas pagam preços altos porque acham que haverá escassez. Elas podem comprar pão antes do necessário, para não ficarem sem ele mais tarde, ou podem comprá-lo na esperança de revendê-lo com lucro.

Quando se falava em escassez de açúcar, as donas de casa, que nunca na vida haviam comprado mais de quatro quilos de açúcar de uma só vez, tentavam estocar quarenta e cinco ou noventa quilos, e, enquanto faziam isso, os especladores compravam açúcar para armazenar em depósitos. Quase toda a nossa escassez de guerra foi causada por especulações ou compras antes da necessidade.

Não importa quão ínfimo seja o suprimento de um artigo, não importa se o governo assume o controle e confisca cada grama dele, um homem que esteja disposto a pagar o preço sempre poderá obter o suprimento. Ninguém realmente sabe quão grande ou pequeno é o estoque nacional de qualquer mercadoria. As melhores estimativas não passam de suposições; as estimativas do estoque mundial de uma mercadoria são ainda mais disparatadas.

Podemos pensar que sabemos quanto de uma mercadoria é produzida em determinado dia ou mês, mas isso não nos diz quanto será produzido no dia seguinte ou no mês seguinte. Da mesma forma, não sabemos quanto é consumido. Ao gastar uma grande quantia de dinheiro, poderemos, no decorrer do tempo, obter números bastante precisos sobre quanto de uma mercadoria específica foi consumido durante um período, mas, no momento em que esses números fossem compilados, eles seriam totalmente inúteis, exceto para fins de registro, porque no período seguinte o consumo poderá ser o dobro ou a metade. As pessoas não são imutáveis.

Esse é o problema de todos os autores do socialismo e do comunismo, e de todos os outros planos para a regulamentação ideal da sociedade. Todos eles presumem que as pessoas sejam imutáveis. O reacionário tem a mesma ideia. Ele insiste em que todos deveriam permanecer imóveis. Ninguém é imutável, e por isso sou grato.

O consumo varia de acordo com o preço e a qualidade, e ninguém sabe ou pode imaginar quanto se consumirá no futuro, porque toda vez que se baixa um preço, um novo estrato de poder de compra é alcançado.

Todo mundo sabe disso, mas muitos se recusam a reconhecê-lo em seus atos. Quando um lojista compra mercadorias a um preço equivocado e percebe que vão encalhar, ele reduz o preço gradualmente até que sejam vendidas. Se ele é sensato, em vez de diminuir o preço aos poucos e encorajar nos clientes a esperança de preços ainda mais baixos, ele reduz drasticamente o preço e se livra do produto. Todo mundo perde em uma oferta de vendas. A esperança comum é que após a perda possa haver um grande lucro para compensá-la. Isso em geral é uma ilusão. O lucro que deveria ser retirado nessa perda deve ser encontrado nos negócios anteriores. Qualquer um que tenha sido tolo o suficiente para considerar permanentes os altos lucros do período de auge teve problemas financeiros quando houve queda. No entanto, existe uma crença muito forte de que os negócios consistem em uma série de lucros e perdas, e bons negócios são aqueles em que os lucros excedem as perdas. Portanto, alguns homens argumentam que o melhor preço para vender é o mais alto que se pode obter. Isso deveria ser uma boa prática comercial. Será? Nós não achamos.

Descobrimos na compra de materiais que não vale a pena comprar para outras necessidades que não as imediatas. Compramos apenas o suficiente para enquadrar no plano de produção, levando em consideração o estado de transporte no período.

Se o transporte fosse perfeito e se pudesse assegurar um fluxo contínuo de materiais, não seria necessário nenhum estoque. O carregamento de matérias-primas chegaria dentro do cronograma, na ordem e nos valores planejados, e passaria dos vagões de trem para a produção. Isso economizaria muito dinheiro, pois daria uma rotatividade muito rápida e, portanto, diminuiria a quantidade de dinheiro retido em materiais. Com transporte ruim, é preciso deslocar estoques maiores. No momento da reavaliação do inventário, em 1921, o estoque estava indevidamente alto porque o transporte havia sido péssimo. Mas aprendemos há muito tempo a nunca comprar a mais com propósitos especulativos. Quando os preços estão subindo, é considerado um bom negócio comprar muito, e, quando os preços estão altos, comprar o mínimo possível. Não é necessário demonstrar que, se comprar materiais a dez centavos de dólar por quilo e o preço passar para vinte centavos, você terá uma vantagem distinta sobre o homem que é obrigado a comprar a vinte centavos. Todavia, descobrimos que comprar antecipadamente não compensa. É como entrar em um concurso de adivinhação. Não é negócio. Se um homem compra um grande estoque a dez centavos, ele está em uma boa posição, contanto que o outro homem esteja pagando vinte centavos. Então, mais tarde ele tem a chance de comprar mais por vinte centavos, e parece ser uma boa compra, porque tudo aponta que o preço chegue a trinta centavos. Como seu julgamento anterior, sobre o qual ganhou dinheiro, lhe proporcionou grande satisfação, ele obviamente faz a nova compra. Então o preço cai, e ele está exatamente onde começou. Ao longo dos anos, calculamos com cautela que comprar acima do necessário não vale a pena – que os ganhos de uma compra serão compensados pelas perdas de outra, e, no final, enfrentamos muitos problemas sem nenhum benefício correspondente.

Portanto, em nossas compras, simplesmente obtemos o melhor preço possível para a quantidade necessária. Não compramos menos se o preço for alto e não compramos mais se for baixo. Evitamos com cuidado barganhas que excedam o necessário. Não foi fácil chegar a essa decisão. Mas, no final, a especulação matará qualquer fabricante. Dê a ele algumas boas aquisições nas quais ele ganhe dinheiro e em breve ele estará pensando mais em fazer dinheiro comprando e vendendo do que em seu negócio legítimo, e será esmagado. A única maneira de evitar problemas é comprar o necessário – nem mais nem menos. Esse curso elimina um risco no negócio.

Essa experiência de compra é detalhada porque explica nossa política de vendas. Em vez de dar atenção aos concorrentes ou à demanda, nossos preços são baseados em uma estimativa do que o maior número possível de pessoas desejará pagar, ou pode pagar, pelo que temos para vender. E o que resultou dessa política é mais bem evidenciado pela comparação do preço do carro de turismo e o da produção.

ANO	PREÇO	PRODUÇÃO/CARROS
1909-10	$ 950	18.664
1910-11	$ 780	34.528
1911-12	$ 690	78.440
1912-13	$ 600	168.220
1913-14	$ 550	248.307
1914-15	$ 490	308.213
1915-16	$ 440	533.921
1916-17	$ 360	785.432
*1917-18	$ 450	706.584
*1918-19	$ 525	533.706
1919-20	$ 575 a $ 440	996.660
1920-21	$ 440 a $ 355	1.250.000

(*Os dois anos foram anos de guerra, e a fábrica estava a serviço da guerra.)

Os altos preços de 1921, considerando a inflação financeira, não foram realmente altos. No momento em que escrevo, o preço é de quatrocentos e noventa e sete dólares. Na verdade, esses preços são mais baixos do que parecem, porque a qualidade está sendo constantemente aperfeiçoada. Estudamos cada carro para descobrir se há recursos que possam ser desenvolvidos e adaptados. Se alguém tem algo melhor do que nós, queremos conhecê-lo, e, por esse motivo, compramos um de cada carro novo que é lançado. Geralmente, o carro é usado por algum tempo, submetido a um teste de estrada e desmontado, e estudamos como e do quê tudo é feito.

Espalhadas por Dearborn, é provável que exista um exemplar de quase todas as marcas de carros do mundo. Às vezes, quando compramos um carro novo, ele aparece nos jornais, e alguém observa que a Ford não usa o Ford. No ano passado, encomendamos um grande Lanchester – que diziam ser o melhor carro da Inglaterra. Ele ficou em nossa fábrica em Long Island por vários meses, e então decidi levá-lo para Detroit. Éramos muitos e tínhamos uma pequena caravana – o Lanchester, um Packard e um ou dois Ford. Eu estava dirigindo o Lanchester, passando pela cidade de Nova Iorque, quando os repórteres apareceram, perguntando imediatamente por que eu não estava dirigindo um Ford.

– Bem, veja, é assim – respondi. – Estou de férias agora; não tenho pressa, não nos importa muito quando chegaremos em casa. Esta é a razão pela qual não estou no Ford.

Você sabe, também temos uma série de "histórias da Ford"!

Nossa política é reduzir o preço, estender as operações e melhorar o artigo. Você notará que a redução de preço ocorre em primeiro lugar. Nunca consideramos fixos os custos. Portanto, primeiro reduzimos o preço a um ponto em que acreditamos que resultará em mais vendas. Então, vamos em frente e tentamos fazer o preço. Não nos preocupamos com os custos. O novo preço força os custos para baixo. A maneira mais comum é assumir os custos e, em seguida, determinar o preço. E embora esse método possa ser científico no sentido estrito, não o é no sentido amplo, porque para que serve saber o custo se ele lhe indicar que você não pode fabricar a um preço pelo qual o artigo possa ser vendido? Porém, mais precisamente, o fato é que, embora se possa calcular o que é um custo – e, é claro, todos os nossos custos são cuidadosamente calculados –, ninguém sabe o que deve ser um custo. Uma das maneiras de descobrir qual deve ser o custo é fixar um preço tão baixo que force todos no local ao ponto mais alto de eficiência. O preço baixo faz todo mundo se esforçar em busca de lucros. Fazemos mais descobertas relacionadas à fabricação e venda por esse método forçado do que por qualquer método de investigação fortuito.

Felizmente, o pagamento de altos salários contribui para os baixos custos, porque os homens se tornam constantemente mais eficientes por estarem aliviados de preocupações externas. O pagamento de cinco dólares por um dia de oito horas foi uma das melhores medidas de corte de custos que já fizemos, e o salário diário de seis dólares é mais barato que o de cinco. Até onde isso vai, não sabemos.

Sempre obtivemos lucro com os preços que fixamos e, assim como não temos ideia de quão altos serão os salários, também não temos ideia de quão baixos serão os preços, e não há nenhuma utilidade particular em nos preocuparmos com isso. O trator, por exemplo, foi vendido a princípio por setecentos e cinquenta dólares; depois, por oitocentos e cinquenta; em seguida, por seiscentos e vinte e cinco; e no outro dia reduzimos trinta e sete por cento, para trezentos e noventa e cinco dólares. O trator não é fabricado em conexão com os automóveis. Nenhuma fábrica é grande o suficiente para fazer dois artigos. Uma oficina deve se dedicar a exatamente um produto com o objetivo de obter as economias reais.

Para a maioria dos propósitos, um homem com uma máquina é melhor que um homem sem uma máquina. Ao encomendar o projeto do produto e o processo de fabricação, somos capazes de fornecer o tipo de máquina que mais multiplica o poder da mão e, portanto, damos a esse homem um serviço mais importante, o que significa que ele tem direito a uma parcela maior de conforto.

Mantendo esse princípio em mente, podemos atacar o desperdício com um objetivo definido. Não colocaremos em nosso estabelecimento nada que seja inútil.

Não colocaremos edifícios sofisticados como monumentos que demonstrem o nosso sucesso. O interesse no investimento e o custo de sua manutenção servem apenas para aumentar inutilmente o custo do que é produzido – portanto, esses monumentos de sucesso tendem a terminar como túmulos. Um grande prédio administrativo pode ser necessário. Em mim, suscita uma suspeita de que talvez exista muita administração.

Nunca tivemos necessidade de uma administração elaborada e preferimos ser anunciados pelo nosso produto do que pelo lugar onde o fabricamos.

A padronização que efetiva grandes economias para o consumidor resulta em lucros de magnitude tão bruta para o produtor que ele mal sabe o que fazer com seu dinheiro. Mas seu esforço deve ser sincero, meticuloso e destemido. Cortar meia dúzia de modelos não é padronização. Pode ser, e geralmente é, apenas a limitação dos negócios, pois se alguém está vendendo com base no lucro comum – isto é, com base em tirar tanto dinheiro do consumidor quanto puder –, então certamente o consumidor deve ter uma ampla gama de opções.

A padronização, então, é a etapa final do processo. Começamos com o consumidor, trabalhamos novamente o projeto e finalmente chegamos à fabricação. A fabricação se torna um meio para se atingir o objetivo do serviço.

É importante ter essa ordem em mente. Até o momento, a ordem ainda não está totalmente esclarecida. A relação de preço não está subentendida. A ideia de que os preços devem ser mantidos persiste. Inversamente, o bom negócio – grande consumo – depende da queda deles.

E aqui está outro ponto. O serviço deve ser o melhor que você pode oferecer. Considera-se uma boa prática de fabricação, e não uma falta de ética, alterar ocasionalmente os projetos para que os modelos antigos se tornem obsoletos e os novos tenham de ser comprados, ou porque não é possível obter peças de reparo para os antigos, ou porque o novo modelo oferece um novo argumento de vendas, que pode ser usado para convencer um consumidor a descartar o que ele tem e comprar algo novo. Foi-nos dito que isso é um bom negócio, um negócio inteligente, que o objetivo do negócio deve ser convencer as pessoas a comprar com frequência, e que é um mau negócio tentar fazer qualquer coisa que dure para sempre, porque uma vez que um homem a compra, ele não comprará novamente.

Nosso princípio de negócio é precisamente o contrário. Não podemos conceber como servir ao consumidor, a menos que façamos para ele algo que, tanto quanto for possível, dure para sempre. Queremos construir algum tipo de máquina que dure para sempre. Não nos agrada que o carro do comprador se desgaste ou se torne obsoleto. Queremos que o homem que compra um de nossos produtos nunca precise comprar outro. Nunca fazemos uma melhora que torne obsoleto qualquer modelo anterior. As partes de um modelo específico não são apenas intercambiáveis com todos os outros carros desse modelo, mas com partes semelhantes de todos os carros que produzimos.

Você pode pegar um carro de dez anos atrás e, comprando peças atuais, transformá-lo com pouquíssima despesa em um carro moderno. Tendo esses objetivos, os custos sempre caem sob pressão. E como temos uma política firme de redução constante de preços, sempre há pressão. Às vezes é mais difícil!

Tomemos mais alguns exemplos de economia. As varreduras rendem seiscentos mil dólares por ano. Sempre há experimentos em andamento quanto à utilização de sucata. Em uma das operações de estampagem são cortados círculos de quinze centímetros de chapa metálica. Anteriormente eles eram sucateados. O desperdício preocupou os homens. Eles trabalharam para encontrar usos para os discos. Descobriram que as placas tinham o tamanho e o formato corretos para estamparem as tampas dos radiadores, mas o metal não era grosso o suficiente. Tentaram uma espessura dupla de chapas e, com o resultado, fizeram uma tampa cujos testes provaram ser mais fortes do que a feita de uma única folha de metal. Obtivemos cento e cinquenta mil desses discos por dia. Agora encontramos um uso para cerca de vinte mil por dia e esperamos encontrar outros usos para o restante. Economizamos cerca de dez dólares por peça fazendo transmissões em vez de comprá-las. Experimentamos com parafusos e produzimos um parafuso especial, fabricado em uma máquina própria, com uma rosca mais forte do que a de qualquer parafuso que pudéssemos comprar, embora em sua fabricação se usasse apenas cerca de um terço do material que usado pelos fabricantes externos. A economia de apenas um parafuso era de meio milhão de dólares por ano. Costumávamos montar nossos carros em Detroit e, embora por meio de embalagem especial conseguíssemos colocar cinco ou seis em um vagão de carga, precisávamos de centenas de vagões por dia. Os trens entravam e saíam o tempo todo. Uma vez lotamos mil vagões em um único dia. Isso inevitavelmente provocava um certo congestionamento. É muito caro engradar as máquinas para que não sejam danificadas em trânsito – para não falar das taxas de transporte. Agora montamos apenas trezentos ou quatrocentos carros por dia em Detroit – apenas o suficiente para as necessidades locais. Enviamos as peças para nossas estações de montagem em todos os Estados Unidos e, de fato, praticamente em todo o mundo, e as máquinas são montadas lá. Sempre que for possível que uma filial fabrique uma peça de maneira mais barata do que podemos fazer em Detroit e a envie, a filial fará a peça.

A fábrica de Manchester, na Inglaterra, está produzindo quase um carro inteiro. A fábrica de tratores de Cork, na Irlanda, está fabricando quase um trator completo. Isso significa uma enorme economia, e é apenas uma indicação do que pode ser feito em toda a indústria em geral, quando cada peça de um artigo composto é fabricada no ponto exato e da maneira mais econômica. Estamos constantemente fazendo experimentos com todos os materiais que entram no carro.

Cortamos a maior parte da madeira que usamos de nossas próprias florestas. Estamos experimentando a fabricação de couro artificial porque usamos quase quarenta mil metros de couro artificial por dia. Um centavo aqui e um centavo ali resultam em grandes quantias ao longo de um ano.

O maior desenvolvimento de todos, no entanto, é a fábrica de River Rouge, que, quando estiver em plena capacidade, reduzirá profundamente e em muitas direções o preço de tudo o que fabricamos. A fábrica de tratores inteira está lá agora. Essa fábrica está localizada perto do rio, nos arredores de Detroit, e a propriedade cobre duzentos e setenta hectares – o suficiente para o desenvolvimento futuro. Ela tem uma grande rampa giratória e uma doca capaz de acomodar qualquer navio a vapor do lago; um canal de atalho e algumas dragagens permitirão uma conexão direta com o lago pelo rio Detroit. Usamos muito carvão. Esse carvão vem diretamente de nossas minas pelas ferrovias Detroit, Toledo e Ironton, que controlamos, até as fábricas de Highland Park e de River Rouge. Parte disso vale para fins de vapor. Outra parte diz respeito aos fornos de coque de subprodutos que fixamos na fábrica de River Rouge. O coque passa por transmissão mecânica dos fornos para os altos-fornos. Os gases de baixa volatilidade dos altos-fornos são canalizados para as caldeiras da central elétrica, onde se unem à serragem e às aparas da fábrica de carrocerias – a fabricação de todas as nossas carrocerias foi transferida para essa fábrica –, e, além disso, a "brisa" do coque (a poeira na fabricação de coque) agora também está sendo utilizada para estocagem. Assim, a central de vapor é quase exclusivamente acionada com o que, de outra forma, seriam resíduos. Imensas turbinas a vapor acopladas diretamente a dínamos transformam essa energia em eletricidade, e toda a maquinaria das fábricas de trator e de carroceria é operada por motores individuais acionados por essa eletricidade. Com o tempo, espera-se que haja eletricidade suficiente para operar praticamente toda a fábrica de Highland Park, e então teremos de cortar nossa conta de carvão.

Entre os subprodutos dos fornos de coque está o gás. Ele é canalizado para as fábricas de Rouge e Highland Park, onde é usado para fins de tratamento térmico, para os fornos de esmaltagem, para os fornos de carros e similares. Antigamente, tínhamos de comprar esse gás. O sulfato de amônio é usado como fertilizante. O benzol é um combustível de motor. Os pequenos coques, que não são adequados para os altos-fornos, são vendidos aos funcionários – entregues gratuitamente na casa deles por muito menos do que o preço normal de mercado. O coque grande vai para os altos-fornos.

Não há uso manual. Colocamos o ferro derretido diretamente dos altos-fornos em grandes conchas. Essas conchas viajam para as oficinas, e o ferro é derramado diretamente nos moldes sem outro aquecimento. Assim, não apenas obtemos uma qualidade uniforme de ferro de acordo com nossas especificações e diretamente sob nosso controle, mas também economizamos no derretimento de ferro-gusa e, de fato, cortamos todo um processo de fabricação, além de disponibilizar toda a nossa sucata.

O que tudo isso resultará em termos de economia, não sabemos – isto é, não sabemos quão grande será a economia, porque a fábrica não está funcionando há tempo suficiente para indicar o que está por vir, e economizamos em muitas direções – no transporte, na geração de energia, na geração de gás, nas despesas de fundição; além disso, está a receita dos subprodutos e dos coques menores. O investimento para essa realização até o momento chega a mais de quarenta milhões de dólares.

Até onde chegaremos depende inteiramente das circunstâncias. Ninguém em qualquer lugar pode realmente fazer mais do que imaginar os custos futuros de produção. É mais sensato reconhecer que o futuro guarda mais do que o passado – que todos os dias trazem consigo uma melhora nos métodos do dia anterior.

Mas e a produção? Se toda necessidade da vida fosse produzida de maneira tão barata e em quantidades tão grandes, o mundo não ficaria em breve com excesso de bens? Não chegará um momento em que, independentemente do preço, as pessoas não desejarão nada além do que já possuem? E se no processo de fabricação cada vez menos homens forem usados, o que será desses homens – como eles vão encontrar emprego e viver?

Tomemos antes o segundo ponto. Mencionamos que muitas máquinas e muitos métodos afastaram um grande número de homens e, em seguida, alguém pergunta:

– Sim, essa é uma ideia muito boa do ponto de vista do proprietário, mas e quanto a esses pobres companheiros cujos empregos são tirados?

A pergunta é inteiramente razoável, mas, ao mesmo tempo, curiosa. Pois quando os homens foram realmente retirados do trabalho por causa da melhora dos processos industriais? Os motoristas de diligências perderam seus empregos com a chegada das ferrovias. Deveríamos ter proibido as ferrovias e mantido os motoristas de diligências? Havia mais homens trabalhando com as diligências do que trabalhando nas ferrovias? Deveríamos ter evitado o táxi porque sua chegada tirou o pão da boca dos cocheiros? Como o número de táxis se compara ao número de carruagens quando estas estavam no auge? A chegada das máquinas de calçados fechou a maioria das oficinas daqueles que faziam sapatos à mão. Quando os sapatos eram feitos à mão, apenas os muito prósperos podiam possuir mais do que um único par de sapatos, e a maioria das pessoas ia trabalhar descalça no verão. Agora, quase ninguém tem apenas um par de sapatos, e a fabricação de calçados é uma grande indústria. Toda vez que você providencia que um homem faça o trabalho de dois, você aumenta a riqueza do país, pois haverá um novo e melhor emprego para o homem que é deslocado. Se indústrias inteiras mudassem da noite para o dia, a disposição dos homens excedentes seria um problema, mas essas mudanças não ocorrem assim tão rapidamente. Elas vêm de maneira gradual. Em nossa experiência, um novo lugar sempre se abre para um homem logo que processos melhores tomam seu antigo emprego. E o que acontece nas minhas oficinas acontece em todos os lugares na indústria. Na atualidade, há muito mais homens empregados nas indústrias siderúrgicas do que nos dias em que todas as operações eram manuais. Tem de ser assim. Sempre é assim e sempre será assim. E se algum homem não pode vê-lo, é porque não olha além do próprio nariz.

Agora, quanto à saturação, continuamente nos perguntam:

– Quando você chegará ao ponto de superprodução? Quando haverá mais carros do que pessoas para usá-los?

Acreditamos que é possível, algum dia, chegar ao ponto no qual todos os produtos sejam fabricados de forma tão barata e em tais quantidades que a superprodução seja uma realidade. Mas, no que diz respeito a nós, não aguardamos essa condição ansiosamente, com medo – mas com grande satisfação. Nada poderia ser mais esplêndido do que um mundo em que todo mundo tenha tudo o que deseja. Nosso medo é que essa condição seja adiada por muito tempo. Quanto a nossos produtos, essa condição está muito distante. Não sabemos quantos automóveis do tipo específico que fabricamos uma família desejará usar. Sabemos que, à medida que o preço baixa, o agricultor, que foi quem primeiro usou um carro (e é preciso lembrar que ha pouco tempo ó mercado agrícola de automóveis era absolutamente desconhecido – o limite de vendas naquele tempo era fixado por todos os sábios especialistas em estatística perto do número de milionários no país), agora frequentemente usa dois, e ele também compra um caminhão. Talvez, em vez de enviar operários em um único carro para locais de trabalho diferentes, seja mais barato enviar cada trabalhador em um carro próprio.

Isso está acontecendo com os vendedores. O público encontra as próprias necessidades de consumo com precisão infalível, e, como não fabricamos mais carros ou tratores, mas apenas as peças que, quando montadas, se tornam automóveis e tratores, as instalações de que agora dispomos dificilmente seriam suficientes para fornecer substituições para dez milhões de carros. E seria o mesmo com qualquer negócio. Não precisamos nos preocupar com a superprodução nos próximos anos, desde que os preços estejam certos. É a recusa das pessoas em comprar por causa do preço que de fato estimula o verdadeiro negócio. Então, se queremos fazer negócio, temos de baixar os preços sem prejudicar a qualidade. Assim, a redução de preços nos obriga a aprender métodos de produção aprimorados e menos dispendiosos. Uma grande parte da descoberta do que é "normal" na indústria depende da genialidade gerencial de descobrir melhores maneiras de fazer as coisas. Se um homem reduz seu preço de venda a um ponto em que não obtém lucro ou incorre em perda, simplesmente é forçado a descobrir como criar um artigo tão bom por um método melhor – fazendo seu novo método produzir lucro, e não produzindo lucro com salários reduzidos ou aumento de preços ao público.

Não é uma boa gestão lucrar à custa dos trabalhadores ou dos compradores; faça a gerência produzir os lucros. Não barateie o produto; não barateie o salário; não sobrecarregue o público. Coloque cérebros no método, mais cérebros, cada vez mais cérebros – faça as coisas melhor do que nunca; e, por esse meio, todas as partes do negócio são atendidas e beneficiadas.

E tudo isso sempre pode ser feito.

DINHEIRO
E BENS

O objetivo principal de uma indústria é produzir, e, se esse objetivo for sempre mantido, as finanças se tornarão uma questão totalmente secundária, que tem a ver sobretudo com a contabilidade. Minhas próprias operações financeiras foram muito simples. Comecei com a política de compra e venda por dinheiro, mantendo um grande fundo de caixa sempre à mão, aproveitando ao máximo todos os descontos e coletando juros sobre saldos bancários. Considero um banco principalmente um lugar em que é seguro e conveniente guardar dinheiro. Os minutos que gastamos nos negócios de um concorrente perdemos por nossa conta. Os minutos que gastamos tornando-nos especialistas em finanças perdemos na produção.

O local para financiar uma produção é a fábrica, e não o banco. Eu não diria que um homem de negócios não precisa saber absolutamente nada sobre finanças, mas é melhor saber muito pouco do que muito, pois, se ele se tornar especialista demais, vai pensar que pode pedir dinheiro emprestado em vez de ganhá-lo, e depois pedirá mais dinheiro emprestado para pagar o empréstimo anterior, e, em vez de ser um homem de negócios, será um malabarista, tentando equilibrar um montante regular de títulos e notas.

Se ele for um malabarista realmente experiente, pode continuar por muito tempo dessa maneira, mas algum dia cometerá um erro, e tudo vai desmoronar ao seu redor. A indústria não deve ser confundida com o setor bancário, e acho que há uma tendência de muitos homens de negócios se imiscuírem no setor bancário e de muitos banqueiros se imiscuírem nos negócios. A tendência é distorcer os verdadeiros propósitos das empresas e dos bancos, e isso prejudica ambos. O dinheiro precisa sair da fábrica, não do banco, e descobri que a fábrica atenderá a todos os requisitos possíveis; em um caso, quando se acreditava que a empresa precisava seriamente de fundos, a fábrica então levantou uma quantia maior do que qualquer banco deste país poderia emprestar.

Fomos atirados para as finanças principalmente na forma de negativa. Há alguns anos, tivemos de negar que a Ford Motor Company era de propriedade da Standard Oil Company e, por conveniência, desmentimos também que estávamos conectados a qualquer outro interesse ou que pretendíamos vender carros por carta. No ano passado, o boato mais popular foi que estávamos em Wall Street à caça de dinheiro. Não me incomodei em desmentir isso. Negar tudo leva muito tempo. Em vez disso, demonstramos que não precisávamos de dinheiro. Desde então, não ouvi mais nenhum boato sobre ser financiado por Wall Street.

Não somos contra empréstimos de dinheiro, nem contra os banqueiros. Somos contra a tentativa de fazer com que o dinheiro emprestado substitua o local de trabalho. Somos contra o tipo de banqueiro que considera um negócio um melão a ser cortado. O importante é manter dinheiro, empréstimos e finanças em geral no seu devido lugar, e, para fazer isso, é preciso considerar exatamente para que o dinheiro é necessário e como será pago.

O dinheiro é apenas uma ferramenta no negócio. É apenas uma parte da máquina. Você pode pedir emprestados tanto cem mil tornos como cem mil dólares se o problema estiver dentro do seu negócio. Mais tornos não vão curá-lo; nem mais dinheiro. Apenas doses mais pesadas de cérebros, pensamentos e coragem sábia podem curar. Uma empresa que emprega mal o que tem continuará empregando mal o que pode obter. O ponto é: curar o mau uso. Quando isso for feito, a empresa começará a produzir o próprio dinheiro, assim como um corpo humano recuperado começa a produzir sangue puro suficiente.

Um empréstimo pode facilmente se tornar uma desculpa para você não se aborrecer com o problema. Pode facilmente se tornar um paliativo para a preguiça e o orgulho. Alguns homens de negócios são preguiçosos demais para usar macacões e descer para ver qual é o problema. Ou são orgulhosos demais para admitir que qualquer coisa que eles tenham originado possa dar errado. Mas as leis dos negócios são como a lei da gravidade, e o homem que se opõe a elas sente seu poder.

Pedir um empréstimo para expandir os negócios é uma coisa; já para compensar a má gestão e o desperdício, é outra. A segunda hipótese não é aconselhável – pela razão de que o dinheiro não pode fazer o trabalho. Os desperdícios são corrigidos pela economia; a má administração é corrigida por cérebros. Nenhum desses corretivos tem algo a ver com dinheiro. De fato, o dinheiro diante de certas circunstâncias é inimigo deles. E muitos homens de negócios agradecem a suas estrelas por lhes mostrar que seu melhor capital estava em seu cérebro e não em empréstimos bancários. Tomar dinheiro emprestado, em certas circunstâncias, é como um bêbado que toma outra bebida para curar o efeito da última ressaca. Isso não surte o efeito esperado. Simplesmente aumenta a dificuldade. Economizar em algumas partes de um negócio é muito mais lucrativo do que qualquer quantidade de capital novo a sete por cento.

As doenças internas dos negócios são as que exigem mais atenção. "Negócio", no sentido de comércio com as pessoas, é principalmente uma questão de preencher as necessidades delas. Se você faz o que elas precisam e vende a um preço que torna a posse uma ajuda e não uma dificuldade, você fará negócio enquanto houver negócio a fazer. As pessoas compram o que as ajuda tão naturalmente quanto bebem água.

No entanto, o processo de elaboração do artigo exigirá cuidados constantes. As máquinas se desgastam e precisam ser restauradas. Os homens ficam arrogantes, preguiçosos ou descuidados. Uma empresa é a união de homens e máquinas na produção de uma mercadoria, e tanto o homem quanto as máquinas precisam de reparos e substituições. Às vezes, são os homens "superiores" que mais precisam se renovar – e eles mesmos são sempre os últimos a reconhecê-lo. Quando uma empresa se torna congestionada com métodos ruins; quando ela adoece por falta de atenção a uma ou mais de suas funções; quando os executivos se sentam confortavelmente em suas cadeiras, como se os planos que eles inauguraram pudessem mantê-los ali para sempre; quando a empresa se torna uma mera plantação da qual se vive, e não um grande trabalho que se deve fazer – então você terá problemas.

Você acordará em uma bela manhã e se verá fazendo mais negócios do que nunca – e tirando menos proveito deles. Você se encontra com pouco dinheiro. Pode pedir dinheiro emprestado, e fazer isso muito facilmente. As pessoas vão enchê-lo de dinheiro. É a tentação mais sutil a que o jovem empresário está sujeito. Mas se você toma dinheiro emprestado, está simplesmente dando um estímulo para o que quer que esteja errado. Você alimenta a doença. Um homem é mais sábio com dinheiro emprestado do que com o próprio dinheiro? Isso não é comum. Pegar emprestado em tais condições é hipotecar uma propriedade em declínio.

A hora certa para um homem de negócios pegar dinheiro emprestado, se ela existe, é quando ele não precisa dele. Ou seja, quando ele não precisa disso como um substituto para as coisas que ele mesmo deveria fazer. Se a empresa de um homem está em excelente condição e precisa de expansão, é comparativamente seguro fazer um empréstimo. Porém, se uma empresa precisa de dinheiro por causa de má gestão, então o que se deve fazer é adentrar a empresa e corrigir o problema interno – e não encataplasmá-la com empréstimos externos.

Minha política financeira é o resultado da minha política de vendas. Afirmo que é melhor vender um grande número de artigos com um pequeno lucro do que vender alguns com um grande lucro. Isso possibilita que um número maior de pessoas compre e concede a um número maior de homens emprego com bons salários. Permite o planejamento da produção, a eliminação de temporadas inoportunas e o desperdício de manter uma fábrica ociosa. Assim, resulta em um negócio adequado e contínuo, e, se você pensar bem, descobrirá que a maioria dos chamados financiamentos urgentes são necessários por causa da falta de negócios planejados e contínuos.

Reduzir os preços é considerado pelos homens imprudentes o mesmo que reduzir o rendimento de uma empresa. É muito difícil lidar com esse tipo de mentalidade, porque lhe carece totalmente o conhecimento profundo do que é negócio. Por exemplo, uma vez me perguntaram, ao contemplar uma redução de oitenta dólares por carro, se em uma produção de quinhentos mil carros isso não diminuiria o rendimento da empresa em quarenta milhões de dólares. É claro que, se alguém vendesse apenas quinhentos mil carros pelo novo preço, o rendimento seria diminuído em quarenta milhões de dólares – um cálculo matemático interessante que não tem nada a ver com o negócio, porque, a menos que você reduza o preço de um artigo, as vendas não aumentam continuamente, e, portanto, o negócio não tem estabilidade.

Se uma empresa não está crescendo, é provável que esteja diminuindo, e uma empresa em declínio sempre precisa de muito financiamento. Os negócios dos velhos tempos seguiam a doutrina de que os preços sempre deveriam ser mantidos até o ponto mais alto em que as pessoas comprariam. Os negócios realmente modernos devem ter uma visão oposta.

Os banqueiros e os advogados raramente podem apreciar esse fato. Eles confundem inércia com estabilidade. Está perfeitamente além da compreensão deles que o preço deve sempre ser voluntariamente reduzido. É por isso que colocar o tipo usual de banqueiro ou advogado na administração de uma empresa é cortejar um desastre.

A redução de preços aumenta o volume e dispõe de recursos financeiros, contanto que se considere o lucro inevitável um fundo fiduciário com o qual se conduz mais e melhores negócios. Nosso lucro, em razão da rapidez da rotatividade do negócio e do grande volume de vendas, sempre foi grande, independentemente do preço a que o produto foi vendido. Tivemos um pequeno lucro por artigo, mas um grande lucro agregado. O lucro não é constante. Depois de cortar os preços, os lucros por algum tempo ficam baixos, mas depois as inevitáveis economias começam a trabalhar, e os lucros voltam a subir novamente. Mas eles não são distribuídos como dividendos. Sempre insisti no pagamento de pequenos dividdendos, e a empresa hoje não tem acionistas que desejem uma política diferente. Considero que os lucros da empresa acima de uma pequena porcentagem pertencem mais à empresa do que aos acionistas.

Os acionistas, no meu modo de pensar, devem ser apenas aqueles que são ativos na empresa e que vão considerar a companhia um instrumento de serviço e não uma máquina de ganhar dinheiro. Se a margem de lucro é grande – e trabalhar para atender a força a ser grande –, então os lucros devem, em parte, ser devolvidos para a empresa, para que ela possa ser ainda mais adequada para servir, e, em parte, repassados ao comprador. Durante um ano, nossos lucros foram tão maiores do que esperávamos que, voluntariamente, devolvemos cinquenta dólares a cada comprador. Sentimos que inconscientemente havíamos cobrado demais deles. Minha política de preços – e, portanto, minha política financeira – surgiu quando a empresa sofreu um processo há vários anos para obrigar o pagamento de dividendos maiores. No banco das testemunhas, comuniquei a política então em vigor, e que ainda está em vigor. É esta:

Em primeiro lugar, sustento que é melhor vender um grande número de carros a uma margem de lucro razoavelmente pequena do que vender menos carros a uma grande margem.

Mantenho isso porque permite que um grande número de pessoas compre um carro e o desfrute, e porque concede a um número maior de homens empregos com bons salários. Esses são os objetivos que tenho na vida. Contudo, eu não seria considerado um sucesso – seria, de fato, um fracasso total se não pudesse alcançar isso e, ao mesmo tempo, obter um lucro justo para mim e para os homens associados a mim no negócio.

Essa é uma boa política de negócio porque funciona, porque a cada novo ano temos sido capazes de colocar nosso carro ao alcance de um número cada vez maior de pessoas, de empregar cada vez mais homens e ao mesmo tempo, por meio do volume de negócios, de aumentar nossos lucros muito além do que esperávamos ou até mesmo sonhávamos quando começamos.

Tenha em mente que, toda vez que você reduz o preço do carro sem reduzir a qualidade, você aumenta o número possível de compradores. Há muitos homens que pagarão trezentos e sessenta dólares por um carro, mas que não pagariam quatrocentos e quarenta dólares. Tínhamos em números redondos quinhentos mil compradores de carros à base de quatrocentos e quarenta dólares, e, imagino que, à base de trezentos e sessenta dólares, podemos aumentar as vendas para, possivelmente, oitocentos mil carros por ano – teremos menos lucro em cada carro, porém, venderemos mais carros, empregaremos mais mão de obra, e, no final, obteremos o lucro total que devíamos ter.

E deixe-me dizer aqui que não acredito que devemos ter um lucro tão grande em nossos carros. Um lucro razoável é certo, mas não muito. Portanto, minha política tem consistido em reduzir o preço do carro o mais rápido que a produção permitir e oferecer os benefícios aos usuários e trabalhadores – o que resulta em benefícios surpreendentemente enormes para nós mesmos.

Essa política não concorda com a opinião geral de que uma empresa deve ser gerenciada de forma que os acionistas possam retirar a maior quantia possível de dinheiro. Portanto, não quero acionistas no sentido comum do termo – eles não ajudam a promover a capacidade de servir. Minha ambição é empregar cada vez mais homens e espalhar, na medida do possível, os benefícios do sistema industrial que estamos trabalhando para fundar; queremos ajudar a construir vidas e lares. Isso exige que a maior parte dos lucros seja devolvida à produção. Portanto, não temos lugar para os acionistas que não trabalham. O acionista trabalhador está mais ansioso por aumentar sua oportunidade de servir do que por dividendos bancários.

Se a qualquer momento eu tivesse que decidir entre diminuir os salários ou abolir os dividendos, eu aboliria os dividendos. Não é chegado o momento, pois, como apontei, não há economia com baixos salários. É uma péssima política financeira reduzir salários, porque isso também reduz o poder de compra. Se alguém acredita que a liderança traz responsabilidade, então uma parte dessa responsabilidade está em ver que aqueles a quem lideramos terão uma oportunidade adequada de ganhar a vida. As finanças dizem respeito não apenas ao lucro ou à solvência de uma companhia; também compreendem a quantidade de dinheiro que a companhia devolve à comunidade por meio de salários. Não há caridade nisso. Não há caridade em pagar salários dignos. Simplesmente nenhuma companhia pode se dizer estável se não for tão bem administrada que possa fornecer a um homem uma oportunidade de fazer uma grande quantidade de trabalho e, portanto, de ganhar um bom salário.

Há algo de sagrado nos salários – eles representam lares, famílias e destinos domésticos. As pessoas devem agir muito cuidadosamente ao abordar salários. Na planilha de custos, os salários são meros números; no mundo, os salários são caixas de pão e caixotes de carvão, berços de bebês e educação das crianças – conforto e contentamento da família. Por outro lado, há algo igualmente sagrado no capital que é usado para fornecer os meios pelos quais o trabalho pode se tornar produtivo. Ninguém é ajudado se o sangue vital de nossas indústrias é sugado. Há algo tão sagrado em uma fábrica que emprega milhares de homens quanto em um lar. A fábrica é o sustentáculo de todas as coisas boas que o lar representa. Se queremos que o lar seja feliz, precisamos idealizar para manter a fábrica ocupada.

Toda a justificativa dos lucros obtidos pela fábrica é que eles são usados para tornar duplamente seguros os lares dependentes dessa fábrica e para criar mais empregos para outros homens. Se os lucros vão aumentar uma fortuna pessoal, isso é uma coisa; se eles vão fornecer uma base mais sólida para a empresa, melhores condições de trabalho, melhores salários, mais empregos – isso é outra coisa completamente diferente. O capital assim empregado não deve ser manipulado de maneira descuidada. Ele deve servir a todos, embora possa estar sob a direção de alguém.

Os lucros pertencem a três lugares: pertencem à empresa – para mantê-la estável, progressiva e sólida. Pertencem aos homens que ajudaram a produzi-los. E pertencem também, em parte, ao público. Um negócio de sucesso é rentável para todos estes três interesses: planejador, produtor e comprador.

As pessoas cujos lucros são excessivos quando medidos por qualquer padrão confiável devem ser as primeiras a reduzir os preços. Mas nunca são. Elas repassam todos os seus custos extras até que todo o ônus seja suportado pelo consumidor; e, além de fazer isso, cobram do consumidor uma porcentagem dos encargos aumentados. Toda a sua filosofia de negócios é: "Aproveite enquanto o ganho é bom". Essas pessoas são os especuladores, os exploradores, os elementos mal-intencionados que estão sempre prejudicando negócios legítimos. Não há nada a esperar deles. Eles não têm visão. Não podem ver nada além das próprias caixas registradoras.

Essas pessoas podem falar mais facilmente sobre um corte de dez ou vinte por cento nos salários do que sobre um de dez ou vinte por cento nos lucros. Mas um homem de negócios que pesquisa toda a comunidade em todos os seus interesses e deseja servi-la deve ser capaz de dar sua contribuição para a estabilidade.

Nossa política sempre consistiu em manter em mãos uma grande quantia de dinheiro – o saldo de caixa nos últimos anos geralmente ultrapassa os cinquenta milhões de dólares. Isso é depositado em bancos de todo o país; não emprestamos, mas estabelecemos linhas de crédito, de modo que, se nos importássemos, poderíamos levantar uma quantia muito grande de dinheiro por meio de empréstimos bancários. Mas manter a reserva de caixa torna desnecessário o empréstimo – nossa provisão é apenas para estarmos preparados para atender a uma emergência. Não tenho preconceito contra um empréstimo apropriado. Simplesmente não quero correr o risco de deixar em mãos alheias o controle do negócio e, portanto, a ideia específica de serviço a que me dedico.

Uma parte considerável das finanças está na superação da operação sazonal. O fluxo de dinheiro deve ser quase contínuo. É preciso trabalhar constantemente, a fim de fazê-lo de maneira proveitosa. Uma interrupção envolve um grande desperdício. Traz o desperdício do desemprego de homens, de equipamentos e de vendas futuras restritas por preços mais altos da produção interrompida. Esse foi um dos problemas que tivemos de enfrentar. Não podemos fabricar carros para estocar durante os meses de inverno, quando as compras são menores do que na primavera ou no verão. Onde ou como alguém poderia armazenar meio milhão de carros? E, se armazenados, como eles poderiam ser enviados na época de demanda? E quem encontraria o dinheiro para transportar tal estoque de carros, mesmo que pudessem ser armazenados?

O trabalho sazonal é árduo para a força de trabalho. Bons mecânicos não aceitarão bons empregos apenas durante parte do ano. Trabalhar a pleno vigor doze meses por ano garante operários capacitados, constrói uma organização de produção permanente e continuamente aprimora o produto – na fábrica, por meio de serviços ininterruptos, os homens se tornam mais familiarizados com as operações.

A fábrica deve construir, o departamento de vendas deve vender e o revendedor deve comprar carros durante todo o ano, se cada um deles usufruir do lucro máximo que deriva do negócio. Se o comprador de varejo não considerar comprar, exceto em determinadas "estações do ano", é preciso conduzir uma campanha de educação que comprove o valor de um carro durante o ano todo, em vez do valor da estação limitada. E enquanto essa campanha está sendo feita, o fabricante deve construir e o revendedor deve comprar, antecipando os negócios.

Fomos os primeiros a enfrentar o problema no setor automobilístico. A venda de carros Ford é uma proposta de comercialização. Nos dias em que todos os carros eram fabricados sob encomenda e cinquenta carros por mês era uma grande produção, era razoável esperar a venda antes de fazer a encomenda. O fabricante aguardava a encomenda antes de construir.

Logo descobrimos que não podíamos fazer negócios por encomenda. Não foi possível construir uma fábrica suficientemente grande – mesmo que o desejássemos – para construir entre março e agosto todos os carros encomendados durante esses meses. Portanto, anos atrás, começou a campanha de educação para demonstrar que um Ford não era um luxo de verão, mas uma necessidade durante todo o ano. Junto com isso, veio a educação do revendedor a respeito de que, mesmo se ele não pudesse vender tantos carros no inverno como no verão, pagaria para estocar no inverno para o verão e, assim, poder fazer entregas instantâneas. Ambos os planos deram certo; na maior parte do país, os carros são usados quase tanto no inverno quanto no verão. Verificou-se que eles correm na neve, no gelo ou na lama – em qualquer coisa. Portanto, as vendas de inverno estão aumentando constantemente, e a demanda sazonal é parcialmente suprida pelo revendedor. E ele acha lucrativo comprar antecipando as necessidades.

Assim, não temos estações na fábrica; a produção, até os últimos dois anos, tem sido contínua, exceto pelas interrupções anuais para balanço. Tivemos uma interrupção durante o período de extrema depressão, mas foi uma parada necessária no processo para nos reajustarmos às condições do mercado.

Com o objetivo de alcançar uma produção contínua e, consequentemente, uma rotatividade contínua de dinheiro, tivemos de planejar nossas operações com extremo cuidado. O plano de produção é elaborado com muita atenção, cada mês, entre os departamentos de vendas e de produção, com o objetivo de produzir carros suficientes para que os que estão em trânsito cuidem dos pedidos em mãos. Antigamente, quando montávamos e enviávamos os carros, isso era da maior importância, porque não tínhamos lugar para guardar os que estavam prontos. Agora, enviamos peças em vez de carros e montamos apenas as necessárias para o distrito de Detroit.

Isso faz com que o planejamento não seja menos importante, pois se o fluxo de produção e o fluxo de pedidos não forem aproximadamente iguais, ficaremos emperrados com peças não vendidas ou atrasados em nossos pedidos. Quando você está produzindo as peças para fazer quatro mil carros por dia, apenas um leve descuido, como superestimar os pedidos, resultará num estoque finalizado que pode chegar a milhões. Isso torna o equilíbrio das operações uma questão muito delicada.

Com o objetivo de obter o lucro adequado em nossa estreita margem, precisamos ter uma rotatividade rápida. Fabricamos carros para vender, não para armazenar, e a produção não vendida de um mês se transformaria em uma soma cujos juros, por si sós, seriam enormes. A produção é planejada para um ano, e o número de carros a serem fabricados em cada mês do ano é programado, pois é claro que é um grande problema ter as matérias-primas e as peças que ainda compramos de fora fluindo em consonância com a produção. Não podemos nos dar ao luxo de ter mais estoques de carros prontos do que de matéria-prima. Tudo tem de entrar e sair. E tivemos algumas dificuldades. Alguns anos atrás, a fábrica da Diamond Manufacturing Company sofreu um incêndio. Eles estavam fazendo peças de radiador para nós e as peças de latão – tubos e peças fundidas. Tivemos que nos movimentar rapidamente, ou sofreríamos uma grande perda. Reunimos os chefes de todos os nossos departamentos, os moldadores e os desenhistas industriais. Eles trabalharam de vinte e quatro a quarenta e oito horas seguidas. Estabeleceram novos padrões; a Diamond Company arrendou uma fábrica e adquiriu algumas máquinas via expresso. Fornecemos o outro equipamento para eles, e em vinte dias eles estavam fazendo remessas novamente. Tínhamos estoque suficiente disponível para nos manter, digamos, por sete ou oito dias, mas esse incêndio nos impediu de fazer remessas de carros por dez ou quinze dias. Exceto pelo fato de termos estoque adiantado, isso teria nos atrasado vinte dias – e nossas despesas teriam continuado.

Repetindo. O local para financiar é a fábrica. Isso nunca falhou para nós, e uma vez, quando se pensava que estávamos com dificuldades financeiras, serviu de maneira bastante conclusiva para demonstrar que as finanças podem ser mais bem conduzidas de dentro do que de fora.

DINHEIRO – SENHOR OU ESCRAVO?

Em dezembro de 1920, os negócios em todo o país estavam estagnados. Mais fábricas de automóveis foram fechadas do que abertas, e um grande número das que foram fechadas estavam totalmente a cargo de banqueiros. Rumores de más condições financeiras corriam em quase todas as companhias industriais, e fiquei interessado quando insistiram em afirmar que a Ford Motor Company não apenas precisava de dinheiro, mas não o conseguia. Acostumei-me a todo tipo de rumor sobre nossa empresa – tanto que hoje em dia raramente nego qualquer tipo de boato. Mas esses diferiam de todos os anteriores. Eles eram minuciosos e circunstanciais. Diziam que eu havia superado meu preconceito contra empréstimos e que eu podia ser encontrado quase todo dia em Wall Street, de chapéu na mão, pedindo dinheiro. E os rumores foram ainda mais longe, espalhando o boato de que ninguém me daria dinheiro e que eu teria de dissolver a empresa e sair do negócio.

É verdade que tivemos um problema. Em 1919, fizemos um empréstimo de setenta milhões de dólares para comprar a totalidade das ações da

Ford Motor Company. Nisso, tínhamos trinta e três milhões de dólares para pagar. Devíamos ao governo – ou em breve deveríamos – dezoito milhões de dólares relativos ao imposto de renda, e também pretendíamos pagar nosso bônus anual habitual aos operários, que totalizavam sete milhões de dólares.

No total, entre 1º de janeiro e 18 de abril de 1921, tínhamos pagamentos adiantados totalizando cinquenta e oito milhões de dólares. Tínhamos apenas vinte milhões de dólares no banco. Nosso balanço era mais ou menos de conhecimento comum, e suponho que era dado como certo que não poderíamos levantar os trinta e oito milhões de dólares necessários sem empréstimo, pois essa é uma quantia bastante grande de dinheiro. Sem a ajuda de Wall Street, tal quantia não poderia ser fácil e rapidamente levantada. Lidávamos muito bem com dinheiro. Dois anos antes, pegamos emprestados setenta milhões de dólares. E, visto que toda a nossa propriedade estava livre de encargos e não tínhamos dívidas comerciais, o fato de nos emprestarem uma grande quantia normalmente não teria sido uma questão de momento. De fato, teria sido um bom negócio bancário.

No entanto, comecei a ver que nossa necessidade de dinheiro estava sendo diligentemente difundida como evidência de um fracasso iminente. Então comecei a suspeitar que, embora os rumores viessem de noticiários de todo o país, talvez eles pudessem ser rastreados até uma única fonte. Essa crença foi reforçada ainda mais quando fomos informados de que um editor financeiro estava em Battle Creek enviando boletins relativos à gravidade de nossa condição financeira. Portanto, tomei o cuidado de não negar um único boato.

Fizemos nossos planos financeiros, e eles não incluíam empréstimos.

Não preciso enfatizar que o pior momento para pedir dinheiro emprestado é quando o pessoal do banco pensa que você precisa dele. No último capítulo, descrevi nossos princípios financeiros. Nós simplesmente aplicamos esses princípios. Planejamos uma limpeza completa da casa.

Voltemos um pouco e vejamos quais eram as condições. No início de 1920, surgiram as primeiras indicações de que o febril negócio especulativo gerado pela guerra não continuaria. Algumas empresas que surgiram da guerra e não tinham motivos reais para existir faliram. As pessoas reduziram suas compras. Nossas vendas se mantiveram, mas sabíamos que mais cedo ou mais tarde elas cairiam. Pensei seriamente em cortar preços, mas os custos de fabricação em todos os lugares estavam fora de controle. A mão de obra dava cada vez menos em troca de altos salários. Os fornecedores de matéria-prima se recusaram até mesmo a pensar em voltar à realidade. Os sinais evidentes da tempestade não foram levados em consideração.

Em junho, nossas vendas começaram a ser afetadas. Elas cresciam cada vez menos a cada mês, de junho até setembro. Tivemos de fazer algo para trazer nosso produto ao poder de compra do público, algo drástico o suficiente para demonstrar ao público que estávamos realmente participando do jogo e não apenas fingindo. Portanto, em setembro, reduzimos o preço do carro de turismo de quinhentos e setenta e cinco dólares para quatrocentos e quarenta; Reduzimos o preço muito abaixo do custo de produção, pois ainda estávamos produzindo com estoques comprados a preços na alta. O corte criou uma sensação considerável. Recebemos muitas críticas. Dizia-se que estávamos em condições perturbadoras. Era exatamente o que estávamos tentando fazer. Queríamos fazer nossa parte ao trazer os preços de um nível artificial para um nível natural. Estou firmemente convencido de que se, naquele momento ou mais cedo, os fabricantes e distribuidores tivessem feito cortes drásticos em seus preços e submetido suas casas a uma limpeza completa, não teríamos uma depressão nos negócios tão longa. Esperar na expectativa de obter preços mais altos simplesmente atrasou o reajuste. Ninguém conseguiu os preços mais altos que se esperava, e se as perdas tivessem ocorrido de uma só vez, não apenas os poderes produtivo e de compra do país teriam se harmonizado, mas teríamos sido salvos nesse longo período de ociosidade geral. Esperar na expectativa poder elevar os preços apenas aumentou as perdas, porque aqueles que aguardaram tiveram de pagar juros sobre seus estoques de preços altos e também perderam os lucros que poderiam ter conseguido trabalhando em uma base sensata. O desemprego reduziu a distribuição de salários, e assim o comprador e o vendedor ficaram cada vez mais separados. Houve muitas conversas sobre acordos para dar vastos créditos à Europa – a ideia era que, desse modo, os estoques a preço alto pudessem ser impingidos. É claro que as propostas não foram apresentadas de maneira tão grosseira, e acho que muitas pessoas acreditavam sinceramente que, se grandes créditos fossem concedidos no exterior, mesmo sem esperança de pagamento de capital ou juros, as empresas americanas seriam de alguma forma beneficiadas. É verdade que se esses créditos fossem tomados por bancos americanos, aqueles que tinham estoques a preço alto poderiam ter se livrado deles com lucro, mas os bancos teriam adquirido tanto crédito congelado que pareceriam casas de gelo em vez de bancos. Suponho que é natural esperar a possibilidade de lucros até o último momento, porém isso não é um bom negócio.

Após o corte, nossas vendas aumentaram, mas logo começaram a cair novamente. Não estávamos suficientemente dentro do poder de compra do país para facilitar a compra. Os preços de varejo não tocaram o fundo. O público desconfiava de todos os preços. Traçamos nossos planos para outro corte e mantivemos nossa produção em torno de cem mil carros por mês. Essa produção não foi justificada por nossas vendas, mas queríamos ter o máximo possível de nossa matéria-prima transformada em produto acabado antes de encerrar o ano. Sabíamos que teríamos de parar para fazer um inventário e limpar a casa. Queríamos abrir com outro grande corte e ter carros à mão para suprir a demanda. Então os carros novos poderiam ser construídos com material comprado a preços mais baixos. Estávamos determinados a conseguir preços mais baixos.

Fechamos em dezembro com a intenção de abrir novamente em cerca de duas semanas. Havia tanto a fazer que, na verdade, não abrimos por quase seis semanas. No momento em que encerramos, os rumores sobre nossa condição financeira se tornaram cada vez mais insistentes. Sei que muitas pessoas esperavam que tivéssemos de sair atrás de dinheiro – pois, se procurávamos dinheiro, então teríamos de aceitar um acordo. Não pedimos dinheiro. Não queríamos dinheiro. Recebemos uma oferta. Um oficial de um banco de Nova Iorque me ofereceu um plano financeiro que incluía um grande empréstimo que incluía um acordo pelo qual um representante dos banqueiros atuaria como tesoureiro e se encarregaria das finanças da companhia. Essas pessoas eram bem-intencionadas, tenho certeza. Não queríamos pegar dinheiro emprestado, mas aconteceu que no momento estávamos sem tesoureiro. Nesse sentido, os banqueiros haviam imaginado nossa condição corretamente. Pedi a meu filho Edsel para ser tesoureiro e presidente da companhia. Aquilo nos arranjou um tesoureiro, então não havia de fato nada que os banqueiros pudessem fazer por nós.

Então começamos a limpar a casa. Durante o conflito mundial, entramos em vários tipos de trabalho de guerra e, portanto, fomos forçados a nos afastar de nosso princípio de um único produto, obrigando-nos a abrir novos departamentos. O trabalho do escritório havia aumentado, e grande parte da produção se desperdiçava. O trabalho de guerra é precipitado e constitui um desperdício. Começamos a jogar fora tudo o que não contribuía para a produção de carros.

O único pagamento imediato programado era o bônus puramente voluntário de sete milhões de dólares para nossos operários. Não havia obrigação de pagar, mas queríamos pagar no dia primeiro de janeiro. E pagamos de nosso dinheiro em caixa.

Em todo o país, temos trinta e cinco filiais. Todas são fábricas de montagem, mas em vinte e duas delas também se fabricam peças. Elas tinham parado de fabricar peças, mas continuavam montando carros. No momento do encerramento, praticamente não tínhamos carros em Detroit. Tínhamos enviado todas as peças, e em janeiro os revendedores de Detroit realmente tiveram de ir muito longe, até Chicago e Columbus, para conseguir carros para as necessidades locais.

As filiais faziam remessas para cada revendedor, sob sua cota anual, de carros suficientes para cobrir as vendas de cerca de um mês. Os revendedores trabalharam duro nas vendas. Durante a segunda metade de janeiro, convocamos uma organização de cerca de dez mil homens, a maioria encarregados, subencarregados e chefes-assistentes, e iniciamos a produção em Highland Park. Reunimos nossas contas no exterior e vendemos nossos subprodutos.

Então estávamos prontos para a produção completa. E, entrando de maneira gradual em plena produção, seguimos em frente, em uma base lucrativa. A limpeza da casa varreu o lixo que havia elevado os preços e absorvido o lucro. Vendemos as coisas inúteis. Antes, empregávamos quinze homens por carro por dia. Depois, empregamos nove homens por carro por dia. Isso não significava que seis em cada quinze homens tivessem perdido o emprego. Eles apenas deixaram de ser improdutivos. Fizemos esse corte aplicando a regra de que tudo e todos devem produzir ou sair.

Reduzimos nossas forças do escritório pela metade e oferecemos a esses trabalhadores melhores empregos nas fábricas. A maioria deles aceitou. Abolimos todos os pedidos em branco e todas as formas de estatísticas que não ajudavam diretamente na produção de um carro. Estávamos reunindo toneladas de estatísticas porque eram interessantes.

Mas as estatísticas não constroem automóveis, então, foram descartadas.

Eliminamos sessenta por cento de nossas extensões de telefone. Apenas um número relativamente pequeno de homens em qualquer organização precisa de telefones. Antigamente, tínhamos um encarregado para cada cinco homens; agora temos um encarregado para cada vinte homens. Os outros encarregados estão trabalhando em máquinas.

Cortamos a despesa geral de cento e quarenta e seis dólares por carro para noventa e três dólares, e quando você perceber o que isso significa em mais de quatro mil carros por dia, você terá uma ideia de como, não pela economia, nem pelo corte de salários, mas pela eliminação de desperdício, é possível fazer um preço "impossível". Mais importante de tudo: descobrimos como usar menos dinheiro em nosso negócio acelerando a rotatividade. E, ao aumentar a taxa de rotatividade, um dos fatores mais importantes foi a Ferrovia Detroit, Toledo e Ironton – que compramos. A ferrovia ocupou um grande lugar no esquema da economia. Dediquei a ela um capítulo exclusivo.

Descobrimos, depois de algumas experiências, que o serviço de frete poderia ser melhorado o suficiente para reduzir o ciclo de fabricação de vinte e dois para catorze dias. Ou seja, a matéria-prima poderia ser comprada, fabricada e o produto final colocado nas mãos do distribuidor em (aproximadamente) trinta e três por cento menos tempo do que antes. Estávamos contabilizando um inventário de cerca de sessenta milhões de dólares para garantir uma produção ininterrupta. Diminuir o tempo em um terço liberou vinte milhões de dólares, ou um milhão e duzentos mil dólares por ano em juros. Contando o inventário final, economizamos aproximadamente oito milhões de dólares a mais, ou seja, fomos capazes de liberar vinte e oito milhões de dólares em capital e economizar os juros dessa quantia.

Em 1.º de janeiro, tínhamos vinte milhões de dólares. Em 1.º de abril, tínhamos oitenta e sete milhões e trezentos mil dólares, ou vinte e sete milhões e trezentos mil dólares a mais do que precisávamos para liquidar todo o nosso endividamento. Isso é o que o negócio entediante fez por nós! Esse valor chegou até nós da seguinte forma:

Dinheiro disponível, janeiro	$ 20.000.000
Estoque disponível transformado em dinheiro, de 1.º de janeiro a 1.º de abril	$ 24.700.000
Aceleração do trânsito de mercadorias liberadas	$ 28.000.000
Recolhidos de agentes em países estrangeiros	$ 3.000.000
Venda de subprodutos	$ 3.700.000
Venda de Títulos Liberty[4]	$ 7.900.000
TOTAL	**$ 87.300.000**

Contei tudo isso não como uma façanha, mas para ressaltar como uma empresa pode encontrar recursos em de si mesma, em vez de pedir empréstimos, e também para começar a pensar um pouco se o modelo de

---

[4] Título Liberty (ou empréstimo de liberdade) era um título de guerra vendido nos Estados Unidos para apoiar a causa aliada na Primeira Guerra Mundial. (N.T.)

nosso dinheiro não está valorizando os empréstimos e, assim, dando um lugar muito grande aos banqueiros.

    Poderíamos pegar emprestados quarenta milhões de dólares – ou mais, se quiséssemos. Suponha que tivéssemos pedido emprestado, o que teria acontecido? Deveríamos estar mais bem equipados para continuar nossos negócios? Ou mais mal equipados? Se tivéssemos pedido emprestado, não deveríamos ter necessidade de encontrar métodos para baratear a produção. Se tivéssemos sido capazes de obter o dinheiro a seis por cento do valor fixo – e devíamos pagar mais do que isso em comissões e coisas do gênero –, somente a taxa de juro, em uma produção anual de quinhentos mil carros, seria de cerca de quatro dólares por carro. Portanto, agora deveríamos estar sem o benefício de uma produção melhor e carregados com uma dívida pesada. Nossos carros provavelmente custariam cerca de cem dólares a mais do que custam; portanto, deveríamos ter uma produção menor, pois não poderíamos ter tantos compradores; deveríamos empregar menos homens e, em suma, não sermos capazes de servir ao máximo. Você perceberá que os financiadores propuseram uma solução emprestando dinheiro e não melhorando os métodos. Eles não sugeriram investir em um engenheiro; eles queriam investir em um tesoureiro.

    E esse é o perigo de ter banqueiros nos negócios. Eles pensam apenas em termos de dinheiro. Eles pensam em uma fábrica como produção de dinheiro, não de mercadorias. Eles querem ver o dinheiro, não a eficiência da produção. Eles não conseguem compreender que uma empresa nunca fica parada: deve seguir em frente ou recuar. Eles consideram a redução nos preços um desperdício de lucros, em vez de construção de negócios.

    Os banqueiros desempenham um papel muito importante na conduta da indústria. A maioria dos homens de negócios admitirá esse fato em particular. Eles raramente vão admitir isso publicamente porque têm medo de seus banqueiros. Ganhar uma fortuna negociando em dinheiro exige menos habilidade do que negociando em produção. O banqueiro de sucesso médio não é de modo algum um homem tão inteligente e engenhoso quanto o homem de negócios de sucesso médio. No entanto, o banqueiro, por meio de seu controle de crédito, praticamente controla o homem de negócios médio.

Nos últimos quinze ou vinte anos, houve um grande esforço dos banqueiros – e especialmente desde a guerra –, e o Sistema de Reserva Federal, por um tempo, colocou em suas mãos uma provisão quase ilimitada de crédito. O banqueiro é, como observei, por seu treinamento e por causa de sua posição, totalmente inadequado para a conduta da indústria. Se, portanto, os controladores de crédito adquiriram recentemente esse enorme poder, isso não deve ser tomado como um sinal de que há algo errado com o sistema financeiro, que concede financiamento em vez de assistir o poder predominante na indústria? Não foi a perspicácia industrial dos banqueiros que os levou ao gerenciamento da indústria. Todo mundo vai admitir isso. Eles foram empurrados para lá, queiram ou não, pelo próprio sistema. Portanto, eu pessoalmente quero descobrir se estamos operando sob o melhor sistema financeiro.

Agora, quero esclarecer que minha objeção aos banqueiros não é pessoal. Não sou contra banqueiros como tais. Precisamos muito de homens criteriosos, hábeis em finanças. O mundo não pode continuar sem estabelecimentos bancários. Precisamos ter dinheiro. Precisamos ter crédito. Caso contrário, os frutos da produção não poderiam ser comercializados. Precisamos ter capital. Sem ele não poderia haver produção. Todavia, se baseamos nossos serviços bancários e nosso crédito no alicerce correto, isso é outra questão.

Não é minha intenção atacar nosso sistema financeiro. Não estou na posição de quem foi derrotado pelo sistema e quer vingança. Pessoalmente, não faz a menor diferença para mim o que os banqueiros fazem, porque somos capazes de gerenciar nossos negócios sem ajuda financeira externa. Minha pergunta não é incitada por nenhum motivo pessoal. Só quero saber se o melhor está sendo entregue ao maior número de pessoas.

Nenhum sistema financeiro é bom se favorece uma classe de produtores em detrimento de outra. Queremos descobrir se não é possível subtrair o poder que não se baseia na criação de riqueza. Qualquer tipo de legislação de classe é pernicioso. Penso que os métodos de produção mudaram tanto no país que o ouro não é o melhor meio com o qual ela pode ser medida, e que o padrão de ouro como controle de crédito gera, como é agora (e, acredito, inevitavelmente) administrado, vantagem de classe. O controle máximo sobre o crédito é a quantidade de ouro do país, independentemente da quantidade de riqueza que ele tenha.

Não estou preparado para dogmatizar sobre dinheiro ou crédito. No que diz respeito ao dinheiro e ao crédito, ninguém ainda sabe o suficiente sobre eles para dogmatizar. Toda essa questão – como todas as outras questões de real importância – precisa ser esclarecida, e isso por meio de experimentos cautelosos e bem fundamentados. E não estou inclinado a ir além de experimentos cautelosos. Temos de prosseguir passo a passo e com muito cuidado. A questão não é política, é econômica, e estou perfeitamente certo de que ajudar as pessoas a pensar sobre ela é muito vantajoso. Elas não agirão sem o conhecimento adequado, causando assim um desastre, se fizer um esforço sincero para fornecer- -lhes conhecimento. A questão do dinheiro ocupa o primeiro lugar em multidões de mentalidade de todos os graus ou poder. Entretanto, uma olhada na maioria dos sistemas de panaceia mostra como eles são contraditórios.

A maioria deles parte da suposição de que a honestidade humana é um defeito primordial. Até nosso sistema atual funcionaria de maneira esplêndida se todos os homens fossem honestos. De fato, toda a questão do dinheiro é noventa e cinco por cento de natureza humana; e seu sistema bem-sucedido deve controlar a natureza humana, e não depender dela.

As pessoas estão pensando sobre a questão do dinheiro; e se os donos de dinheiro têm alguma informação que acham que as pessoas deveriam conhecer para impedir que se extraviem, é hora de fornecê-la. Os dias estão se esvaindo muito rápido, enquanto o medo da restrição de crédito vai beneficiar as pessoas, ou frases prolixas vão atemorizá-las. As pessoas são naturalmente conservadoras. Elas são mais conservadoras do que os financiadores. Aqueles que acreditam que as pessoas são lideradas tão facilmente que permitiriam que as prensas de impressão ficassem sem dinheiro não as entendem. Foi o conservadorismo inato das pessoas que manteve nosso dinheiro valorizado, apesar dos truques fantásticos que os financiadores praticaram – e que eles encobriram com altos termos técnicos.

As pessoas estão do lado do dinheiro saudável. Elas estão do lado do dinheiro saudável de um modo tão inalterado que é uma questão séria como considerariam o sistema sob o qual vivem se soubessem o que os iniciados podem fazer com ele.

O atual sistema monetário não será alterado pelo discurso, pelo sensacionalismo político ou pelo experimento econômico. Ele vai mudar sob a pressão das condições – condições e pressão que não podemos controlar. Essas condições estão agora conosco; essa pressão está agora sobre nós.

As pessoas devem ser ajudadas a pensar naturalmente sobre dinheiro. Elas devem ser informadas sobre o que ele é, o que o torna dinheiro, e quais são os possíveis truques do sistema atual que coloca nações e povos sob o controle de poucos.

Afinal, o dinheiro é extremamente simples. Faz parte do nosso sistema de transporte. É um método simples e direto de transportar mercadorias de uma pessoa para outra. O dinheiro é, por si só, admirável. Essencial. Não é intrinsecamente perverso. É um dos instrumentos mais úteis na vida social. E quando faz o que foi destinado a fazer, só traz ajuda, sem estorvo.

No entanto, dinheiro sempre deve ser dinheiro. Um pé tem sempre trinta centímetros, mas quanto vale um dólar? Se os pesos das toneladas mudassem na mina de carvão, e as medidas mudassem na mercearia, e as varas tivessem hoje um metro e amanhã oitenta centímetros (por algum processo oculto chamado "câmbio"), as pessoas logo poderiam remediar isso. Quando um dólar nem sempre vale um dólar, quando o dólar de cem centavos se torna o dólar de sessenta e cinco centavos, e depois o dólar de cinquenta centavos, e então o dólar de quarenta e sete centavos, como fizeram os bons e velhos dólares americanos de ouro e prata, qual é a utilidade de bradar sobre "dinheiro barato", "dinheiro depreciado"? Um dólar que permanece valendo cem centavos é tão necessário quanto uma libra que permanece com meio quilo e uma jarda que permanece com noventa e um centímetros.

Os banqueiros que fazem transações bancárias honestas devem se considerar naturalmente os primeiros homens a investigar e entender nosso sistema monetário – em vez de se contentarem com o domínio dos métodos das casas bancárias locais; e se eles privassem os especuladores do nome de "banqueiro" e os expulsassem de uma vez por todas da influência que esse nome lhes dá, os bancos seriam restaurados e consagrados como o serviço público que deveriam ser; e as iniquidades do atual sistema monetário e de dispositivos financeiros seriam retiradas dos ombros do povo.

Existe um "se" aqui, é claro. Mas não é intransponível. Os negócios estão chegando a um bloqueio, e se aqueles que têm facilidade técnica não se engajarem para remediar o caso, os que carecem dela podem tentar. Nada é mais absurdo do que qualquer classe presumir que o progresso é um ataque a ela. O progresso é apenas um chamado a ele para emprestar sua experiência para o avanço geral. Somente os imprudentes tentarão obstruir o progresso e, assim, tornar-se suas vítimas. Todos nós estamos aqui juntos, todos devemos avançar juntos; é totalmente absurdo para qualquer homem ou classe ofender-se com a agitação do progresso. Se os financiadores sentem que o progresso é apenas a inquietação das pessoas de mente fraca, se consideram todas as sugestões de melhora um ataque pessoal, então eles estão tomando a parte que prova que, mais do que qualquer outra coisa, sua inaptidão continua em sua liderança.

Se o atual sistema falho é mais lucrativo para um financiador do que um sistema mais perfeito o seria, e se esse financiador valoriza seus poucos anos de lucros pessoais mais do que valorizaria a honra de contribuir para a vida do mundo ajudando a erigir um sistema melhor, então não há como impedir um choque de interesses. Contudo, é justo dizer aos interesses financeiros egoístas que, se a luta deles é travada para perpetuar um sistema apenas porque os beneficia, então, a luta já está perdida. Por que financiar o medo? O mundo ainda estará aqui. Os homens farão negócios uns com os outros. Haverá dinheiro e haverá necessidade de mestres no mecanismo do dinheiro. Nada vai se desfazer, a não ser os nós e emaranhados. Haverá alguns reajustes, é claro. Os bancos não serão mais os mestres da indústria. Eles serão os seus servos. Os negócios vão controlar o dinheiro em vez de o dinheiro controlar os negócios. O ruinoso sistema de juros será bastante modificado. O setor bancário não será um risco, mas um serviço. Os bancos vão começar a fazer muito mais pelas pessoas do que fazem agora e, em vez de serem os negócios mais caros do mundo para administrar e os mais altamente lucrativos em termos de dividendos, eles se tornarão menos dispendiosos, e os lucros de sua operação irão para a comunidade a que eles servem.

Dois fatos da antiga ordem são fundamentais. Primeiro: dentro da própria nação, a tendência do controle financeiro se dá em direção a suas maiores instituições bancárias centralizadas – um banco do governo ou um grupo estreitamente aliado de financiadores privados. Sempre existe em todas as nações um controle definitivo do crédito por interesses privados ou semipúblicos. Segundo: no mundo como um todo, a mesma tendência centralizadora está em vigor. Um crédito americano está sob controle dos interesses de Nova Iorque como antes da Guerra Mundial o crédito era controlado em Londres – a libra esterlina britânica era o padrão de câmbio para o comércio mundial.

Dois métodos de reforma estão abertos para nós, um começando na base e outro no topo. O último é o modo mais organizado; o primeiro está sendo experimentado na Rússia. Se nossa reforma começar no topo, exigirá uma visão social e um fervor altruísta de sinceridade e intensidade que é totalmente inconsistente com a astúcia egoísta.

A riqueza do mundo não consiste em dinheiro nem é adequadamente representada pelo dinheiro do mundo. O ouro em si não é uma mercadoria valiosa. Ele não é mais riqueza do que marcas de chapéu são chapéus. Mas ele pode ser tão manipulado, como sinal da riqueza, a ponto de dar a seus proprietários ou controladores vantagem sobre o crédito que os produtores de riqueza real exigem. Lidar com dinheiro, a mercadoria da troca, é um negócio muito lucrativo. Quando o próprio dinheiro se torna um item de comércio a ser comprado e vendido antes que a riqueza real possa ser movida ou trocada, os usurários e especuladores podem, assim, aplicar um imposto sobre a produção. O domínio que os controladores do dinheiro são capazes de manter sobre as forças produtivas é visto como mais poderoso quando se lembra que, embora o dinheiro deva representar a riqueza real do mundo, sempre há muito mais riqueza do que dinheiro; e a riqueza real é muitas vezes compelida a esperar pelo dinheiro, consequentemente levando à situação mais paradoxal – um mundo cheio de riqueza, mas sofrendo miséria.

Esses fatos não são meramente fiscais, devem ser lançados em cifras e deixados lá. Eles estão unidos com o destino humano e sangram. A pobreza do mundo raramente é causada pela falta de bens, mas por uma "escassez do dinheiro". Competição comercial entre nações, que leva à rivalidade internacional e à animosidade, que por sua vez geram guerras – esses são alguns dos significados humanos desses fatos. Assim, a pobreza e a guerra, dois grandes males evitáveis, crescem em um único tronco.

Vamos ver se não se pode encontrar um método melhor.

POR QUE SER POBRE?

A pobreza provém de várias fontes, as mais importantes das quais são controláveis. O mesmo acontece com privilégios especiais. Acredito que é inteiramente viável abolir ambos, a pobreza e os privilégios especiais – e não pode haver dúvida de que a abolição deles é desejável. Ambos são antinaturais, mas é um trabalho, não uma lei, para o qual devemos buscar resultados.

Por pobreza quero dizer a falta de comida, moradia e roupas razoavelmente suficientes para um indivíduo ou uma família. Terá de haver diferenças nos graus de sustento. Os homens não são iguais em mentalidade ou no físico. Qualquer plano que comece com a suposição de que os homens são ou devem ser iguais é antinatural e, portanto, inviável. Não pode haver um processo viável ou desejável de baixo nivelamento. Tal curso apenas promove a pobreza, tornando-a universal em vez de excepcional. Forçar o produtor eficiente a se tornar ineficiente não torna o produtor ineficiente mais eficiente. A pobreza pode ser eliminada apenas pela abundância, e hoje avançamos o suficiente na ciência da produção para sermos capazes de ver, como um desenvolvimento natural, que um dia a produção e a distribuição serão tão científicas que todos poderão ter posses de acordo com sua habilidade e aplicação.

Os socialistas extremos foram muito longe em seu raciocínio de que a indústria inevitavelmente esmagaria o trabalhador. A indústria moderna está gradualmente erguendo o trabalhador e o mundo. Só precisamos saber mais sobre planejamento e métodos. Os melhores resultados podem e serão alcançados pela iniciativa e pela engenhosidade individuais – pela liderança individual inteligente. O governo, por ser essencialmente negativo, não pode dar ajuda positiva a nenhum programa realmente construtivo. Pode dar ajuda negativa – removendo os obstáculos ao progresso e deixando de ser um fardo para a comunidade.

As causas subjacentes da pobreza, como posso vê-las, são essencialmente devidas ao mau ajuste entre produção e distribuição, tanto na indústria quanto na agricultura – entre a fonte de energia e sua aplicação. As perdas por falta de ajuste são monumentais. Todas essas perdas devem cair antes que a liderança inteligente seja consagrada ao serviço. Enquanto a liderança pensar mais em dinheiro do que em serviço, as perdas continuarão. A perda é impedida por homens previdentes, não por imprudentes. Os homens imprudentes pensam primeiro no dinheiro. Eles não podem ver a perda. Pensam no serviço como altruísta, e não como a coisa mais prática do mundo. Não conseguem se afastar o suficiente das pequenas coisas para ver as grandes – para ver a maior coisa de todas: a produção oportunista do ponto de vista puramente monetário é a menos lucrativa.

O serviço pode ser baseado no altruísmo, mas esse tipo de serviço não é normalmente o melhor. O sentimental tropeça no prático.

Não que as empresas industriais sejam incapazes de distribuir uma parte da riqueza que criam. Simplesmente, a perda é tão grande que não há uma parcela suficiente para todos os envolvidos, apesar de o produto ser normalmente vendido a um preço tão alto que restringe seu consumo máximo.

Tomemos algumas das perdas. Tomemos o desperdício de energia. O vale do Mississípi está sem carvão. Em seu centro, despeja muitos milhões de capacidade de potência – o rio Mississípi. Mas se as pessoas às suas margens querem energia ou calor, elas compram o carvão que foi carregado por centenas de quilômetros e, consequentemente, tem de ser vendido muito acima de seu valor como calor ou energia. Ou, se não podem comprar esse carvão caro, elas cortam árvores, privando-se assim de um dos grandes conservadores de energia hídrica. Até recentemente, elas nunca pensaram que a energia em questão, por pouco mais que o custo inicial, poderia aquecer, iluminar, cozinhar e trabalhar para a imensa população que aquele vale está destinado a sustentar.

A cura da pobreza não está na economia pessoal, mas na melhor produção.

As ideias de "parcimônia" e "economia" têm sido exaustivas. A palavra "economia" representa um medo. O grande e trágico fato da perda é impresso na mente por alguma circunstância, em geral do tipo mais materialista. Surge uma reação violenta contra a extravagância – a mente se agarra à ideia de "economia". Mas ela apenas voa de um mal maior para um menor; não faz a jornada completa do erro à verdade.

A economia é a regra das mentes semivivas. Não pode haver dúvida de que é melhor do que a perda; nem pode haver dúvida de que não é tão boa quanto seu uso. As pessoas que se orgulham de sua economia a consideram uma virtude. Mas o que é mais lamentável do que uma mente pobre e abatida que passa seus ricos dias e anos agarrando alguns pedaços de metal? O que pode haver de bom em reduzir às pressas as necessidades da vida? Todos conhecemos "pessoas econômicas", que parecem ser avarentas até mesmo quanto à quantidade de ar que respiram e à quantidade de apreciação que se permitem dar a qualquer coisa.

Elas definham – corpo e alma. Economia é desperdício: é desperdício dos sumos da vida, da seiva da vida. Pois existem dois tipos de perda: o do pródigo, que joga fora sua substância em uma vida desenfreada; e o do preguiçoso, que permite que sua substância apodreça pelo não uso. O economizador rígido corre o risco de ser classificado como preguiçoso. A extravagância é geralmente uma reação à supressão de gastos. A economia provavelmente é uma reação à extravagância.

Tudo nos foi dado para usar. Não existe mal do qual soframos que não tenha vindo do mau uso. O pior pecado que podemos cometer contra as coisas da nossa vida comum é usá-las de maneira imprópria. "Mau uso" é o termo mais amplo. Gostamos de dizer "desperdício", mas o desperdício é apenas uma fase do mau uso. Todo desperdício é mau uso; todo mau uso é desperdício.

É possível até enfatizar demais o hábito de economizar. É apropriado e desejável que todos tenham uma margem; é de fato um desperdício não a ter se você pode tê-la. Porém, ela pode ser exagerada. Ensinamos as crianças a economizar seu dinheiro. Como uma tentativa de neutralizar despesas impensadas e egoístas, isso tem um valor. Mas não é positivo; não conduz a criança a caminhos seguros e úteis de autoexpressão ou autodespesa. Ensinar uma criança a investir e usar é melhor do que ensiná-la a economizar. A maioria dos homens que estão economizando laboriosamente alguns dólares faria melhor ao investir esses poucos dólares – primeiro em si mesmos e depois em algum trabalho útil. Eventualmente, eles teriam mais para economizar. Os jovens devem investir em vez de economizar. Eles devem investir em si mesmos para aumentar o seu valor criativo; depois de terem chegado ao auge da utilidade, haverá tempo suficiente para pensar em deixar de lado, como política fixa, certa parcela substancial da renda. Você não está "economizando" quando se impede de se tornar mais produtivo. Você está realmente subtraindo seu capital máximo; você está reduzindo o valor de um dos investimentos da natureza. O princípio de uso é o verdadeiro guia. O uso é positivo, ativo, vital. O uso é viver. O uso acrescenta à soma do bem.

O desejo pessoal pode ser evitado sem alterar a condição geral. Aumentos salariais, aumentos de preços, aumentos de lucros, outros tipos de aumentos projetados para trazer mais dinheiro aqui ou ali são apenas tentativas dessa ou daquela classe de sair do fogo – independentemente do que possa acontecer com todos os outros. Há uma crença tola de que, se apenas se puder obter dinheiro, de alguma forma pode-se resistir à tempestade. A mão de obra acredita que, se conseguir mais salários, poderá resistir à tempestade. O capital pensa que, se conseguir mais lucros, poderá resistir à tempestade. Existe uma fé patética no que o dinheiro pode fazer. O dinheiro é muito útil em tempos normais, mas não tem mais valor do que as pessoas que o produzem, e pode ser mal utilizado. Pode ser tão supersticiosamente venerado como um substituto da riqueza real que destrói por completo seu valor.

A ideia de que existe um conflito essencial entre a indústria e a agricultura persiste. Não existe tal conflito. Não faz sentido dizer que, como as cidades estão superlotadas, todos devem voltar à fazenda. Se todos o fizessem, a agricultura logo deixaria de ser uma ocupação satisfatória. Não é mais sensato para todos dirigir-se para as cidades manufatureiras. Se as fazendas estão desertas, de que servem os fabricantes? Pode existir uma reciprocidade entre agricultura e indústria. O fabricante pode dar ao agricultor o que ele precisa para ser um bom agricultor, e o agricultor e outros produtores de matérias-primas podem dar ao fabricante o que ele precisa para ser um bom fabricante. Então, com o transporte como mensageiro, teremos um sistema estável e sólido com base no serviço. Se vivermos em comunidades menores, onde a tensão de viver não é tão alta e onde os produtos dos campos e jardins podem ser adquiridos sem a interferência de tantos exploradores, haverá pouca pobreza ou inquietação.

Veja toda essa questão do trabalho sazonal. Tome a construção como um exemplo de comércio sazonal. Que desperdício de energia é permitir que os construtores hibernem durante o inverno, esperando a chegada da temporada de construção!

E que semelhante desperdício de habilidade é forçar artesãos experientes, que entraram em fábricas para escapar da perda da temporada de inverno, a permanecer nos empregos da fábrica durante a temporada de construção porque eles temem não conseguir de volta seu lugar na fábrica no inverno. Que desperdício esse sistema tem sido o ano todo! Se o agricultor pudesse se afastar da fábrica para cultivar sua fazenda nas épocas de plantio, cultivo e colheita (são apenas uma pequena parte do ano, afinal), e se o construtor pudesse se afastar da fábrica para exercer seu comércio em sua época útil, quão melhores eles seriam e quão mais facilmente o mundo prosseguiria!

Suponha que todos nós nos mudássemos para o exterior toda primavera e verão e vivêssemos lá uma vida saudável por três ou quatro meses! Não poderíamos ter "tempos de folga".

A agricultura tem sua época de calmaria. É o momento de o agricultor entrar para a fábrica e ajudar a produzir o que ele precisa para cultivar a fazenda. A fábrica também tem sua época de calmaria. É o momento de os operários saírem para a terra para ajudar a produzir alimentos. Assim, podemos tirar a folga do trabalho e restaurar o equilíbrio entre o artificial e o natural.

Todavia, o menor benefício seriaque obteríamos uma visão mais equilibrada da vida. A mistura das artes não é apenas benéfica em termos materiais, mas contribui para a amplitude da mente e a imparcialidade de julgamento. Hoje, grande parte de nossa inquietação é resultado de um julgamento estreito e preconceituoso. Se nosso trabalho fosse mais diversificado, se víssemos mais lados da vida, se víssemos quão necessário um fator é para outro, seríamos mais equilibrados. Todo homem fica melhor durante um período de trabalho sob o céu aberto.

Isso não é de todo impossível. O que é desejável e certo nunca é impossível. Significaria apenas um pouco de trabalho em equipe – um pouco menos de atenção à ambição gananciosa e um pouco mais de atenção à vida.

Quem é rico acha desejável ir embora durante três ou quatro meses por ano e vaguear em ociosidade em algum *resort* luxuoso de inverno ou verão.

A gente comum do povo americano não perderia seu tempo dessa maneira, mesmo que pudesse. Mas eles organizariam o trabalho em equipe necessário para um emprego sazonal, ao ar livre.

Dificilmente é possível duvidar que grande parte da inquietação que vemos em nós seja resultado de modos de vida não naturais. Os homens que fazem a mesma coisa continuamente o ano todo e ficam afastados da saúde do sol e da amplitude dos grandes espaços ao ar livre dificilmente devem ser culpados se virem as coisas sob uma luz distorcida. E isso se aplica de modo igual ao capitalista e ao trabalhador.

O que há na vida que impediria modos de vida normais e saudáveis? E o que há na indústria incompatível com todas as artes que recebem, por sua vez, a atenção dos qualificados para servir nelas? Pode-se objetar que, se os operários industriais fossem retirados das fábricas todo verão, isso impediria a produção. Mas devemos olhar para a questão de um ponto de vista universal. Devemos considerar o aumento da energia dos operários industriais após três ou quatro meses de trabalho ao ar livre. Também devemos considerar que efeito um retorno geral aos campos teria no custo de vida.

Como indiquei em um capítulo anterior, temos trabalhado em direção a essa combinação de fazenda e fábrica, com resultados inteiramente satisfatórios. Em Northville, não muito longe de Detroit, temos uma pequena fábrica de válvulas. É uma fábrica modesta, mas produz muitas válvulas. Tanto o gerenciamento quanto o mecanismo da fábrica são comparativamente simples, porque fazem apenas uma coisa. Não precisamos procurar empregados qualificados. A habilidade está na máquina. As pessoas do campo podem trabalhar na fábrica uma parte do tempo e na fazenda em outra parte, pois a agricultura mecânica não é muito trabalhosa. A energia é derivada da água.

Outra fábrica em escala um pouco maior está em construção em Flat Rock, a cerca de vinte e quatro quilômetros de Detroit. Nós represamos o rio. O represamento também serve como uma ponte para a Ferrovia Detroit, Toledo e Ironton, que precisava de uma nova ponte naquele ponto e uma estrada para o público – tudo em uma única construção. Vamos fazer nosso vidro nesse local. O represamento do rio fornece água suficiente para a flutuação da maior parte de nossa matéria-prima. Também nos fornece energia por meio de uma usina hidrelétrica. E, estando bem no meio do campo agrícola, não há possibilidade de aglomeração ou de qualquer um dos males decorrentes de uma concentração populacional muito grande. Os homens terão lotes de terra ou fazendas, bem como seus empregos na fábrica, e estes podem estar espalhados por vinte e quatro ou trinta e dois quilômetros ao redor, pois é claro que hoje em dia o trabalhador pode ir à fábrica de automóvel. Lá teremos a combinação de agricultura e industrialismo e a total ausência de todos os males da concentração.

A crença de que um país industrial precisa concentrar suas indústrias não é, na minha opinião, bem fundamentada. Essa é apenas uma etapa do desenvolvimento industrial. À medida que aprendemos mais sobre fabricação e também a criar artigos com peças intercambiáveis, essas peças podem ser fabricadas nas melhores condições possíveis. E essas condições, no que diz respeito aos empregados, também são as melhores possíveis do ponto de vista da fabricação. Não se poderia colocar uma grande usina em um pequeno riacho. Pode-se colocar uma pequena usina em um pequeno riacho, e a combinação de pequenas usinas, cada uma fazendo uma única peça, tornará o conjunto mais barato do que se fosse feito numa vasta fábrica. Há exceções, como onde se deve fazer a fundição. Em tal caso, como em River Rouge, queremos combinar a fabricação do metal e sua fundição, e também queremos usar toda a energia residual. Isso requer um enorme investimento e uma força considerável de homens em um só lugar. Mas tais combinações são a exceção e não a regra, e não haveria o suficiente delas para interferir de modo sério no processo de interrupção da concentração da indústria.

A indústria vai se descentralizar. Não há uma cidade que seja reconstruída como é, caso fosse destruída – fato que, por si só, é uma confissão de nossa real estima por nossas cidades. A cidade tinha um lugar para preencher, um trabalho a fazer. Sem dúvida, os lugares do campo não seriam habitáveis se não fosse pelas cidades. Ao se aglomerar, os homens aprenderam alguns segredos. Eles nunca os teriam aprendido sozinhos no campo. Saneamento, iluminação, organização social – tudo isso é produto da experiência dos homens na cidade. Mas também todas as doenças sociais de que hoje sofremos se originaram e se concentram nas grandes cidades. Você encontrará as comunidades menores vivendo juntas em uníssono com as estações, sem pobreza extrema nem riqueza – nenhuma das pragas violentas de transtorno e inquietação que afligem nossas grandes populações. Há algo sobre uma cidade de um milhão de pessoas que é indomável e ameaçador. A quarenta e oito quilômetros de distância, aldeias felizes e satisfeitas leem nos jornais notícias sobre os delírios da cidade! Uma grande cidade é realmente uma massa desamparada. Tudo o que ela usa é levado a ela. Pare o transporte e a cidade para. Ele mora nas prateleiras das lojas. As prateleiras não produzem nada. A cidade não pode se alimentar, se vestir, se aquecer ou se abrigar. As condições de trabalho e vida na cidade são tão artificiais que, às vezes, os instintos se rebelam contra sua falta de naturalidade.

E, por fim, as despesas gerais do custo de vida ou de fazer negócios nas grandes cidades estão se tornando tão grandes que são insuportáveis. Isso coloca um imposto tão grande sobre a vida que não há mais excedentes para se viver. Os políticos acharam fácil pedir dinheiro emprestado e o farão até o limite. Na última década, o custo de administrar todas as cidades do país aumentou tremendamente. Uma boa parte dessa despesa é com juros sobre dinheiro emprestado; o dinheiro foi para itens não produtivos, como tijolo, pedra e argamassa, ou para necessidades da vida da cidade, como abastecimento de água e sistemas de esgoto, muito acima de um custo razoável. O custo de manter essas obras, o custo de manter em ordem grandes massas de pessoas e tráfego é maior do que as vantagens derivadas da vida comunitária. A cidade moderna tem sido pródiga, hoje está falida e amanhã deixará de existir.

A provisão de uma grande quantidade de energia barata e conveniente – não de uma só vez, mas como pode ser usada – fará mais do que qualquer outra coisa para trazer o equilíbrio da vida e o corte dos desperdícios que geram pobreza. Não existe uma fonte única de energia. Pode ser que a geração de eletricidade por uma usina a vapor na boca da mina seja o método mais econômico para uma comunidade. A energia hidrelétrica pode ser melhor para outra comunidade. Entretanto, é certo que em toda comunidade deveria haver uma estação central para fornecer energia barata – que deveria ser considerada tão essencial quanto uma ferrovia ou o abastecimento de água. E poderíamos ter todas as grandes fontes de energia aproveitadas e trabalhando para o bem comum, não fosse o custo da obtenção de capital no meio do caminho. Acredito que teremos de rever algumas de nossas noções sobre capital.

O capital que uma empresa produz para si própria, que é empregado para expandir a oportunidade do operário e aumentar seu conforto e prosperidade, e que é usado para dar trabalho a cada vez mais homens, reduzindo ao mesmo tempo o custo do serviço ao público – esse tipo de capital, mesmo estando sob controle único, não é uma ameaça para a humanidade. É um excedente de trabalho mantido em confiança e uso diário para o benefício de todos. O detentor de tal capital mal pode considerá-lo uma recompensa pessoal. Nenhum homem pode considerar um excedente como próprio, pois não o criou sozinho. Ele é o produto conjunto de toda a sua organização. A ideia do proprietário pode ter liberado toda a energia e direção, mas certamente não as forneceu. Cada operário foi um parceiro na sua criação. Nenhum negócio pode ser considerado apenas com referência ao dia de hoje e às pessoas envolvidas nele. Ele deve ter os meios para continuar. Os salários devem ser os melhores. Deve-se garantir uma vida adequada a todos os participantes do negócio – independentemente da parte dele. No entanto, para que essa empresa tenha a capacidade de sustentar aqueles que nela trabalham, deve haver um excedente em algum fundo. O fabricante verdadeiramente honesto mantém seus lucros excedentes nesse fundo. Por fim, não importa onde esse excedente seja mantido nem quem o controla; é o seu uso que importa.

O capital que não está constantemente criando mais e melhores empregos é mais inútil do que a areia. O capital que não está constantemente tornando as condições do trabalho diário melhores e a recompensa do trabalho diário mais justa não está cumprindo sua função mais alta. A maior função do capital não é ganhar mais dinheiro, mas fazer com que o dinheiro preste mais serviços para melhorar a vida. A menos que nós, em nossas indústrias, ajudemos a resolver o problema social, não estamos fazendo nosso trabalho principal. Não estamos servindo de modo pleno.

O TRATOR
E A AGRICULTURA
MECÂNICA

Não é de conhecimento geral que nosso trator, que chamamos de "Fordson", foi colocado em produção cerca de um ano antes do previsto, por causa da emergência alimentar dos Aliados em tempo de guerra, e que toda a nossa produção inicial (à parte, claro, das máquinas de teste e experimentais) foi direto para a Inglaterra. Enviamos todos os cinco mil tratores para o outro lado do mar no período crítico de 1917-1918, quando os submarinos estavam mais ocupados. Cada um deles chegou em segurança, e oficiais do governo britânico foram bons o suficiente para dizer que, sem a ajuda deles, a Inglaterra mal poderia ter enfrentado sua crise alimentar.

Foram esses tratores, dirigidos principalmente por mulheres, que araram as antigas propriedades e campos de golfe e permitiram que toda a Inglaterra fosse plantada e cultivada sem tirar o poder dos combatentes ou paralisar as forças nas fábricas de munições.

Isso aconteceu da seguinte maneira: a administração alimentar inglesa, na época em que entramos na guerra, em 1917, viu que, com os submarinos alemães torpedeando um cargueiro quase todos os dias, o já baixo suprimento marítimo seria totalmente inadequado para transportar as tropas americanas através dos mares e as munições essenciais para essas tropas e para os Aliados, além de transportar alimentos para as forças de combate e, ao mesmo tempo, alimentos suficientes para a população local da Inglaterra. Foi então que começaram a enviar da Inglaterra as esposas e famílias dos colonos e fizeram planos para o cultivo de colheitas em casa. A situação era grave. Não havia animais de tração suficientes em toda a Inglaterra para arar e cultivar terras para aumentar colheitas em volume suficiente para reduzir as importações de alimentos. A agricultura mecânica era pouco conhecida, pois as fazendas inglesas não eram, antes da guerra, grandes o suficiente para garantir a compra de máquinas agrícolas pesadas e caras, e em especial com mão de obra agrícola tão barata e abundante. Várias empresas na Inglaterra produziam tratores, mas eram equipamentos pesados e, na maioria, movidos a vapor. E não havia o suficiente. Não se podia facilmente fabricar mais, pois todas as fábricas estavam trabalhando em munições e, mesmo que eles tivessem sido fabricados, eram muito grandes e desajeitados para o campo médio e, além disso, precisavam ser dirigidos por maquinistas. Reunimos vários tratores em nossa fábrica de Manchester para fins de demonstração. Eles foram fabricados nos Estados Unidos e apenas montados na Inglaterra. O Conselho de Agricultura solicitou à Sociedade Real de Agricultura que fizesse um teste com esses tratores e apresentasse um relatório. Isto é o que eles relataram:

A pedido da Sociedade Real de Agricultura da Inglaterra, examinamos dois tratores Ford, de 25 HP, no trabalho de aragem.

Primeiro, a aragem cruzada de um pousio de terra forte em condições sujas e, posteriormente, em um campo de terra mais leve que semeara grama áspera e que oferecia todas as oportunidades de testar o motor no nível plano e em uma colina íngreme.

No primeiro teste, utilizou-se um arado Oliver de dois sulcos, arando em média doze centímetros de profundidade com um sulco de quarenta centímetros de largura; um arado Cockshutt de três sulcos também foi usado na mesma profundidade com o peito inclinado vinte e cinco centímetros.

No segundo teste, utilizou-se o arado de três sulcos, arando uma média de quinze centímetros de profundidade.

Em ambos os casos, o motor fez seu trabalho com facilidade, e, em um hectare medido, o tempo despendido foi de uma hora e trinta minutos, com um consumo de dois galões de querosene por hectare.

Consideramos esses resultados muito satisfatórios.

Os arados não eram muito adequados para a terra e, consequentemente, os tratores estavam trabalhando em desvantagem.

O peso total do trator carregado com combustível e água, conforme pesado por nós, era de cerca de mil e cinquenta quilos.

O trator é leve por sua potência e, consequentemente, é leve sobre a terra; de fácil manuseio, gira em um pequeno círculo e deixa uma faixa muito estreita de terra não lavrada nas extremidades.

O motor é rapidamente iniciado a frio com um pequeno suprimento de gasolina.

Após esses testes, prosseguimos com os trabalhos dos senhores Ford em Trafford Park, Manchester, para onde um dos motores havia sido enviado a fim de ser desmontado e inspecionado em detalhes.

Encontramos um modelo de ampla resistência e um trabalho de primeira qualidade. Consideramos as rodas um tanto leves e entendemos que um padrão novo e mais forte será disponibilizado no futuro.

O trator foi projetado exclusivamente para trabalhar na terra, e as rodas, encaixadas com pinos, devem receber alguma proteção para que possam viajar na estrada ao passar de fazenda em fazenda.

Tendo em mente as observações supracitadas, recomendamos que, nas circunstâncias atuais, se tomem medidas para construir imediatamente o maior número possível desses tratores.

O relatório foi assinado pelo prof. W. E. Dalby e F. S. Courtney engenharia; R. N. Greaves engenharia e agricultura; Robert W. Hobbs e Henry Overman agricultura; Gilbert Greenall, diretor honorário, e John E. Cross, administrador.

Quase imediatamente após a apresentação desse relatório, recebemos o seguinte telegrama:

Não recebi nada definitivo quanto ao embarque de aço e maquinário necessários para a fábrica de Cork. Nas melhores circunstâncias, porém, a produção da fábrica de Cork não poderia estar disponível antes da próxima primavera. A necessidade de produção de alimentos na Inglaterra é imperativa, e uma grande quantidade de tratores deve estar disponível o mais rápido possível com o propósito de eliminar as gramíneas existentes e arar a terra para o trigo do outono. Sou solicitado pelas altas autoridades a pedir ajuda ao sr. Ford. O senhor está disposto a enviar Sorensen e outros, com esboços de tudo o que é necessário, emprestando-os ao governo britânico, para que as peças possam ser fabricadas aqui e montadas em fábricas do governo sob a orientação de Sorensen? Posso garantir positivamente que essa sugestão é feita no interesse nacional e, se realizada, será feita pelo governo para o povo sem nenhum interesse manufatureiro ou capitalista investido e sem que haja lucro por nenhuma participação. A situação é muito urgente. É impossível embarcar qualquer coisa adequada da América, porque muitos milhares de tratores devem ser providenciados. O trator Ford é considerado o melhor e o único modelo adequado. Em consequência, a necessidade nacional depende inteiramente do modelo do sr. Ford. Meu trabalho me impede de ir à América para apresentar a proposta pessoalmente. Apelo por consideração favorável e decisão imediata, porque todos os dias são de vital importância. O senhor pode confiar nas unidades fabris daqui para produzi-los sob o mais rigoroso controle imparcial do governo. Acolheremos Sorensen e toda e qualquer outra assistência e orientação que puder fornecer da América. Resposta por cabo, Perry, aos cuidados de Harding 'Prodome', Londres.

PRODOME.

Entendo que o envio foi direcionado pelo Gabinete Britânico. Imediatamente telegrafamos comunicando nossa total disposição de emprestar os esboços, o benefício da experiência que tínhamos até o momento e o que pudesse ser necessário para iniciar a produção, e, no navio seguinte, enviamos Charles E. Sorensen com os esboços completos. O sr. Sorensen abriu a fábrica de Manchester e estava familiarizado com as condições inglesas. Ele era responsável pela fabricação de tratores na Inglaterra.

O sr. Sorensen começou a trabalhar com as autoridades britânicas com o objetivo de fabricar e montar as peças na Inglaterra. Muitos dos materiais que usávamos eram especiais e não podiam ser obtidos lá. Todas as suas fábricas equipadas para trabalho de fundição e mecânico estavam atendendo a pedidos de munição. Foi extremamente difícil para o Ministério obter propostas de qualquer tipo. Então junho chegou, e com ele uma série de ataques aéreos destruidores em Londres. Houve uma crise. Algo tinha de ser feito, e, finalmente, depois de passar de um lado para outro entre metade das fábricas da Inglaterra, nossos homens conseguiram que as propostas fossem apresentadas ao Ministério.

Lorde Milner exibiu essas propostas ao sr. Sorensen. Tirando o melhor deles, o preço por trator chegou a cerca de mil e quinhentos dólares, sem nenhuma garantia de entrega.

– Esse preço está fora de questão – disse o sr. Sorensen. – Não deveria custar mais de setecentos dólares cada um.

– O senhor pode fabricar cinco mil a esse preço? – perguntou lorde Milner.

– Sim – respondeu o sr. Sorensen.

– Quanto tempo leva para entregá-los?

– Começaremos a enviar dentro de sessenta dias.

Eles assinaram um contrato no local, que, entre outras coisas, previa um adiantamento de vinte e cinco por cento da soma total. O sr. Sorensen nos cabografou o que ele havia feito e pegou o navio seguinte para casa. A propósito, não tocamos no pagamento dos vinte e cinco por cento até a conclusão de todo o contrato: nós o depositamos em uma espécie de fundo fiduciário.

A fábrica de trator não estava pronta para entrar em produção. A fábrica de Highland Park poderia ter sido adaptada, mas todas as máquinas estavam funcionando dia e noite em trabalhos essenciais de guerra. Havia apenas uma coisa a fazer. Preparamos uma extensão de emergência para nossa fábrica em Dearborn, equipamos o local com máquinas encomendadas por telégrafo e, em geral, vindas por via expressa, e em menos de sessenta dias os primeiros tratores estavam nas docas de Nova Iorque nas mãos das autoridades britânicas. Eles atrasaram a obtenção de espaço para carga, mas em 6 de dezembro de 1917, recebemos este cabograma:

Londres, 5 de dezembro de 1917.
SORENSEN,
Fordson, F. R. Dearborn.
Os primeiros tratores chegaram. Quando Smith e os outros vão partir? Cabografe.
PERRY.

Todo o carregamento de cinco mil tratores viajou durante três meses, e é por isso que os tratores estavam sendo usados na Inglaterra muito antes de serem realmente conhecidos nos Estados Unidos.

O planejamento do trator de fato antecedeu o do automóvel. Na fazenda, meus primeiros experimentos foram com tratores, e devo lembrar que fui empregado por algum tempo de um fabricante de tratores a vapor – máquinas grandes e pesadas de estrada e debulhadoras. Mas eu não via futuro para os grandes tratores. Eles eram muito caros para a pequena fazenda, exigiam muita habilidade para operar e eram muito pesados em comparação com a força que exerciam. De qualquer forma, o público estava mais interessado em ser transportado do que em ser puxado; a carruagem sem cavalos fez um apelo maior à imaginação. E foi assim que praticamente abandonei a fabricação de tratores até que o automóvel estivesse em produção. Com o automóvel nas fazendas, o trator se tornou uma necessidade. Para depois os agricultores serem apresentados à mecânica.

O agricultor não precisa tanto de novas ferramentas quanto de mecânica para operar as ferramentas que possui. Segui muitos quilômetros atrás de um arado e conheço todo o trabalho enfadonho. Que desperdício é para um ser humano passar horas e dias atrás de um grupo de cavalos em movimento lento quando, no mesmo tempo, um trator poderia fazer seis vezes mais trabalho! Não é de admirar que, fazendo tudo devagar e à mão, o agricultor médio não tenha sido capaz de ganhar mais do que o sustento, ao passo em que os produtos agrícolas nunca são tão abundantes e baratos quanto deveriam.

Como no automóvel, queríamos potência – não peso. A ideia do peso estava firmemente fixada na mente dos fabricantes de tratores. Acreditava-se que o excesso de peso significava excesso de força de tração – que a máquina não poderia aderir a menos que fosse pesada. E isso apesar do fato de um gato não ter muito peso e ser bom em escalar. Já expus minhas ideias sobre peso. O único tipo de trator em que pensei que valia a pena trabalhar era um que fosse leve, forte e tão simples que qualquer um pudesse dirigi-lo. Também tinha de ser tão barato que qualquer um pudesse comprá-lo. Com esses objetivos em vista, trabalhamos por quase quinze anos em um projeto e gastamos alguns milhões de dólares em experimentos. Seguimos exatamente o mesmo curso que adotamos com o automóvel. Cada peça tinha de ser o mais forte possível, as peças tinham um número reduzido, e o conjunto precisava possibilitar a produção em quantidade. Pensamos que talvez pudéssemos usar o motor do automóvel, e conduzimos algumas experiências com ele. Entretanto, por fim nos convencemos de que o tipo de trator que queríamos e o automóvel praticamente não tinham nada em comum. A intenção desde o início era que o trator fosse feito como um empreendimento separado do automóvel e em uma fábrica distinta. Nenhuma fábrica é grande o suficiente para produzir dois artigos.

O automóvel é projetado para transportar; o trator é projetado para puxar – para subir. E essa diferença de função fazia toda a diferença no mundo em construção. O problema era conseguir rolamentos que suportassem a tração pesada. Enfim nós os adquirimos, além de uma estrutura que parece oferecer o melhor desempenho médio em todas as condições. Fixamos um motor de quatro cilindros acionado a gasolina, mas que depois funciona com querosene. O peso mais leve, com força, que pudemos atingir foi de mil e cem quilos. A aderência está no arranque das rodas de tração – como nas garras do gato.

Além de suas funções estritamente de tração, o trator, para ser da maior utilidade, também tinha de ser projetado para funcionar como um motor estacionário, de modo que, quando não estivesse na estrada ou nos campos, pudesse ser atrelado com uma correia para fazer funcionar outras máquinas. Em resumo, ele tinha de ser uma central elétrica compacta e versátil. E foi. Ele não apenas arou, rastelou, cultivou e ceifou, mas também debulhou, moeu grama, serra e vários outros tipos de grãos, puxou tocos, limpou a neve e fez quase tudo o que uma central elétrica moderada poderia fazer desde a tosquia de ovelhas até a impressão de um jornal. Ele foi equipado com pneus pesados para rebocar em estradas, com corrediças de trenó para madeira e gelo, e com rodas combinadas para operar sobre trilhos. Quando as fábricas de Detroit foram fechadas por escassez de carvão, publicamos o *Dearborn Independent* ao enviar um trator para a fábrica de tipografia eletrônica – estacionando o trator no beco, enviando uma correia por quatro andares e fazendo as chapas com a energia gerada pelo trator. Seu uso em noventa e cinco linhas distintas de serviço atraiu nossa atenção, e provavelmente conhecemos apenas uma fração dos usos.

O mecanismo do trator é ainda mais simples do que o do automóvel, e é fabricado exatamente da mesma maneira. Até o presente ano, a produção foi contida pela falta de uma fábrica adequada. Os primeiros tratores foram produzidos na fábrica de Dearborn, que agora é usada como estação experimental. Não era grande o suficiente para alcançar as economias da produção em larga escala e não podia ser ampliada porque o projeto era fazer os tratores na fábrica de River Rouge, que, até esse ano, não estava em pleno funcionamento.

Agora que a fábrica está concluída para a produção de tratores, o trabalho flui exatamente como com os automóveis. Cada peça é um empreendimento departamental separado, e, à medida que é finalizada, une-se ao sistema de transporte que a leva à montagem inicial apropriada e, eventualmente, à montagem final. Tudo se movimenta, e não há trabalho qualificado. A capacidade da fábrica atual é de um milhão de tratores por ano. Esse é o número que esperamos atingir – pois o mundo precisa de centrais elétricas de baixo custo e utilidade geral, agora mais do que nunca – e também agora conhece o suficiente sobre máquinas para querer tais centrais elétricas.

Os primeiros tratores, como eu disse, foram para a Inglaterra. Eles foram inicialmente oferecidos nos Estados Unidos em 1918 por 750 dólares. No ano seguinte, com os custos mais altos, o preço teve de ser de 885 dólares; no meio do ano, foi possível novamente fazer o preço inicial de 750 dólares. Em 1920, cobramos 790 dólares; no ano seguinte, estávamos familiarizados o suficiente com a produção para começar a reduzir. O preço caiu para 625 dólares e, em 1922, com a fábrica de River Rouge funcionando, fomos capazes de reduzir para 395 dólares. Tudo isso mostra o que a produção científica vai fazer com o preço. Assim como não tenho ideia de quão barato o automóvel Ford poderá ser fabricado, também não tenho ideia de quão barato poderá ser o trator.

É importante que seja barato. Caso contrário, a mecanização não irá para todas as fazendas. E todos devem ter a mecanização. Dentro de alguns anos, uma fazenda que depende exclusivamente de cavalos e da mão será tão curiosa quanto uma fábrica operada por uma passadeira. O agricultor deve assumir a mecanização ou sair do negócio. Os custos tornam isso inevitável. Durante a guerra, o governo fez um teste em um trator Fordson para ver como seus custos se comparavam ao trabalho com cavalos. As cifras do trator foram tomadas ao preço mais alto mais o frete. Os itens de depreciação e reparo não são tão grandes quanto o estabelecido pelo relatório, e, mesmo que fossem, os preços são reduzidos pela metade, o que diminuiria a taxa de depreciação e reparo pela metade. Estas são as cifras:

CUSTO, FORDSON, US$ 880. VIDA ÚTIL, 4.800 HORAS A 4/5 ACRES POR HORA, 3.840 ACRES

3.840 acres a US$ 880; depreciação por acre	.221
Reparos por 3.840 acres, US$ 100; por acre	.026
Custo de combustível, querosene a 19 centavos; 2 galões por acre	.38
1 galão de óleo por 8 acres; por acre	.075
Motorista, US$ 2 por dia, 8 acres; por acre	.25
Custo de aragem com Fordson; por acre	.95

CUSTO DE 8 CAVALOS, US$ 1.200. VIDA ÚTIL, 5.000 HORAS EM 4/5 ACRES POR HORA, 4.000 ACRES

4.000 acres a US$ 1.200, depreciação de cavalos, por acre	30
Ração por cavalo, 40 centavos (100 dias úteis) por acre	40
Ração por cavalo, 10 centavos por dia (265 dias inativos) por acre	2,65
Dois motoristas, dois grupos de arados, a US$ 2 cada um por dia, por acre	50
Custo de aragem com cavalos; por acre	1,46

Nos custos atuais, um acre custaria cerca de quarenta centavos, dos quais apenas dois centavos representariam depreciação e reparos. Mas isso não leva em conta o elemento tempo. A aragem é realizada em cerca de um quarto do tempo, com apenas a energia física usada para guiar o trator. A aragem tornou-se um passeio motorizado através de um campo.

A agricultura no estilo antigo está rapidamente desaparecendo em uma memória pitoresca. Isso não significa que o trabalho será removido da fazenda. O trabalho não pode ser removido de nenhuma vida que seja produtiva. Mas a agricultura mecânica significa isso – o trabalho enfadonho será removido da fazenda. A agricultura mecânica está simplesmente pegando o fardo da carne e do sangue e colocando-o no aço. Estamos nos primeiros anos da agricultura mecânica. O automóvel causou uma revolução na vida moderna na fazenda, não porque era um veículo, mas porque tinha poder. A agricultura deveria ser algo mais do que uma ocupação rural. Deveria ser o negócio de cultivar alimento. E quando se torna um negócio, o trabalho real de cultivar o tipo médio de fazenda pode ser feito em vinte e quatro dias por ano. Os outros dias podem ser entregues a outros tipos de negócios. A agricultura é uma ocupação sazonal demais para envolver todo o tempo de um homem.

A agricultura se justificará como um negócio se elevar a quantidade de alimentos o suficiente e os distribuir sob condições que permitam que toda família tenha alimento suficiente para suas necessidades razoáveis. Não poderia haver confiança nessa atividade se as quantidades de todos os tipos de alimentos fossem tão esmagadoras que tornassem impossível a manipulação e a exploração. O agricultor que limita seu plantio se joga nas mãos dos especuladores.

E então talvez venhamos a testemunhar um renascimento do pequeno negócio de moagem de farinha. O dia em que o moinho de farinha da aldeia desapareceu foi terrível. A agricultura cooperativa se tornará tão desenvolvida que veremos associações de agricultores com suas próprias casas de empacotamento, nas quais seus porcos serão transformados em presunto e bacon, e com seus próprios moinhos de farinha, nos quais seus grãos serão transformados em gêneros alimentícios comerciais.

Por que um boi criado no Texas deve ser trazido para Chicago e depois servido em Boston é uma pergunta à qual não se poderá responder enquanto todos os bois necessários à cidade puderem ser criados perto de Boston. A centralização das indústrias de fabricação de alimentos, que implica enormes custos de transporte e organização, é um desperdício muito grande para continuar em uma comunidade desenvolvida.

Teremos um desenvolvimento tão grande na agricultura durante os próximos vinte anos quanto o que tivemos na manufatura durante os últimos vinte anos.

POR QUE CARIDADE?

Por que haveria alguma necessidade de esmola em uma comunidade civilizada? Não é à mente caridosa que me oponho. O céu proíbe que sejamos frios em relação a uma criatura necessitada. A simpatia humana é boa demais para que a atitude fria e calculista tome o seu lugar. Podem-se citar pouquíssimos grandes avanços que não tenham sido motivados pela simpatia humana. É para ajudar as pessoas que todos os serviços notáveis são realizados.

O problema é que temos usado essa grande e bela força motriz para fins muito pequenos. Se a simpatia humana nos impele a alimentar os famintos, por que não deveria realizar um desejo maior – tornar impossível a fome em nosso meio? Se temos simpatia suficiente pelas pessoas para ajudá-las a resolver seus problemas, certamente a teremos para mantê-los afastados.

É fácil dar; é mais difícil fazer doações desnecessárias. Para tornar desnecessárias as doações, devemos olhar além do indivíduo, para a causa de sua miséria – não hesitando, é claro, em aliviá-lo nesse meio tempo, sem interromper o mero alívio temporário. A dificuldade parece estar em conseguir olhar além das causas. Mais pessoas podem ser movidas a ajudar uma família pobre do que a dedicar sua atenção à remoção da pobreza por completo.

Não tenho paciência com caridade profissional ou com qualquer tipo de humanitarismo comercializado. No momento em que a ajuda humana é sistematizada, organizada, comercializada e profissionalizada, o coração dela é extinto, e ela se torna uma coisa fria e desumana.

A ajuda humana real nunca é catalogada ou anunciada em cartões. Há mais crianças órfãs sendo protegidas nas casas particulares de pessoas que as amam do que nas instituições. Há mais pessoas idosas sendo protegidas por amigos do que se pode encontrar em asilos. Há mais ajuda por meio de empréstimos de família para família do que por meio de sociedades de empréstimo. Ou seja, a sociedade humana, em uma base humanitária, cuida de si mesma. É uma questão grave considerar até que ponto devemos tolerar a comercialização do instinto natural de caridade.

A caridade profissional não é apenas fria, mas dói mais do que ajuda. Degrada os beneficiários e entorpece seu respeito próprio. Semelhante a isso é o idealismo sentimental. Não há muitos anos surgiu a ideia de que "serviço" era algo que deveríamos esperar que fosse feito por nós. Um número incontável de pessoas se tornaram beneficiárias de um "serviço social" bem-intencionado. Seções inteiras de nossa população foram paparicadas até atingirem um estado expectante, de desamparo infantil. Cresceu uma profissão regular de fazer coisas para as pessoas, o que dava uma louvável saída para o anseio por serviço, mas que nada contribuía para a autoconfiança das pessoas nem para a correção das condições pelas quais a suposta necessidade por tal serviço cresceu.

Pior do que esse estímulo à melancolia infantil, em vez de se treinar a autoconfiança e a autossuficiência, foi a criação de um sentimento de ressentimento que quase sempre ultrapassa os objetos da caridade. As pessoas frequentemente reclamam da "ingratidão" daqueles a quem ajudam. Nada é mais natural. Em primeiro lugar, apenas uma pequena parte da nossa chamada caridade é sempre verdadeira, oferecida por um coração cheio de interesse e simpatia. Em segundo lugar, ninguém gosta de estar em uma posição em que é forçado a aceitar favores.

Tal "trabalho social" cria uma relação tensa – o beneficiário da recompensa sente que foi menosprezado ao recebê-la, e a pergunta é se o doador também não deve sentir que foi menosprezado ao doá-la. A caridade nunca levou a uma situação bem resolvida. O sistema de caridade que não visa a se tornar desnecessário não está prestando serviços. Está simplesmente fazendo um trabalho para si mesmo e é um item adicionado ao registro de não produção.

A caridade se torna desnecessária quando aqueles que parecem ser incapazes de ganhar a vida são retirados da classe improdutiva e colocados na produtiva. Em um capítulo anterior, expus como diversos experimentos em nossas oficinas demonstraram que na indústria suficientemente subdividida há lugares que podem ser preenchidos por pessoas que sofreram mutilação, pessoas com deficiência nos membros inferiores e pessoas com deficiência visual. A indústria científica não precisa ser um monstro que devora todos os que se aproximam. Quando o faz, não está preenchendo seu lugar na vida. Dentro e fora da indústria, deve haver empregos que exijam toda a força de um homem potente; existem outros empregos – e são muitos – que exigem mais habilidade do que a que se exigia dos artesãos da Idade Média. A última subdivisão da indústria permite que um homem forte ou qualificado sempre use sua força ou sua habilidade. Na indústria antiga, um homem qualificado passava boa parte de seu tempo em trabalho não qualificado. Isso era um desperdício. Mas como naqueles dias todas as tarefas exigiam que o trabalho qualificado e o não qualificado fossem realizados pelo mesmo homem, havia pouco espaço tanto para o homem que era estúpido demais para ser qualificado quanto para aquele que não tivera a oportunidade de aprender um ofício.

Nenhum mecânico que trabalhe apenas com as mãos pode ganhar mais do que para a sua simples subsistência. Ele não pode ter um excedente. Foi dado como certo que, chegando à velhice, um mecânico deve ser sustentado por seus filhos, ou, se não tiver filhos, será uma incumbência pública. Tudo isso é completamente desnecessário. A subdivisão da indústria abre vagas que podem ser preenchidas por praticamente qualquer um. Há mais vagas na indústria de subdivisão que podem ser preenchidas por trabalhadores com deficiência visual do que a quantidade dessas pessoas. Há mais vagas que podem ser preenchidas por trabalhadores com deficiência física do que pessoas nessas condições. E em cada um desses lugares, o homem que imprudentemente possa ser considerado um objeto de caridade pode levar uma vida tão adequada quanto o mais forte e são. É um desperdício colocar um homem sadio em uma função que pode ser bem executada por um homem com deficiência física. É um terrível desperdício colocar pessoas com deficiência visual na tecelagem de cestos. É um desperdício ter presidiários quebrando pedras ou colhendo cânhamo ou realizando qualquer tipo de tarefa insignificante e inútil.

Uma prisão bem conduzida não deve ser apenas autossustentável, mas um homem preso deve ser capaz de sustentar sua família, ou, se não tiver família, deve ser capaz de acumular uma quantia de dinheiro suficiente para se reerguer quando sair da cadeia. Não estou advogando a favor do ofício do condenado ou do trabalho de homens praticamente como escravos. Tal plano é detestável demais para ser posto em palavras. De qualquer maneira, exageramos bastante no assunto prisão; começamos do lado errado. Mas enquanto tivermos prisões que possam ser ajustadas, o esquema geral de produção será tão organizado que uma prisão poderá se tornar uma unidade produtiva trabalhando para o alívio do público e o benefício dos presos. Sei que existem leis – leis absurdas aprovadas por homens precipitados – que restringem as atividades industriais das prisões. Essas leis foram aprovadas principalmente a pedido do que é chamado Trabalhista. Eles não são para o benefício do trabalhador. Aumentar as cobranças de uma comunidade não beneficia ninguém da comunidade. Se a ideia de serviço for levada em consideração, então sempre há em toda comunidade mais trabalho a fazer do que homens que podem fazê-lo.

A indústria organizada para o serviço elimina a necessidade de filantropia. A filantropia, não importa quão nobre seja o motivo, não gera autossuficiência. Devemos ter autossuficiência. Uma comunidade é melhor quando está descontente, quando está insatisfeita com o que tem. Não me refiro ao tipo de descontentamento fútil, diário, irritante e corrosivo, mas a um tipo amplo e corajoso de descontentamento, que acredita que tudo o que é feito pode e deve, eventualmente, ser mais bem feito. A indústria organizada para o serviço – e o trabalhador, assim como o líder, deve servir – pode pagar salários suficientemente altos para permitir que toda família seja autossuficiente e financeiramente independente. Uma filantropia que gasta seu tempo e dinheiro ajudando o mundo a fazer mais por si mesmo é muito melhor do que o tipo que apenas doa e, portanto, encoraja a ociosidade. A filantropia, como todo o resto, deve ser produtiva, e acredito que isso é possível. Pessoalmente, tenho feito experimentos com uma escola de comércio e um hospital para descobrir se tais instituições, que são comumente consideradas benevolentes, não podem ser sustentadas com recursos próprios. Descobri que podem.

Não simpatizo com a escola de comércio como é frequentemente organizada – os meninos recebem apenas um conhecimento superficial e não aprendem a usá-lo. A escola de comércio não deve ser um cruzamento entre um colégio técnico e uma escola; deveria ser um meio de ensinar os meninos a serem produtivos. Se eles são colocados em tarefas inúteis – a fabricar artigos e depois jogá-los fora –, não podem ter interesse ou adquirir o conhecimento que é seu de direito. E durante o período escolar, o garoto não é produtivo; as escolas – a não ser por caridade – não fazem nenhuma provisão para o sustento do garoto. Muitos garotos precisam de sustento; eles devem trabalhar na primeira coisa que vem à mão. Eles não têm nenhuma oportunidade de serem exigentes.

Quando o menino entra na vida assim, sem treinamento, ele aumenta a já grande escassez de mão de obra competente. A indústria moderna requer um grau de capacidade e habilidade que nem o abandono precoce da escola nem a longa continuidade nela proporcionam. É verdade que, para reter o interesse do garoto e treiná-lo em trabalhos manuais, os departamentos de treinamento manual foram introduzidos nos sistemas escolares mais progressistas, mas mesmo estes são confessadamente improvisados, porque apenas atendem, sem os satisfazer, aos instintos criativos dos garotos normais.

Para satisfazer essa condição – para preencher as possibilidades educacionais do garoto e ao mesmo tempo iniciar seu treinamento industrial em linhas construtivas –, a Escola de Comércio Henry Ford foi constituída em 1916. Não usamos a palavra filantropia em conexão com esse esforço. Ela cresceu do desejo de ajudar o garoto cujas circunstâncias o obrigavam a deixar a escola mais cedo. Esse desejo de ajudar se encaixou convenientemente na necessidade de disponibilizar fabricantes de ferramentas treinados para as fábricas. Desde o início, mantivemos três princípios fundamentais: primeiro, que o garoto deveria ser mantido como um menino e não transformado em trabalhador prematuro; segundo, que a formação acadêmica deveria andar de mãos dadas com a instrução industrial; terceiro, que o garoto deveria ter orgulho e responsabilidade por seu trabalho, sendo treinado em artigos que seriam usados. Ele trabalha em objetos de reconhecido valor industrial. A escola é incorporada como uma escola particular e é aberta a garotos de 12 a 18 anos. Ela é organizada com base em bolsas de estudos, e cada garoto recebe uma bolsa anual em dinheiro de quatrocentos dólares em sua admissão. Isso aumenta gradualmente para um máximo de seiscentos dólares, se seu histórico for satisfatório.

Um registro do trabalho da aula e da fábrica é mantido, e também da aplicação que o garoto apresenta em cada uma. As notas que ele tira na indústria são usadas para fazer ajustes subsequentes em sua bolsa de estudos. Além de sua bolsa de estudos, cada garoto recebe uma pequena quantia por mês, que deve ser depositada em sua poupança. Esse fundo de poupança deve ser deixado no banco enquanto o garoto permanecer na escola, a menos que as autoridades lhe permitam usá-lo para uma emergência.

Um a um, os problemas de gerenciar a escola estão sendo resolvidos e melhores maneiras de realizar seus objetivos estão sendo descobertas. No início, era costume o garoto passar um terço do dia nas aulas e dois terços nas fábricas. Esse ajuste diário foi considerado um obstáculo ao progresso, e agora o garoto faz seu treinamento em blocos de semanas – uma semana na aula e duas semanas na fábrica. As aulas são contínuas, e os vários grupos se revezam uma semana por vez.

Os melhores instrutores disponíveis são da equipe, e o livro é a fábrica da Ford. Isso oferece mais recursos para a educação prática do que a maioria das universidades. As lições de aritmética surgem em problemas concretos da fábrica. A mente do garoto não é mais torturada com o misterioso A que pode remar seis quilômetros enquanto B está remando três. Os processos e as condições reais são exibidos para ele – ele é ensinado a observar. As cidades não são mais manchas negras nos mapas, e os continentes não são apenas páginas de um livro. As remessas da fábrica para Singapura e os recibos da fábrica da África e da América do Sul lhe são mostrados, e o mundo se torna um planeta habitado, em vez de um globo colorido na mesa do professor. Em física e química, a fábrica industrial fornece um laboratório no qual a teoria se torna prática e a lição se torna uma experiência real. Suponha que a aula trate da ação de uma bomba. O professor explica as peças e suas funções, responde a perguntas, e, em seguida, todos saem em bando para a sala de máquinas, para ver uma grande bomba. A escola tem uma oficina de fábrica regular com os melhores equipamentos. Os garotos trabalham indo de uma máquina para outra. Eles trabalham exclusivamente em peças ou artigos necessários à companhia, mas nossas necessidades são tão vastas que essa lista compreende quase tudo. O trabalho inspecionado é comprado pela Ford Motor Company, e, é claro, o que não passa na inspeção é uma perda para a escola.

Os garotos que progrediram mais fazem um bom trabalho com micrômetros e realizam todas as operações com uma compreensão clara dos propósitos e princípios envolvidos. Eles consertam as próprias máquinas; aprendem a cuidar de si mesmos em torno de máquinas; estudam a criação de padrões e, em salas limpas e bem-illuminadas, com seus instrutores, lançam as bases para carreiras de sucesso.

Quando se formam, há sempre vagas abertas para eles nas fábricas, com bons salários. O bem-estar social e moral dos garotos recebe um cuidado discreto. A supervisão não é uma questão de autoridade, mas de interesse amigável. As condições domésticas de cada garoto são bem conhecidas, e suas tendências são observadas. E ninguém tenta mimá-lo. Ninguém tenta torná-lo "café com leite". Um dia, quando dois garotos chegaram a ponto lutar, eles não receberam um sermão sobre a maldade da luta. Eles foram aconselhados a resolver suas diferenças da melhor maneira, mas preferiram o modo de resolução mais primitivo, receberam luvas e foram obrigados a lutar em um canto da fábrica. A única proibição imposta era que eles deveriam terminar ali e não serem pegos brigando fora da fábrica. O resultado foi um breve encontro e... amizade.

Eles são tratados como garotos; seus melhores instintos juvenis são incentivados; e quando os vemos nas fábricas e nas aulas, não se pode facilmente perder a luz do amanhecer em seus olhos. Eles têm um senso de "pertencimento". Sentem que estão fazendo algo que vale a pena. Compreendem pronta e avidamente por que estão aprendendo as coisas que todo garoto ativo quer aprender e sobre as quais está constantemente fazendo perguntas às quais nenhum de seus familiares pode responder.

Começando com seis meninos, a escola agora tem duzentos, e seu sistema é tão prático que esse número pode aumentar para setecentos. Iniciou com um déficit, mas como uma das minhas ideias básicas é que qualquer coisa que valha a pena por si mesma pode se tornar autossustentável, ela desenvolveu seus processos de tal forma que agora é viável.

Fomos capazes de deixar o garoto aproveitar a infância. Esses garotos aprendem a ser operários, mas não se esquecem de ser meninos. Isso é de máxima importância. Eles ganham de dezenove a trinta e cinco centavos de dólar por hora – que é mais do que poderiam ganhar no tipo de emprego oferecido a um jovem. Eles podem ajudar a sustentar melhor suas famílias permanecendo na escola do que saindo para o trabalho. Quando terminam, eles têm uma boa educação geral e o início de uma educação técnica, e são tão habilidosos que podem ganhar salários que lhes darão a liberdade de continuar sua educação, se assim o desejarem. Se não quiserem mais estudar, têm pelo menos a capacitação para obter altos salários em qualquer lugar. Eles não precisam entrar em nossas fábricas; a maioria o faz porque não sabe onde encontrar empregos melhores – queremos que todos os nossos empregos sejam bons para os homens que os assumem. Porém, não há corda amarrada aos garotos. Eles conquistaram o próprio caminho e não têm obrigação para com ninguém. Não há caridade nisso. O lugar paga por si mesmo.

O Hospital Ford está sendo desenvolvido em linhas um tanto similares, mas, por causa da interrupção que ocorreu durante a guerra – quando foi entregue ao governo e se tornou o Hospital Geral nº 36, que abrigava cerca de mil e quinhentos pacientes –, o trabalho ainda não avançou a ponto de obter resultados absolutamente definitivos. Não me propus deliberadamente a construir esse hospital. Ele começou em 1914 como o Hospital Geral de Detroit e foi projetado para ser erguido por meio de subscrições populares. Junto com outros, fiz uma subscrição, e o edifício começou. Muito antes de os primeiros edifícios serem construídos, os fundos se esgotaram e me pediram para fazer outra subscrição. Recusei, porque pensei que os administradores deveriam saber quanto custaria o edifício antes de começarem. E esse tipo de início não dava muita confiança quanto ao modo como o local seria administrado depois de pronto. No entanto, ofereci-me para assumir todo o hospital, devolvendo todas as subscrições que haviam sido feitas. Isso foi realizado, e estávamos avançando com o trabalho quando, em 1.º de agosto de 1918, toda a instituição foi entregue ao governo. Ele nos foi devolvido em outubro de 1919, e, no décimo dia de novembro do mesmo ano, o primeiro paciente particular foi admitido.

O hospital fica em West Grand Boulevard, em Detroit, e o terreno abrange vinte acres, para que haja amplo espaço para expansão. Nossa ideia é estender as instalações à medida que elas se justificarem. O projeto original do hospital foi bastante abandonado, e nos empenhamos para desenvolver um novo tipo de hospital, tanto em termos de projeto quanto de gerenciamento. Existem muitos hospitais para os ricos. Existem muitos hospitais para os pobres. Não há hospitais para aqueles que podem arcar com apenas uma quantia moderada e, no entanto, desejam pagar sem sentir que são beneficiários de caridade. Foi dado como certo que um hospital não pode servir e ser financeiramente independente – que deve ser uma instituição mantida por contribuições privadas ou ser transferida para a classe de sanatórios privados administrados com fins lucrativos. Esse hospital foi projetado para ser financeiramente independente – para oferecer o máximo de serviços a um custo mínimo e sem o menor tom de caridade.

Nos novos edifícios que erguemos, não há enfermarias. Todos os quartos são privados e cada um tem um banheiro. Os quartos, em grupos de vinte e quatro, são todos idênticos em tamanho, em equipamentos e em mobiliário. Não há escolha de quartos. Os hospitais são planejados que não haja escolha de nada dentro deles. Cada paciente está em pé de igualdade com todos os outros.

Não se sabe ao certo se os hospitais, do modo como são hoje administrados, existem para os pacientes ou para os médicos. Não estou inconsciente da grande quantidade de tempo que um médico ou cirurgião capaz dedica à caridade, mas também não estou convencido de que os honorários dos cirurgiões devam ser regulados de acordo com a riqueza do paciente, e estou inteiramente convencido de que o que é conhecido como "etiqueta profissional" é uma maldição para a humanidade e para o desenvolvimento da medicina. O diagnóstico não está muito desenvolvido. Eu não me encarregaria de estar entre os proprietários de um hospital em que não fossem tomadas todas as medidas para assegurar que os pacientes fossem tratados realmente pelo seu problema, em vez de por algo que um médico decidiu que eles tinham. A etiqueta profissional dificulta a correção de um diagnóstico errado. O médico clínico, a menos que seja um homem de grande tato, não mudará um diagnóstico ou tratamento a menos que o médico que o chamou esteja de pleno acordo, e, se o fizer, em geral isso será feito sem o conhecimento do paciente. Parece haver uma ideia de que um paciente, e especialmente quando está em um hospital, se torna propriedade do médico. Um médico consciente não explora o paciente. Um menos consciente o faz. Muitos médicos parecem considerar a comprovação de seus próprios diagnósticos tão importante quanto a recuperação do paciente.

O objetivo do nosso hospital era desligar-se de todas essas práticas e colocar o interesse do paciente em primeiro lugar. Portanto, isso é o que é conhecido como hospital "fechado". Todos os médicos e todos os enfermeiros são empregados por ano, e eles não podem praticar a medicina fora do hospital. Incluindo os estagiários, vinte e um médicos e cirurgiões estão na equipe. Esses homens foram selecionados com muito cuidado e recebem salários que equivalem pelo menos ao que normalmente ganhariam em práticas privadas bem-sucedidas. Eles não têm, nenhum deles, nenhum interesse financeiro em nenhum paciente, e um paciente não pode ser tratado por um médico externo. Reconhecemos com grande prazer o papel e a função do médico da família. Não procuramos substituí-lo. Tomamos o caso de onde ele parou e devolvemos o paciente o mais rápido possível. Nosso sistema torna indesejável manter os pacientes por mais tempo do que o necessário – não precisamos desse tipo de negócio. E compartilharemos com o médico da família nosso conhecimento do caso, mas enquanto o paciente estiver no hospital, assumimos total responsabilidade por ele. O hospital está "fechado" à prática de médicos externos, embora estejamos abertos a cooperar com qualquer médico da família que deseje fazê-lo.

A admissão de um paciente é interessante. O paciente que chega é examinado primeiro pelo médico-chefe e depois encaminhado para exame por três, quatro ou qualquer número de médicos que pareça necessário. Esse encaminhamento ocorre independentemente do motivo pelo qual o paciente veio ao hospital, porque, conforme estamos aprendendo de maneira gradual, a saúde completa, e não uma doença única, é que é importante. Cada um dos médicos faz um exame completo e envia suas descobertas por escrito ao médico-chefe, sem nenhuma oportunidade de consultar algum dos outros médicos examinadores. Pelo menos três – e às vezes seis ou sete – diagnósticos absolutamente completos e absolutamente independentes estão, portanto, nas mãos do chefe do hospital. Eles constituem um registro completo do caso. Essas precauções são tomadas para assegurar, dentro dos limites do conhecimento atual, um diagnóstico correto.

Na atualidade, existem cerca de seiscentas camas disponíveis. Cada paciente paga de acordo com um esquema fixo que inclui o quarto do hospital, a diretoria, o atendimento médico e cirúrgico e a enfermagem. Não há extras. Não há enfermeiras particulares. Se um caso exigir mais atenção do que as enfermeiras designadas para a ala podem oferecer, outra enfermeira será colocada, mas sem nenhuma despesa adicional para o paciente. Isso, no entanto, raramente é necessário porque os pacientes são agrupados de acordo com a quantidade de enfermeiras necessária. Pode haver uma enfermeira para dois pacientes ou uma enfermeira para cinco pacientes, conforme o tipo de caso exige. Nenhuma enfermeira tem mais de sete pacientes para cuidar, e, devido aos arranjos, é possível cuidar de sete pacientes que não estejam desesperadamente doentes. No hospital comum, as enfermeiras dão muitos passos inúteis. Gastam mais tempo andando do que cuidando do paciente. Este hospital foi projetado para economizar passos. Cada andar é completo por si só, e, assim como nas fábricas tentamos eliminar o desperdício de movimento, também tentamos eliminar o desperdício de movimento no hospital. O custo para um paciente por um quarto, enfermagem e assistência médica é de quatro dólares e cinquenta centavos por dia. Isso será reduzido à medida que o tamanho do hospital aumentar. O custo de uma grande operação é de cento e vinte e cinco dólares. A cobrança para operações menores é feita de acordo com uma escala fixa. Todas as cobranças são provisórias. O hospital tem um sistema de custos como o de uma fábrica. As cobranças serão reguladas para equilibrar o orçamento.

Parece não haver uma boa razão para o experimento não ter sucesso. Seu sucesso é puramente uma questão de administração e matemática. O mesmo tipo de administração que permite que uma fábrica ofereça o serviço mais completo permitirá que um hospital ofereça o serviço mais completo e a um preço tão baixo que esteja ao alcance de todos. A única diferença entre a contabilidade hospitalar e a da fábrica é que não espero que o hospital dê lucro; esperamos que ele cubra a depreciação. O investimento feito neste hospital até o momento é de cerca de nove milhões de dólares.

Se pudermos nos afastar da caridade, os fundos que agora vão para empresas de caridade podem ser direcionados para produção adicional – para produzir bens de forma barata e em grande quantidade. E então não apenas removeremos o ônus dos impostos da comunidade e libertaremos os homens, mas também poderemos aumentar a riqueza geral. Deixamos para o interesse privado muitas coisas que devemos fazer por nós mesmos como interesse coletivo. Precisamos de um pensamento mais construtivo no serviço público. Precisamos de um tipo de "treinamento universal" em fatos econômicos. As ambições excessivas do capital especulativo, bem como as demandas irracionais do trabalho irresponsável, são devidas à ignorância quanto à base econômica da vida. Ninguém pode tirar mais da vida do que a vida pode produzir – mas quase todo mundo pensa que pode. O capital especulativo quer mais; o trabalho quer mais; a fonte de matéria-prima quer mais; e o público comprador quer mais. Uma família sabe que não pode viver além de sua renda; até as crianças sabem disso. Mas o público nunca parece aprender que não pode viver além de sua renda – ter mais do que produz.

Ao esclarecer a necessidade de caridade, devemos ter em mente não apenas os fatos econômicos da existência, mas também que a falta de conhecimento desses fatos incentiva o medo. Banindo o medo, podemos ter autoconfiança. A caridade não está presente onde reside a autoconfiança.

O medo é filho de uma confiança depositada em algo externo – na boa vontade de um encarregado, talvez, na prosperidade de uma loja, na estabilidade de um mercado. Essa é apenas outra maneira de dizer que o medo é a parte do homem que reconhece que sua carreira está na manutenção de circunstâncias terrenas. O medo é o resultado de o corpo ter ascendência sobre a alma.

O hábito do fracasso é puramente mental e é a mãe do medo. Esse hábito se fixa nos homens porque eles carecem de visão. Eles começam a fazer algo que vai de A a Z. Em A eles fracassam, em B eles tropeçam e em C eles se deparam com o que parece ser uma dificuldade insuperável. Eles então gritam "Derrotado" e jogam toda a tarefa no chão. Nem sequer se deram a chance de realmente fracassar; não deram à sua visão a chance de ser provada ou refutada. Eles simplesmente se deixaram derrotar pelas dificuldades naturais que acompanham todo tipo de esforço.

Mais homens são derrotados do que fracassam. Não é de sabedoria que eles precisam, nem de dinheiro, nem de brilho, nem de "empurrão", mas apenas de cartilagem e osso. Esse poder rude, simples e primitivo que chamamos de "tenacidade" é o rei sem coroa do mundo dos empreendimentos. As pessoas estão totalmente erradas em sua tendência para as coisas. Elas veem os sucessos que os homens obtiveram, e, de alguma forma, eles parecem fáceis. Entretanto, isso está distante dos fatos. O fracasso é que é fácil. O sucesso é sempre difícil. Um homem pode facilmente fracassar; ele pode ter sucesso pagando tudo o que tem e é. É isso que torna o sucesso tão lamentável se estiver em linhas que não são úteis e edificantes.

Se um homem tem medo constante da situação industrial, deve mudar sua vida para não ser dependente dela. Sempre existe a terra, e menos pessoas estão na terra agora do que nunca antes. Se um homem vive com medo de que o favor de um empregador mude em sua direção, ele deve se livrar da dependência de qualquer empregador. Ele pode se tornar seu próprio chefe. Pode ser que ele seja um chefe mais pobre do que o que ele deixa, e que seus retornos sejam muito menores, mas pelo menos ele se livrará da sombra de seu medo, e isso vale muito em termos de dinheiro e posição. Melhor ainda é o homem se manifestar e se superar, livrando-se de seus medos em meio às circunstâncias em que sua sorte diária é lançada. Torne-se um homem livre no lugar onde você primeiro renunciou à sua liberdade. Vença sua batalha onde você a perdeu. E você verá que, embora houvesse muitas coisas erradas fora de você, havia mais mais coisas erradas dentro de você. Assim, você aprenderá que o que há de errado dentro de você arruína até o que está certo fora de você.

Um homem ainda é o ser superior da Terra. Aconteça o que acontecer, ele ainda é um homem. Os negócios podem diminuir amanhã – ele ainda será um homem. Ele passa pelas mudanças de circunstâncias, assim como pelas variações de temperatura – mas ainda é um homem. Se ele apenas conseguir que esse pensamento renasça dentro de si, isso abrirá novos poços e minas em seu próprio ser. Não há segurança fora de si. Não há riqueza fora de si. Eliminar o medo é deixar entrar a segurança e a satisfação.

Deixe todo americano se preparar contra o agrado. Os americanos devem se ressentir do agrado. É uma droga. Levante-se e destaque-se; deixe os fracos com a caridade.

AS ESTRADAS DE FERRO

Nada neste país oferece um exemplo melhor de como um negócio pode ser desviado de sua função de serviço do que as ferrovias. Temos um problema ferroviário, e muita reflexão e discussão foram dedicadas a solucioná-lo. Todo mundo está insatisfeito com as ferrovias. O público está insatisfeito porque as taxas de passageiros e frete são muito altas. Os funcionários da ferrovia estão insatisfeitos porque dizem que seus salários são muito baixos e que suas horas são muito longas. Os proprietários das ferrovias estão insatisfeitos porque se reclama que o dinheiro investido não dá o retorno adequado. Todos os contatos de um empreendimento adequadamente gerenciado devem ser satisfatórios. Se o público, os empregados e os proprietários não se encontram em melhor situação por causa do empreendimento, deve haver algo de fato muito errado com a maneira pela qual o empreendimento é realizado.

Não tenho absolutamente nenhuma disposição para me fazer passar por uma autoridade ferroviária. Pode haver autoridades ferroviárias, mas se o serviço prestado hoje pela ferrovia americana é o resultado do conhecimento ferroviário acumulado, não posso dizer que meu respeito pela utilidade desse conhecimento seja profundo. Não tenho a menor dúvida de que os gerentes ativos das ferrovias, os homens que de fato fazem o trabalho, sejam inteiramente capazes de conduzir as ferrovias do país para a satisfação de todos, e igualmente não tenho dúvidas de que esses gerentes ativos, pela força de uma cadeia de circunstâncias, praticamente deixaram de administrá-las. E aí está a fonte da maioria dos problemas. Os homens que entendem de ferrovias não têm permissão para administrá-las.

Em um capítulo anterior sobre finanças, foram apresentados os perigos decorrentes do empréstimo indiscriminado de dinheiro. É inevitável que qualquer pessoa que possa pedir emprestado livremente para cobrir erros de gerenciamento o faça, em vez de corrigi-los. Nossos gerentes ferroviários foram praticamente forçados a contrair empréstimos, pois, desde o início das ferrovias, eles não têm sido agentes livres. A mão norteadora da ferrovia não foi o ferroviário, mas o banqueiro. Quando o crédito ferroviário era alto, obtinha-se mais dinheiro por meio de emissões de títulos flutuantes e especulação com títulos do que fora do serviço ao público. Uma fração muito pequena do dinheiro ganho pelas ferrovias voltou para a reabilitação das propriedades. Quando, pela administração qualificada, a receita líquida se tornou grande o suficiente para pagar um dividendo considerável sobre as ações, esse dividendo foi usado primeiro pelos especuladores internos que controlavam a política fiscal da ferrovia para aumentar as ações e aliviar suas participações, e depois para lançar uma emissão de títulos com base na força do crédito obtido por meio dos ganhos. Quando os ganhos caíam ou eram artificialmente reduzidos, os especuladores recompravam as ações e, com o tempo, encenavam outra compra e venda. Dificilmente existe uma estrada de ferro nos Estados Unidos que não tenha passado por uma ou mais concordatas, devido ao fato de que os juros financeiros se acumularam em uma série de títulos onerosos até que as estruturas crescessem muito e ruíram. Então eles entraram em concordata, ganharam dinheiro à custa de iludidos detentores de títulos e começaram o mesmo velho jogo da pirâmide novamente.

O aliado natural do banqueiro é o advogado. Tais jogos, como têm sido praticados nas ferrovias, precisaram de consultoria jurídica especializada. Os advogados, assim como os banqueiros, não sabem absolutamente nada sobre negócios. Eles imaginam que uma empresa é conduzida adequadamente se ela se mantiver dentro da lei ou se a lei puder ser alterada ou interpretada para se adequar ao objetivo em questão. Eles vivem de regras. Os banqueiros tiraram as finanças das mãos dos gerentes. Eles colocaram advogados para ver que as ferrovias violavam a lei apenas de maneira legal, e assim cresceram imensos departamentos jurídicos. Em vez de operar sob as regras do senso comum e de acordo com as circunstâncias, todas as ferrovias tinham de operar sob a orientação de um conselho. As regras se espalharam por todas as partes da organização. Então veio a avalanche de regulamentações estaduais e federais, e até hoje encontramos as ferrovias entupidas em uma massa de regras e regulamentos. Com advogados e financiadores do lado de dentro e várias comissões estaduais do lado de fora, o gerente da ferrovia tem poucas chances. Esse é o problema das ferrovias. Os negócios não podem ser conduzidos pela lei.

Tivemos a oportunidade de verificar o que significa a liberdade do controle jurídico dos banqueiros em nossa experiência com a Ferrovia Detroit, Toledo e Ironton. Compramos a ferrovia porque seu direito de passagem interferia em alguns dos melhoramentos que fizemos em River Rouge. Não a compramos como investimento, ou como complemento de nossas indústrias, ou por causa de sua posição estratégica. A situação extraordinariamente boa da ferrovia parece ter se tornado universalmente aparente somente desde que a compramos. Isso, no entanto, é irrelevante. Compramos a ferrovia porque ela interferia em nossos planos. Então tivemos de fazer algo a respeito isso. A única coisa a fazer era administrá-la como uma empresa produtiva, aplicando exatamente os mesmos princípios que empregamos em todos os departamentos de nossas indústrias.

Até o momento, não fizemos nenhum esforço especial, e a ferrovia não foi constituída como uma demonstração de como toda ferrovia deve ser dirigida. É verdade que a aplicação da regra de serviço máximo a um custo mínimo fez com que a renda da ferrovia excedesse a despesa – o que, para essa ferrovia, representa uma condição muito incomum. Demonstramos que as mudanças que fizemos – e lembre-se de que foram feitas simplesmente como parte do trabalho do dia – são peculiarmente revolucionárias e quase sem aplicação à gestão ferroviária em geral. Pessoalmente, parecia-me que nossa pequena linha não diferia muito das grandes linhas. Em nosso trabalho, sempre achamos que, se nossos princípios estavam corretos, a área sobre a qual eles eram aplicados não importava. Os princípios que usamos na grande fábrica de Highland Park parecem funcionar igualmente bem em todas as fábricas que estabelecemos. Nunca fez nenhuma diferença o fato de multiplicarmos o que estávamos fazendo por cinco ou por quinhentos. O tamanho é apenas uma questão de tabela de multiplicação.

A Ferrovia Detroit, Toledo e Ironton foi organizada há cerca de vinte e poucos anos e reorganizada a cada período de ano desde então. A última reorganização foi em 1914. A guerra e o controle federal das ferrovias interromperam o ciclo de reorganização. A ferrovia tem quinhentos e cinquenta e dois quilômetros de trilhos, oitenta e quatro quilômetros de ramais e setenta e dois quilômetros de direitos de rastreamento sobre outras ferrovias. Ela vai de Detroit, quase ao sul, até Ironton, no rio Ohio, utilizando os depósitos de carvão da Virgínia Ocidental. Atravessa a maior parte das grandes linhas-troncos e é uma estrada que, de um ponto de vista comercial geral, deveria compensar. Compensou. Parece ter [foi pago - ter pagado] =

pagado os banqueiros. Em 1913, a capitalização líquida por milha de estrada era de 105 mil dólares. Na liquidação seguinte, diminuiu para quarenta e sete mil dólares por milha. Não sei quanto dinheiro foi levantado com a força da estrada. Sei que, na reorganização de 1914, os titulares foram cobrados e forçados a devolver ao tesouro quase cinco milhões de dólares – que é o valor que pagamos pela estrada inteira. Pagamos sessenta centavos por dólar pelos títulos hipotecários pendentes, embora o preço pouco antes do momento da compra estivesse entre trinta e quarenta centavos por dólar. Pagamos um dólar por cota para as ações comuns e cinco dólares por cota para as ações preferenciais – o que parecia ser um preço justo, considerando que nenhum juro jamais havia sido pago sobre os títulos, e um dividendo sobre as ações era uma possibilidade mais remota. O material circulante da ferrovia consistia em cerca de setenta locomotivas, vinte e sete carros de passageiros e cerca de dois mil e oitocentos vagões. Estava em péssimas condições, e boa parte dele não funcionaria. Todos os prédios estavam sujos, sem pintura e geralmente em estado de degradação. O leito da estrada parecia mais uma faixa de ferrugem do que uma ferrovia. As oficinas de reparos estavam sobrecarregadas de homens e mal equipadas. Praticamente tudo relacionado à operação era conduzido com o máximo de desperdício. Havia, no entanto, um departamento executivo e administrativo extremamente amplo e, é claro, um departamento jurídico. Apenas o departamento jurídico custava quase dezoito mil dólares por mês.

Assumimos a estrada em março de 1921. Começamos a aplicar princípios industriais. Havia um escritório executivo em Detroit. Nós o fechamos, colocamos a administração sob a responsabilidade de um único homem e lhe demos metade da mesa do escritório de carga. O departamento jurídico se foi com os escritórios executivos. Não há razão para tantos litígios relacionados a ferrovias. Nosso pessoal rapidamente resolveu toda a massa de reivindicações pendentes, algumas das quais estavam assim havia anos. À medida que surgem novas reivindicações, elas são resolvidas de uma só vez e com base nos fatos, de modo que a despesa legal raramente excede duzentos dólares por mês. Toda a contabilidade e a burocracia desnecessárias foram descartadas, e a folha de pagamento da estrada foi reduzida de 2.700 para 1.650 homens. Seguindo nossa política geral, todos os cargos e escritórios que não eram exigidos por lei foram abolidos. A organização ferroviária comum é rígida; uma mensagem deve passar por certa linha de autoridade, e não se espera que nenhum homem faça nada sem ordens explícitas de seu superior. Certa manhã, saí para a estrada muito cedo e encontrei um trem de socorro com vapor, uma tripulação a bordo e tudo pronto para começar. Eles estavam "aguardando ordens" havia meia hora. Descemos e limpamos os destroços antes que as ordens chegassem; isso foi antes que a ideia de responsabilidade pessoal se impregnasse. Foi um pouco difícil quebrar o hábito de "aguardar as ordens"; os homens a princípio tinham medo de assumir responsabilidades. Todavia, à medida que prosseguíamos, eles pareciam gostar cada vez mais do plano, e agora nenhum homem limita seus deveres. Ele é remunerado por um dia de trabalho de oito horas, e espera-se que ele trabalhe durante essas oito horas. Se ele é um maquinista e termina um percurso em quatro horas, continuará trabalhando com o que mais estiver em demanda pelas próximas quatro horas. Se um homem trabalha mais de oito horas, ele não é pago por hora extra – ele deduz a hora extra do próximo dia de trabalho ou a guarda e recebe um dia inteiro de folga. Nosso dia de oito horas é um dia de oito horas e não uma base para computar pagamento.

O salário mínimo é de seis dólares por dia. Não há homens extras. Reduzimos os escritórios, as fábricas e as estradas. Em uma oficina, vinte homens estão fazendo mais trabalho agora do que cinquenta e nove faziam antes. Não muito tempo atrás, uma de nossas turmas de trilhos, composta de um encarregado e quinze homens, estava trabalhando na lateral de uma estrada paralela na qual havia uma turma de quarenta homens fazendo exatamente o mesmo tipo de reparo e lastreamento de trilho. Em cinco dias, nossa turma fez dois postes telegráficos a mais do que a turma concorrente!

A estrada está sendo reabilitada; quase toda a trilha foi relastreada. e muitos quilômetros de trilhos novos foram colocados. As locomotivas e o material de rolamento estão sendo revisados em nossas próprias fábricas e a um custo muito pequeno. Descobrimos que os suprimentos comprados anteriormente eram de baixa qualidade ou inadequados para o uso; passamos a comprar suprimentos melhores, e, mesmo assim, acabamos economizando, visto que nada é desperdiçado. Os homens parecem inteiramente dispostos a cooperar na economia. Eles não descartam o que pode ser usado. Perguntamos a um homem: "O que você pode obter de um motor?", e ele responde: "U recorde de economia". E não estamos despejando grandes quantias de dinheiro na ferrovia. Tudo está sendo feito com os ganhos. Essa é a nossa política. Os trens devem circular, e no horário. O tempo dos movimentos de carga foi diminuído em cerca de dois terços. Um carro de lado não é apenas um carro de lado. É um enorme ponto de interrogação. Alguém tem que saber por que ele está lá. O transporte de carga para a Filadélfia ou Nova Iorque costumava levar de oito a nove dias; agora leva três dias e meio. A organização está funcionando.

Todos os tipos de explicações são apresentados para justificar por que um déficit foi transformado em um excedente. Disseram-me que isso se deve ao desvio da carga das indústrias Ford. Se tivéssemos desviado todos os nossos negócios para essa ferrovia, isso não explicaria por que os administramos com um custo operacional muito menor do que antes. Estamos encaminhando o máximo possível de nossos próprios negócios ao longo da ferrovia, mas apenas porque lá obtemos o melhor serviço. Há anos tentávamos enviar carga por essa ferrovia, pois ela estava localizada de modo conveniente, mas nunca fomos capazes de usá-la em nenhuma extensão por causa do atraso nas entregas. Não poderíamos contar com uma remessa dentro de cinco ou seis semanas; isso deteve muito dinheiro e também quebrou nosso cronograma de produção. Não havia razão para que a estrada não tivesse um cronograma; mas isso não aconteceu. Os atrasos tornaram-se questões legais a serem tratadas no devido curso legal; esse não é o caminho dos negócios. Acreditamos que um atraso é uma crítica ao nosso trabalho e deve ser investigado. Isso é negócio.

As ferrovias em geral quebrara, e se a conduta anterior da Detroit, Toledo e Ironton se devia a qualquer critério de gestão em geral, não há nenhuma razão no mundo que explique por que não deveriam ter quebrado. Muitas ferrovias são administradas não por escritórios de homens práticos, mas por escritórios bancários, e os princípios de procedimento, toda a perspectiva, são financeiros – não de transporte, mas financeiros. Houve um colapso simplesmente porque se deu mais atenção às ferrovias como fatores no mercado de ações do que como servidoras do povo. As ideias ultrapassadas foram mantidas, o desenvolvimento foi praticamente interrompido, e os ferroviários de visão não foram liberados para crescer.

Um bilhão de dólares resolverá esse tipo de problema? Não, um bilhão de dólares só vai piorar a dificuldade em um bilhão de dólares. O objetivo do bilhão é simplesmente manter os métodos atuais de gerenciamento ferroviário, e é por causa dos métodos atuais que temos algumas dificuldades ferroviárias.

As coisas erradas e absurdas que fizemos anos atrás estão nos ultrapassando. No início do transporte ferroviário nos Estados Unidos, tiveram de ensinar as pessoas a usá-lo, assim como as ensinaram a usar o telefone. Além disso, as novas ferrovias tiveram de fazer negócios para se manter solventes. E como o financiamento ferroviário começou em um dos períodos mais podres de nossa história comercial, várias práticas foram estabelecidas como precedentes que influenciaram o trabalho ferroviário desde então. Uma das primeiras coisas que as ferrovias fizeram foi estrangular todos os outros métodos de transporte. Houve o início de um esplêndido sistema de canais neste país, e um grande movimento de canalização estava no auge. As companhias ferroviárias compraram as empresas dos canais e deixaram que eles se enchessem e sufocassem com ervas daninhas e refugo. Em todo o Leste e em partes dos estados do Meio-Oeste há vestígios dessa rede de hidrovias internas. Elas estão sendo restauradas agora o mais rápido possível; estão sendo interligadas; várias comissões, públicas e privadas, tiveram a visão de um sistema completo de hidrovias que atenda a todas as partes do país, e graças a seus esforços, persistência e fé, esse sistema está progredindo.

Entretanto, havia outro método. Era o sistema de fazer o trajeto no prazo mais demorado possível. Qualquer pessoa familiarizada com as exposições que resultaram na formação da Comissão Interestadual do Comércio sabe o que se entende por isso. Houve um período no qual o transporte ferroviário não era considerado o servidor dos públicos de viagem, manufatura e comerciais. Os negócios eram tratados como se existissem para o benefício das ferrovias. Durante esse período de loucura, não era bom uma ferrovia levar as mercadorias do ponto de embarque até o destino pela linha mais direta possível, mas, sim, mantê-las na estrada o maior tempo possível, enviá-las pelo caminho mais longo, dar ao máximo possível de linhas de ligação uma parte do lucro e deixar o público arcar com a resultante perda de tempo e dinheiro. Isso já foi considerado um bom modelo ferroviário. Hoje essa prática ainda não está totalmente ultrapassada.

Uma das grandes mudanças em nossa vida econômica para a qual essa política ferroviária contribuiu foi a centralização de certas atividades, não porque ela fosse necessária, nem porque tenha contribuído para o bem-estar do povo, mas porque, entre outras coisas, fez negócio duplo para as ferrovias. Tomemos dois exemplos: a carne e os grãos. Se você olhar para os mapas que as casas de embalagem publicam e verificar onde o gado é abatido, e se você considerar que o gado, quando convertido em alimento, é transportado novamente pelas mesmas ferrovias de volta ao local de onde veio, terá alguma clareza sobre o problema do transporte e o preço da carne. Tomemos também os grãos. Todo leitor de anúncios sabe onde as grandes usinas de farinha do país estão localizadas. E eles provavelmente sabem também que elas não estão localizadas nas regiões em que os grãos dos Estados Unidos são cultivados. Há quantidades surpreendentes de grãos, milhares de cargas de trem, transportadas inutilmente por longas distâncias e, em seguida, na forma de farinha, transportadas de volta por longas distâncias para os estados e regiões onde os grãos foram cultivados – sobrecarregando assim as ferrovias, o que não é benéfico para as comunidades onde o grão se originou nem para ninguém, exceto para as usinas monopolistas e para as ferrovias. As ferrovias sempre podem fazer um grande negócio sem ajudar os negócios do país; sempre podem estar envolvidas em tal transporte inútil. A carga de transporte de carne e de grãos, e talvez também a de algodão, pode ser reduzida pela metade ou até mais com a preparação do produto para uso antes que ele seja enviado. Se uma comunidade carbonífera extraísse carvão na Pensilvânia e o enviasse por ferrovia para Michigan ou Wisconsin para ser peneirado, e depois o transportasse de volta à Pensilvânia para uso, isso não seria muito mais ridículo do que transportar carne bovina viva do Texas para Chicago para que ela seja abatida e depois enviada de volta para o Texas; ou transportar o grão do Kansas para Minnesota para que ele seja moído nos moinhos e transportado de volta como farinha. É um bom negócio para as ferrovias, mas é um mau negócio para as empresas. Um ângulo do problema de transporte ao qual poucos homens estão prestando atenção é esse transporte inútil de material. Se o problema fosse abordado para livrar as ferrovias de seus transportes inúteis, poderíamos descobrir que estamos em melhor forma para cuidar dos negócios legítimos de transporte do país do que pensamos. Em se tratando de mercadorias como carvão, é necessário que elas sejam transportadas de onde estão e para onde são necessárias. O mesmo acontece com as matérias-primas da indústria – elas devem ser transportadas do local onde a natureza as armazenou para o local onde existem pessoas prontas para trabalhar com elas. E como essas matérias-primas em geral não são encontradas reunidas em um mesmo lugar, é necessária uma quantidade considerável de transporte para um ela de montagem central. O carvão vem de uma região, o cobre de outra, o ferro de outra, a madeira de outra – todos devem ser reunidos.

Entretanto, sempre que possível, deve-se adotar uma política de descentralização. Precisamos, em vez de gigantescos moinhos de farinha, de uma infinidade de moinhos menores distribuídos por todas as regiões onde o grão é cultivado. Sempre que possível, a região que produz a matéria-prima também deve fabricar o produto acabado. Os grãos devem ser moídos em farinha onde são cultivados. Um país produtor de suínos não deve exportar suínos, mas carne de porco, presuntos e bacon. Os moinhos de algodão deveriam estar perto dos campos de algodão. Isso não é uma ideia revolucionária. Em certo sentido, é reacionária. Não sugere nada de novo, mas algo muito antigo. Era assim que o país fazia as coisas antes de sucumbirmos ao hábito de transportar tudo por alguns milhares de quilômetros e adicionar o frete à conta do consumidor.

Nossas comunidades devem ser mais completas em si mesmas. Elas não devem ser desnecessariamente dependentes do transporte ferroviário. Com o que produzem, devem suprir as próprias necessidades e expedir o excedente. E como podem fazer isso, a menos que tenham meios de pegar suas matérias-primas, como grãos e gado, e transformá-las em produtos acabados? Se a iniciativa privada não cede esses meios, a cooperação de agricultores pode fazê-lo. A principal injustiça sofrida pelo agricultor hoje é que, sendo o maior produtor, ele é impedido de ser também o maior comerciante, porque é obrigado a vender para aqueles que colocam seus produtos na forma comercializável. Se ele pudesse transformar seu grão em farinha, seu gado em bife e seus porcos em presuntos e bacon, ele não apenas receberia o lucro total de seu produto como também tornaria as comunidades vizinhas mais independentes das exigências ferroviárias, e melhoraria assim o sistema de transporte, aliviando-o da carga de seu produto inacabado. A coisa não é apenas razoável e praticável, mas está se tornando absolutamente necessária. Mais do que isso, está sendo feita em muitos lugares. Mas não ele se verá o efeito disso na situação do transporte e nós nos custo de vida até que seja posto em prática de maneira ampla e em mais tipos de materiais.

É uma das compensações da natureza retirar a prosperidade do negócio que não presta serviço.

Descobrimos que na Detroit, Toledo e Ironton poderíamos, seguindo nossa política universal, reduzir nossas tarifas e conseguir mais negócios. Fizemos alguns cortes, mas a Comissão Interestadual do Comércio se recusou a permiti-los! Sob tais condições, por que discutir as ferrovias como um negócio? Ou como um serviço?

COISAS EM GERAL

Ninguém excede Thomas A. Edison em ampla visão e entendimento. Eu o conheci muitos anos atrás, quando estava na Detroit Edison Company – provavelmente por volta de 1887. Os eletricistas realizaram uma convenção em Atlantic City, e Edison, como líder em ciência elétrica, fez um discurso. Eu estava trabalhando no meu motor a gasolina, e a maioria das pessoas, incluindo todos os meus sócios na companhia de eletricidade, esforçou-se para dizer que o tempo gasto em um motor a gasolina era desperdiçado – que a energia do futuro seria a eletricidade. Essas críticas não me impressionaram. Estava trabalhando com todas as minhas forças. Mas estar na mesma sala com Edison me sugeriu que seria uma boa ideia descobrir se o mestre da eletricidade pensava que ela viria a ser a única energia no futuro. Então, depois que ele terminou seu discurso, consegui encontrá-lo sozinho por um momento. Disse a ele no que estava trabalhando.

Imediatamente ele se interessou. em que se interessa por toda busca de novos conhecimentos. E então perguntei se ele achava que o motor de combustão interna tinha futuro. Ele respondeu algo assim:

– Sim, qualquer motor leve que possa desenvolver uma alta potência e ser independente tem futuro. Nenhum tipo de força motriz jamais fará todo o trabalho do país. Não sabemos o que a eletricidade pode fazer, mas dou como certo que ela não pode fazer tudo. Continue com o seu motor. Se você conseguir o que quer, ele terá futuro.

Isso é característico de Edison. Ele era a figura central da indústria elétrica, que era então jovem e entusiasta. A classe dos eletricistas não podia ver nada além de eletricidade, mas seu líder podia ver com clareza cristalina que nenhuma energia podia fazer todo o trabalho do país. Por isso é que ele era o líder.

Esse foi meu primeiro encontro com Edison. Não o vi novamente até muitos anos depois – quando já havíamos desenvolvido nosso motor e ele já estava em produção.

Ele se lembrou perfeitamente do nosso primeiro encontro. Desde então, nós nos vimos com frequência. Ele é um dos meus amigos mais próximos, e trocamos muitas ideias.

Seu conhecimento é quase universal. Ele está interessado em todos os assuntos concebíveis e não reconhece limitações. Acredita que tudo é possível. Ao mesmo tempo, mantém os pés no chão. Avança passo a passo. Considera "impossível" uma definição para aquilo que no momento não temos conhecimento para alcançar. Ele sabe que, à medida que acumulamos conhecimento, construímos a possibilidade de superar o impossível. Essa é a maneira racional de fazer o "impossível". O caminho irracional é fazer a tentativa sem se dar ao trabalho de acumular conhecimento. O sr. Edison está se aproximando apenas do auge de seu poder. Ele é o homem que vai nos mostrar o que a química realmente pode fazer. Pois ele é um verdadeiro cientista, que considera o conhecimento que está sempre procurando uma ferramenta para moldar o progresso do mundo. Ele não é o tipo de cientista que apenas armazena conhecimento e transforma sua cabeça em um museu. Edison é com certeza o maior cientista do mundo. Não estou certo de que ele também não seja o pior homem de negócios do mundo. Ele não sabe quase nada sobre negócios.

John Burroughs foi outro dos que me honraram com sua amizade. Eu também gosto de pássaros. Gosto do ar livre. Gosto de atravessar o país e pular cercas. Temos quinhentas casas de pássaros na fazenda. Nós as chamamos de nossos hotéis para pássaros, e um deles, o Hotel Pontchartrain – uma casa de andorinhas –, tem setenta e seis apartamentos. Durante todo o inverno, temos cestas de arame com comida penduradas nas árvores, e há uma grande bacia com um aquecedor para evitar que a água congele. No verão e no inverno, comida, bebida e abrigo estão disponíveis para os pássaros. Nós chocamos faisões e codornas em incubadoras e depois os colocamos em chocadeiras elétricas. Temos todos os tipos de casas de pássaros e ninhos. Os pardais, que costumam abusar da hospitalidade, insistem em que seus ninhos sejam imóveis – que não balancem ao vento; as carriças gostam de ninhos balançantes. Então montamos várias caixas de carriças em tiras de mola de aço para que elas balancem ao vento. As carriças gostaram da ideia, e os pardais não; dessa forma, conseguimos deixar os ninhos das carriças em paz. No verão, deixamos cerejas nas árvores e morangos abertos nos canteiros, e acho que temos não apenas mais pássaros, mas também mais tipos de chamadores de pássaros do que em qualquer outro lugar nos estados do Norte. John Burroughs disse que achava que tínhamos, e um dia, quando estava hospedado em nossa casa, encontrou um pássaro que nunca vira antes.

Há cerca de dez anos, importamos um grande número de pássaros do exterior – escrevedeira-amarela, tentilhão, sanhaço-vermelho, pintarroxo-de-bico-amarelo, dom-fafe, gaio, pintarroxo-comum, cotovia – cerca de quinhentos. Eles ficaram no entorno por um tempo, mas onde estão agora, não sei. Não vou me importar mais. Eles têm o direito de viver onde quiserem.

Os pássaros são os melhores companheiros. Precisamos deles por sua beleza e companhia, e também pela razão estritamente econômica de que eles destroem insetos nocivos. A única vez em que usei a organização Ford para influenciar a legislação foi em nome dos pássaros, e acho que o fim justificou os meios. O Projeto de Lei Weeks-McLean, que estabelecia santuários de pássaros para nossas aves migratórias, estava pendente no Congresso, com toda a probabilidade de morrer de morte natural. Seus defensores imediatos não conseguiam despertar muito interesse entre os congressistas. Os pássaros não votam. Apoiamos aquele projeto e pedimos a cada um de nossos seis mil revendedores que telegrafassem para seu representante no Congresso. Começou a ficar aparente que os pássaros poderiam ter votos; o projeto foi aprovado. Nossa organização nunca foi usada para nenhum propósito político e nunca será. Acreditamos que nosso pessoal tem direito a suas próprias preferências.

Voltemos para John Burroughs. É claro que eu sabia quem ele era e tinha lido quase tudo o que ele havia escrito, mas nunca pensei em conhecê-lo até alguns anos atrás, quando ele começou a sentir raiva do progresso moderno. Ele detestava dinheiro e, especialmente, detestava o poder que o dinheiro dá às pessoas vulgares para espoliar a encantadora área rural. Ele cresceu para não gostar da indústria da qual o dinheiro é feito. Ele não gostava do barulho de fábricas e ferrovias. Criticou o progresso industrial e declarou que o automóvel mataria a apreciação da natureza. Discordei fundamentalmente dele. Achei que suas emoções o haviam levado a uma conduta errada, e então enviei-lhe um automóvel, pedindo que o experimentasse e descobrisse por si mesmo se isso não o ajudaria a conhecer melhor a natureza. Aquele automóvel – e ele levou algum tempo para aprender a dirigi-lo sozinho – mudou completamente seu ponto de vista. Ele descobriu que isso o ajudava a ver mais e, a partir do momento em que conseguiu dirigir, fez quase todas as suas expedições de caça aos pássaros atrás do volante. Ele aprendeu que, em vez de se limitar a alguns quilômetros ao redor de Slabsides, todo o campo estava aberto para ele.

Daquele automóvel cresceu nossa amizade, e foi uma boa amizade. Qualquer homem que conhecesse John Burroughs seria melhor. Ele não era um naturalista profissional, nem tinha sentimentos por pesquisas difíceis. É fácil cultivar sentimentos fora de casa; é difícil buscar a verdade sobre um pássaro como se buscaria um princípio mecânico. Porém, John Burroughs fez isso, e, como resultado, as observações que ele estabeleceu foram muito precisas. Ele era impaciente com homens que não observavam a vida natural com precisão. John Burroughs amava a natureza primeiro pelo próprio interesse que ela despertava; ela não era apenas seu estoque de material como escritor profissional. Ele a amou antes de escrever sobre ela.

No final da vida, tornou-se filósofo. Sua filosofia não era tanto uma filosofia da natureza, mas uma filosofia natural – os pensamentos longos e serenos de um homem que vivia no espírito tranquilo das árvores. Ele não era pagão; não era panteísta; mas não separava a natureza da natureza humana, nem a natureza humana da divina. John Burroughs viveu uma vida saudável. Ele teve a sorte de ter como casa a fazenda em que nasceu. Durante longos anos, sua região lhe proporcionou tranquilidade mental. Ele amava os bosques e fazia com que as pessoas de mente empoeirada da cidade também os amassem – ele as ajudou a ver o que ele via. Não ganhava muito além do necessário para a subsistência. Talvez pudesse ter ganhado mais, mas esse não era o seu objetivo. Como outros naturalistas americanos, sua ocupação poderia ter sido descrita como inspetor de ninhos de pássaros e trilhas nas encostas. Claro, isso não se paga em dólares e centavos.

Quando ele passou dos 70 anos, sua visão sobre a indústria mudou. Talvez eu tenha algo a ver com isso. Ele chegou a ver que o mundo inteiro não podia viver caçando ninhos de pássaros. Em uma época de sua vida, ele se ressentiu de todo o progresso moderno, em especial quando estava associado à queima de carvão e ao barulho do tráfego. Talvez isso tenha sido o mais próximo da afetação literária a que ele chegou.

Wordsworth também não gostava de ferrovias, e Thoreau disse que podia ver mais do país caminhando. Talvez tenham sido tais influências que inclinaram John Burroughs por algum tempo contra o progresso industrial. Mas apenas por algum tempo. Ele percebeu que tinha sorte pelo fato de os gostos dos outros seguirem outras direções, assim como o mundo tinha sorte pelo fato de seu gosto seguir a própria direção. Não houve desenvolvimento observável no método de criação de ninhos de pássaros desde o início da observação registrada, mas essa não era por essa razão que os seres humanos não deviam preferir higiênicas casas modernas às cavernas. Isso era uma característica da sanidade de John Burroughs: ele não tinha medo de mudar de opinião. Ele era um amante da natureza, não se deixava enganar por ela. No decorrer do tempo, ele passou a valorizar e aprovar dispositivos modernos, e embora isso por si só seja um fato interessante, não é tão interessante quanto o fato de ele ter feito essa mudança depois dos setenta anos de idade. John Burroughs nunca era velho demais para mudar. Ele continuou evoluindo até o fim. O homem que é decidido demais para mudar já está morto. O funeral é um mero detalhe.

Se ele falava mais de uma pessoa do que de outra, essa pessoa era Emerson. Ele não apenas conhecia Emerson de cor como autor, mas também o conhecia de cor como espírito. Ele me ensinou a conhecer Emerson. Ele se impregnou tanto de Emerson que chegou a pensar como ele e até mergulhou em seu modo de expressão. Contudo, depois encontrou o próprio caminho – o que para ele era melhor.

Não houve tristeza na morte de John Burroughs. Quando o grão fica marrom e maduro sob o sol da colheita, e as ceifeiras estão ocupadas ligando-o aos feixes, não há tristeza para o grão. Ele amadureceu e cumpriu seu mandato, assim como John Burroughs. Com ele, era total maturação e colheita, não decadência. Ele trabalhou quase até o fim. Seus planos foram além do fim. Enterraram-no em meio à paisagem que ele amava, em seu aniversário de 84 anos. Essas paisagens serão preservadas como ele as amava.

John Burroughs, Edison, eu e Harvey S. Firestone fizemos várias viagens juntos. Íamos em caravanas motorizadas e dormíamos em barracas, com simplicidade. Uma vez atravessamos as Adirondacks e novamente os Alleghenies, seguindo para o sul. As viagens foram bem divertidas – exceto quando começaram a atrair muita atenção.

Hoje sou mais contra a guerra do que nunca, e acho que as pessoas do mundo sabem, mesmo que os políticos não, que a guerra nunca resolve nada. Foi a guerra que tornou os processos organizados e lucrativos do mundo o que são hoje: uma massa solta e desarticulada. Por certo, alguns homens enriquecem com a guerra; outros empobrecem. Entretanto, os homens que enriquecem não são aqueles que lutaram ou que com efeito ajudaram atrás das linhas. Nenhum patriota ganha dinheiro com a guerra. Nenhum homem verdadeiramente patriota poderia ganhar dinheiro com a guerra – com o sacrifício da vida de outros homens. Até que o soldado ganhe dinheiro lutando, até que as mães ganhem dinheiro entregando seus filhos à morte – até então, nenhum cidadão deveria ganhar dinheiro oferecendo os meios para preservar a vida do país.

Se as guerras continuarem, será cada vez mais difícil para o homem de negócios honesto considerá-las um meio legítimo de obter lucros altos e rápidos. As fortunas da guerra estão perdendo castas todos os dias. Até a ganância algum dia hesitará diante da esmagadora impopularidade e oposição que encontrará o especulador da guerra. Os negócios devem estar do lado da paz, porque a paz é o melhor ativo dos negócios.

E, a propósito, quando o gênio inventivo foi tão estéril quanto durante a guerra?

Uma investigação imparcial da última guerra, do que a precedeu e do que resultou dela, mostraria sem sombra de dúvida que existe no mundo um grupo de homens com vastos poderes de controle, que prefere permanecer desconhecido, que não procura um cargo ou qualquer sinal de poder, que não pertence a nenhuma nação, mas é internacional – uma força que usa todo governo, toda organização comercial generalizada, toda agência de publicidade, todo recurso da psicologia nacional para lançar o mundo ao pânico, com o objetivo de obter ainda mais poder sobre ele. Um velho truque de jogatina costumava ser o jogador gritar "Polícia!" quando havia muito dinheiro sobre a mesa e, no pânico que se seguia, agarrar o dinheiro e fugir com ele. Existe um poder no mundo que grita "Guerra!", e na confusão das nações, o sacrifício desenfreado que as pessoas fazem por segurança e paz foge com os despojos do pânico.

Devemos nos lembrar de que, apesar de termos vencido a contenda militar, o mundo ainda não teve uma vitória completa sobre os promotores da guerra. Não devemos esquecer que as guerras são um mal totalmente fabricado e são feitas de acordo com uma técnica definida. Uma campanha pela guerra é feita em linhas tão definidas quanto uma campanha para qualquer outro propósito. Primeiro, as pessoas são trabalhadas para isso. Por meio de histórias engenhosas, as suspeitas do povo são despertadas em relação à nação contra a qual a guerra é desejada. Faça a nação suspeitar; faça a outra nação suspeitar. Você só precisa de alguns agentes com alguma engenhosidade e nenhuma consciência, e de uma imprensa cujo interesse esteja ligado aos dos que serão beneficiados pela guerra. Então o "ato público" aparecerá em breve. Não é nenhum truque conseguir um "ato público", uma vez que se trabalhe o ódio de duas nações até o tom adequado.

Em todos os países, havia homens que estavam felizes ao ver a Guerra Mundial começar e lamentaram ao vê-la acabar. Centenas de fortunas americanas datam da Guerra Civil; milhares de novas fortunas datam da Guerra Mundial. Ninguém pode negar que a guerra é um negócio lucrativo para quem gosta desse tipo de dinheiro. A guerra é uma orgia de dinheiro, bem como uma orgia de sangue.

E não seríamos tão facilmente levados à guerra se considerássemos o que torna uma nação de fato grande. Não é a quantidade de comércio que a torna grande. A criação de fortunas privadas, como a de uma autocracia, não torna nenhum país grande. Nem a mera mudança de uma população agrícola para uma população fabril. Um país se torna grande quando, pelo desenvolvimento sábio de seus recursos e pela habilidade de seu povo, a propriedade é ampla e justamente distribuída.

O comércio exterior está cheio de ilusões. Devemos desejar a cada nação o maior grau possível de independência financeira. Em vez de desejar mantê-las dependentes de nós e do que fabricamos, devemos desejar que aprendam a fabricar para si mesmas e a construir uma civilização solidamente constituída. Quando cada nação aprender a fabricar as coisas que pode produzir, seremos capazes de chegar a uma base de servir uns aos outros ao longo daquelas linhas especiais em que não pode haver competição. A Zona Temperada do Norte nunca será capaz de competir com os trópicos nos produtos especiais dos trópicos. Nosso país nunca será um concorrente do Oriente na produção de chá, nem do Sul na produção de borracha.

Uma grande proporção de nosso comércio exterior é baseada no atraso de nossos clientes estrangeiros. O egoísmo é um motivo que preservaria esse atraso. A humanidade é um motivo que ajudaria as nações atrasadas a ter uma base autossustentável. Veja o México, por exemplo. Ouvimos falar muito sobre o "desenvolvimento" do México. Exploração é a palavra que deveria ser usada. Quando seus ricos recursos naturais são explorados para aumentar as fortunas privadas dos capitalistas estrangeiros, isso não é desenvolvimento, é arrebatamento. Você nunca pode desenvolver o México até desenvolver o mexicano. E, no entanto, quanto do "desenvolvimento" do México por exploradores estrangeiros já levou em conta o desenvolvimento de seu povo? O peão mexicano tem sido considerado um mero combustível para os fabricantes de dinheiro estrangeiros. O comércio exterior tem sido sua degradação.

As pessoas desprovidas de visão têm medo de tais conselhos. Eles dizem: "O que seria do nosso comércio exterior?".

Quando os nativos da África começarem a cultivar o próprio algodão, e os da Rússia começarem a produzir os próprios implementos agrícolas, e os da China começarem a suprir os próprios desejos, isso fará diferença, com certeza, mas qualquer homem que pense imagina que o mundo pode continuar por muito tempo na base atual, com algumas nações suprindo as necessidades do mundo? Devemos pensar em termos de como será o mundo quando a civilização se tornar geral, quando todos os povos aprenderem a ajudar a si mesmos.

Quando um país se exalta com o comércio exterior, normalmente depende de outros países para sua matéria-prima, transforma sua população em forragem industrial, cria uma classe rica privada e deixa seu interesse imediato ser negligenciado. Aqui nos Estados Unidos, temos trabalho suficiente para desenvolver nosso país, para nos aliviar da necessidade de procurar comércio externo por um longo tempo. Temos agricultura suficiente para nos alimentar enquanto trabalhamos e dinheiro suficiente para levar o trabalho adiante. Existe algo mais estúpido do que os Estados Unidos estarem ociosos porque o Japão ou a França ou qualquer outro país não nos enviou uma entrega quando há um emprego de cem anos nos esperando no desenvolvimento de nosso próprio país?

O comércio começou em serviço. Os homens levavam seu excedente para pessoas que nada tinham. O país que cultivava milho o levou para o país que não o cultivava. O país madeireiro trouxe madeira para a planície sem árvores. O país vinícola trouxe frutas para climas frios do norte. O pasto trouxe carne para a região sem capim. Era tudo serviço. Quando todos os povos do mundo se tornarem desenvolvidos na arte do autossustento, o comércio voltará a essa base. O negócio mais uma vez vai se tornar serviço. Não haverá competição, porque a base da competição terá desaparecido. Os diversos povos desenvolverão habilidades que serão da natureza de monopólios e não competitivas. Desde o início, os povos exibiram distintas estirpes de gênio: esse para o governo; outro para a colonização; outro para o mar; outro para a arte e a música; outro para a agricultura; outro para os negócios, e assim por diante. Lincoln disse que esta nação não poderia sobreviver meio escrava e meio livre. A raça humana não pode ser para sempre meio exploradora e meio explorada. Até nos tornarmos igualmente compradores e vendedores, produtores e consumidores, mantendo o equilíbrio não pelo lucro, mas pelo serviço, teremos condições inversas.

A França tem algo a dar ao mundo no qual nenhuma concorrência pode trapaceá-la. A Itália também. A Rússia também. Os países da América do Sul também, o Japão, a Grã-Bretanha, os Estados Unidos. Quanto mais cedo voltarmos a uma base de especialidades naturais e deixarmos esse sistema de agarrar no vale-tudo, mais cedo estaremos seguros do autorrespeito internacional – e da paz internacional. Tentar assumir o comércio do mundo pode promover a guerra. Isso não pode promover a prosperidade. Algum dia, até os banqueiros internacionais aprenderão isso.

Nunca fui capaz de descobrir quaisquer razões honrosas para o início da Guerra Mundial. Ela parece ter surgido de uma situação muito complicada, criada em grande parte por aqueles que pensavam que poderiam lucrar com a guerra. Com base nas informações que me foram dadas em 1916, eu acreditava que algumas nações estavam ansiosas pela paz e acolheriam uma manifestação por ela. Na esperança de que isso fosse verdade, financiei a expedição a Estocolmo no que desde então tem sido chamado de "Navio da Paz". Não me arrependo da tentativa. O mero fato de ela ter fracassado não é, para mim, prova conclusiva de que não valeu a pena tentar. Aprendemos mais com nossos fracassos do que com nossos sucessos. O que aprendi naquela viagem valeu o tempo e o dinheiro gastos. Agora não sei se as informações que me foram transmitidas eram verdadeiras ou falsas. Não me importo. Mas acho que todos concordarão que, se fosse possível encerrar a guerra em 1916, o mundo estaria melhor do que hoje.

Pois os vitoriosos se consumiram ao vencer, e os derrotados ao resistir. Ninguém obteve uma vantagem, honrosa ou desonrosa, dessa guerra. Eu esperava, finalmente, quando os Estados Unidos se envolveram nela, que poderia ser uma guerra para acabar com as guerras, mas agora sei que as guerras não acabam com as guerras, assim como uma conflagração extraordinariamente grande não elimina o perigo de incêndio. Quando nosso país entrou na guerra, tornou-se dever de cada cidadão fazer o máximo possível para levar a cabo o que havíamos empreendido. Acredito que é dever do homem que se opõe à guerra opor-se a ela até o momento de sua declaração efetiva. Minha oposição à guerra não se baseia em princípios pacifistas ou não resistentes. Pode ser que o estado atual da civilização seja tal que certas questões internacionais não possam ser discutidas; pode ser que elas tenham de ser combatidas. Porém, a luta nunca resolve a questão. Isso apenas leva os participantes a um estado de espírito em que concordam em discutir sobre o que estavam lutando.

Quando estávamos na guerra, todas as instalações das indústrias Ford foram colocadas à disposição do governo. Até o momento da declaração de guerra, havíamos nos recusado a receber encomendas de guerra dos beligerantes estrangeiros. É totalmente incompatível com os princípios de nosso negócio perturbar a rotina de nossa produção, a menos que seja em uma emergência. Está em desacordo com nossos princípios humanos ajudar qualquer lado em uma guerra na qual nosso país não esteja envolvido. Esses princípios não tinham aplicação, uma vez que os Estados Unidos entraram na guerra. De abril de 1917 a novembro de 1918, nossa fábrica trabalhou exclusivamente para o governo. É claro que fabricamos carros e peças e entregamos caminhões especiais e ambulâncias como parte de nossa produção geral, mas também produzimos muitos outros artigos que eram mais ou menos novos para nós. Fabricamos caminhões de duas toneladas e meia e de seis toneladas. Fabricamos motores Liberty em grandes quantidades, cilindros aerodinâmicos, caçambas de um metro e cinquenta e cinco centímetros e quatro metros e setenta centímetros. Fizemos aparelhos de escuta, capacetes de aço (tanto em Highland Park quanto na Filadélfia) e barcos Eagle, e fizemos uma grande quantidade de trabalho experimental em blindados, compensadores e armaduras. Para os barcos Eagle, montamos uma fábrica especial em River Rouge. Esses barcos foram projetados para combater os submarinos. Eles tinham sessenta e dois metros de comprimento, eram feitos de aço, e uma das condições precedentes para a construção era que ela não interferisse em nenhuma outra linha de produção de guerra, e que eles fossem entregues rapidamente. O projeto foi elaborado pelo Departamento da Marinha. Em 22 de dezembro de 1917, ofereci-me para construir os barcos para a Marinha. A discussão terminou em 15 de janeiro de 1918, quando o Departamento da Marinha concedeu o contrato à Ford Company. Em 11 de julho, o primeiro barco concluído foi lançado. Fabricamos os cascos e os motores, e nem uma forja ou viga rolada entraram na construção de outras partes que não fosse o motor. Estampamos os cascos inteiramente de lâmina de aço. Eles foram construídos a portas fechadas. Em quatro meses preparamos um prédio em River Rouge com cerca de quinhentos metros de comprimento, cem metros de largura e trinta metros de altura, cobrindo mais de cinco hectares. Esses barcos não foram construídos por engenheiros navais. Eles foram construídos simplesmente aplicando nossos princípios de produção a um novo produto.

Com o armistício, imediatamente abandonamos a guerra e voltamos à paz.

Um homem capaz é um homem que pode fazer coisas, e sua habilidade de fazer coisas depende do que ele tem em si. O que ele tem em si depende do que ele começou e do que fez para aumentá-lo e disciplina-lo.

Um homem instruído não é aquele cuja memória é treinada para lembrar algumas datas na história – ele é alguém que pode realizar coisas. Um homem que não consegue pensar não é um homem instruído, por mais que tenha obtido muitos diplomas universitários. Pensar é o trabalho mais difícil que alguém pode fazer – o que provavelmente é a razão pela qual temos tão poucos pensadores. Há dois extremos a evitar: um é a atitude de desprezo em relação à educação, o outro é o trágico esnobismo de presumir que marchar em um sistema educacional é uma cura segura para a ignorância e a mediocridade. Você não pode aprender em nenhuma escola o que o mundo fará no próximo ano, mas pode aprender com algumas das coisas que o mundo tentou fazer nos anos anteriores, aquelas em que falhou e aquelas em que teve êxito. Se a educação consistisse em alertar o jovem estudante a respeito de algumas das falsas teorias que os homens tentaram construir, para que ele pudesse ser poupado da perda de tempo de descobri-lo de um jeito amargo, seu benefício seria inquestionável. Uma educação que consistisse em sinais que indicassem o fracasso e as falácias do passado sem dúvida seria muito útil. Ninguém se torna instruído apenas por aprender as teorias de muitos professores. A especulação é muito interessante e às vezes lucrativa, mas não é educação. Aprender ciência hoje é apenas estar ciente de cem teorias que não foram provadas. E não saber o que são essas teorias é "não ter instrução", "ser ignorante", e assim por diante. Se o conhecimento de suposições é aprendizado, então pode-se aprender pelo simples recurso de fazer as próprias suposições. E pela mesma razão pode-se chamar o resto do mundo de "ignorante" porque não sabe quais são suas suposições. Todavia, o melhor que a instrução pode fazer por um homem é colocá-lo na posse de seus poderes, dar-lhe o controle das ferramentas com as quais o destino o dotou e ensiná-lo a pensar. A faculdade presta seu melhor serviço como um ginásio intelectual no qual o músculo mental é desenvolvido e o aluno fortalecido para fazer o que pode. Dizer, no entanto, que a ginástica mental só pode ser realizada na faculdade não é verdade, como é do conhecimento de todo educador. A verdadeira educação de um homem começa depois que ele sai da escola. A verdadeira educação é obtida por meio da disciplina da vida.

Existem muitos tipos de conhecimento, e isso depende da multidão em que você se encontra, ou de como a moda em vigor funciona, ou de que tipo de conhecimento é mais respeitado no momento. Existem modas no conhecimento, assim como em todo o resto. Quando alguns de nós éramos rapazes, o conhecimento costumava ser limitado à Bíblia. Havia certos homens na vizinhança que a conheciam a fundo e eram procurados e respeitados. O conhecimento bíblico era altamente valorizado na época. Hoje em dia, porém, é duvidoso que um profundo conhecimento da Bíblia seja suficiente para um homem alcançar uma reputação pelo aprendizado.

O conhecimento, na minha opinião, é algo que no passado alguém aprendeu e disponibilizou de uma forma que permite que todos os que o desejam possam obtê-lo. Se um homem nasce com faculdades humanas normais, se está equipado com habilidade suficiente para usar as ferramentas que chamamos de "letras" na leitura ou na escrita, não há conhecimento que ele não possa ter – se ele o quiser! A única razão pela qual os homens não sabem tudo o que a mente humana já aprendeu é que ninguém até agora achou que valeria a pena saber tanto. Os homens satisfazem mais a mente descobrindo coisas por si mesmos do que amontoando os conhecimentos que outra pessoa descobriu. Você pode reunir conhecimento a vida toda, e, com toda a sua coleta, você não alcançará nem mesmo a sua própria época. Você pode encher a cabeça com todos os "fatos" de todas as épocas, e sua cabeça pode se tornar apenas uma caixa de fatos sobrecarregada quando você terminar. O ponto é o seguinte: grandes pilhas de conhecimento na cabeça não são a mesma coisa que atividade mental. Um homem pode ser muito instruído e muito inútil. E, novamente, um homem pode ser iletrado e muito útil.

O objetivo da educação não é encher a mente de um homem com fatos; é ensiná-lo a usar a mente para pensar. E muitas vezes acontece de um homem poder pensar melhor se não for prejudicado pelo conhecimento do passado.

É uma tendência humana achar que o que a humanidade ainda não sabe ninguém pode aprender. E, no entanto, deve estar perfeitamente claro para todos que não se pode permitir que o aprendizado passado da humanidade atrapalhe o aprendizado futuro. A humanidade não foi tão longe quando se mede seu progresso em relação ao conhecimento que ainda está para ser adquirido – aos segredos que ainda precisam ser aprendidos.

Uma boa maneira de atrapalhar o progresso é encher a cabeça de um homem com todo o aprendizado do passado; fazer com que ele sinta que, porque sua cabeça está cheia, não há mais nada a aprender. Simplesmente reunir conhecimento pode se tornar o trabalho mais inútil que um homem pode fazer. O que você pode fazer para ajudar e curar o mundo? Esse é o teste educacional. Se um homem pode sustentar o próprio objetivo, ele conta por um. Se ele puder ajudar dez, cem ou mil outros homens a sustentar seus objetivos, ele conta mais. Ele pode estar bastante ultrapassado em muitas coisas que habitam o reino da impressão, mas ainda assim é um homem instruído. Quando um homem é senhor da própria esfera, qualquer que ela seja, ele ganhou seu diploma – entrou no reino da sabedoria.

O trabalho que descrevemos como "Estudos da questão judaica", e que é descrito de maneira diversa por antagonistas como "a campanha judaica", "o ataque aos judeus", "o pogrom antissemita" e assim por diante, não precisa de explicação para aqueles que o acompanharam. Seus motivos e propósitos devem ser julgados pelo trabalho em si. É oferecido como uma contribuição para uma questão que afeta profundamente o país, uma questão cuja origem é racial e que diz respeito a influências e ideais, e não a pessoas. Nossas declarações devem ser julgadas por leitores sinceros, que são inteligentes o suficiente para colocar nossas palavras ao lado da vida à medida que são capazes de observá-la. Se a nossa palavra e a observação deles estiverem de acordo, o caso está encerrado. É totalmente absurdo começar a nos condenar antes que se mostre que nossas declarações são infundadas ou imprudentes. O primeiro item a considerar é a verdade do que estabelecemos. E esse é precisamente o item que nossos críticos escolhem evitar.

Os leitores de nossos artigos verão imediatamente que não somos motivados por nenhum tipo de preconceito, exceto por um preconceito favorável aos princípios que fizeram nossa civilização. Observou-se que neste país certas correntes de influência estavam causando uma deterioração acentuada em nossa literatura, diversão e conduta social; os negócios estavam se afastando da solidez substancial dos velhos tempos; em todos os lugares se notou uma deterioração geral dos padrões. Não foi a robusta rudeza do homem branco, a aspereza rude, digamos, dos personagens de Shakespeare, mas um orientalismo desagradável que afetou insidiosamente todos os canais de expressão – e a tal ponto que era hora de desafiá-lo. O fato de todas essas influências serem rastreáveis a uma fonte racial é reconhecido não apenas por nós, mas pelas pessoas inteligentes da raça em questão. É absolutamente louvável que eles tenham tomado medidas para anular a proteção que davam aos violadores mais flagrantes da hospitalidade americana, mas ainda há espaço para descartar ideias ultrapassadas de superioridade racial mantidas pela guerra econômica ou intelectualmente subversiva contra a sociedade cristã.

Nosso trabalho não pretende dizer a última palavra sobre o judeu na América. Ele apenas diz a palavra que descreve sua óbvia impressão atual sobre o país. Quando essa impressão é alterada, o relato pode ser alterado. Por enquanto, então, a questão está totalmente nas mãos dos judeus. Se eles são tão sábios quanto afirmam ser, trabalharão para tornar os judeus americanos, em vez de tornar a América judia. O espírito dos Estados

Unidos da América é cristão no sentido mais amplo, e seu destino é permanecer cristão. Isso não significa ser sectário, mas está relacionado a um princípio básico que difere de outros princípios, na medida em que proporciona liberdade com moralidade e compromete a sociedade a um código de relações com base em concepções cristãs fundamentais de direitos e deveres humanos.

Quanto ao preconceito ou ódio contra as pessoas, isso não é americano nem cristão. Nossa oposição é apenas às ideias, às falsas ideias que estão minando a resistência moral do povo. Essas ideias procedem de fontes facilmente identificadas, são promulgadas por métodos facilmente detectáveis e são controladas por mera exposição. Simplesmente usamos o método de exposição. Quando as pessoas aprendem a identificar a fonte e a natureza da influência que gira em torno delas, é o suficiente. Que o povo americano entenda de uma vez que não é a degeneração natural, mas a subversão calculada que nos aflige, e que eles estão seguros. A explicação é a cura.

Este trabalho foi retomado sem motivos pessoais. Quando alcançou um estágio em que acreditávamos que o povo americano podia entender o fundamental, nós o deixamos descansar por algum tempo. Nossos inimigos dizem que o iniciamos por vingança e que o abandonamos por medo. O tempo mostrará que nossos críticos estão apenas lidando com a evasão porque não se atrevem a desafiar a questão principal. O tempo também mostrará que somos melhores amigos dos melhores interesses dos judeus do que aqueles que os elogiam na sua frente e os criticam pelas costas.

DEMOCRACIA E INDÚSTRIA

Talvez hoje em dia nenhuma palavra seja mais excessivamente usada do que a palavra "democracia", e aqueles que gritam mais alto a seu respeito, penso, em em regra a desejam menos. Sempre desconfio de homens que falam de maneira loquaz de democracia. Pergunto-me se eles querem criar algum tipo de despotismo ou se querem que alguém faça por eles o que deveriam fazer por si mesmos. Sou a favor do tipo de democracia que dá a cada um uma chance igual, de acordo com sua capacidade. Penso que, se dermos mais atenção a servir nossos companheiros, teremos menos preocupações com as formas vazias de governo e mais com as coisas a fazer. Pensando em serviço, não devemos nos preocupar com bons sentimentos na indústria ou na vida; não devemos nos preocupar com massas e classes, nem com lojas fechadas e abertas, e com esses assuntos que nada têm a ver com o negócio real do sustento. Podemos chegar aos fatos. Precisamos de fatos.

A mente se choca quando desperta para o fato de que nem toda a humanidade é humana – que grupos inteiros de pessoas não consideram os outros com sentimentos humanos. Houve um grande esforço no sentido de que isso parecesse a atitude de uma classe, mas é realmente a atitude de todas as "classes", na medida em que elas são influenciadas pela falsa noção de "classes". Antes, quando a propaganda se esforçava para fazer as pessoas acreditarem que apenas os "ricos" não tinham sentimentos humanos, generalizou-se a opinião de que entre os "pobres" as virtudes humanas floresciam.

No entanto, os "ricos" e os "pobres" são minorias muito pequenas, e você não pode classificar a sociedade por tais critérios. Não há "ricos" e "pobres" suficientes para servir ao propósito de tal classificação. Homens ricos tornaram-se pobres sem mudar sua natureza, e homens pobres tornaram-se ricos, e isso não mudou a questão.

Entre os ricos e os pobres está a grande massa de pessoas que não são nem ricas nem pobres. Uma sociedade composta exclusivamente de milionários não seria diferente da nossa sociedade atual; alguns dos milionários precisariam cultivar trigo, assar pão, fabricar máquinas e operar trens – caso contrário, todos morreriam de fome. Alguém deve fazer o trabalho. Realmente não temos classes fixas. Temos homens que trabalharão e homens que não o farão. A maioria das "classes" sobre as quais se lê são puramente ficcionais. Tomemos certos jornais capitalistas. Você ficará surpreso com algumas das suas declarações sobre a classe trabalhadora. Nós, que fomos e ainda fazemos parte da classe trabalhadora, sabemos que essas declarações são falsas. Tomemos alguns dos jornais do operário. Você fica igualmente impressionado com algumas das declarações que eles fazem sobre "capitalistas". E, no entanto, em ambos os lados há um fundo de verdade. O homem que é capitalista e nada mais, que joga com os frutos do trabalho de outros trabalhadores, merece tudo o que se diz contra ele. Ele está precisamente na mesma classe do jogador barato que engana os trabalhadores com seus salários. As declarações que lemos sobre a classe trabalhadora na imprensa capitalista raramente são escritas por gerentes de grandes indústrias, mas por uma classe de escritores que estão escrevendo o que pensam que agradará a seus empregadores. Eles escrevem o que imaginam que vai agradar. Examine a imprensa operária e você encontrará outra classe de escritores que, da mesma forma, tentam justificar os preconceitos que eles imaginam que o trabalhador tenha. Ambos os tipos de escritores são meros propagandistas. E propaganda que não divulga fatos é autodestrutiva. E assim deve ser. Não se pode pregar patriotismo aos homens com o objetivo de fazê-los ficar parados enquanto você os rouba – e se safa com esse tipo de pregação por muito tempo. Não se pode pregar o dever de trabalhar duro e produzir abundantemente e fazer disso uma janela para um lucro adicional para si mesmo. E o trabalhador também não pode omitir a falta de um dia de trabalho em troca de uma frase.

Sem dúvida, a classe empregadora dispõe de dados que os empregados deveriam conhecer para construir opiniões sólidas e aprovar julgamentos justos. Sem dúvida, os empregados dispõem de dados igualmente importantes para o empregador. É muito duvidoso, no entanto, que ambos os lados disponham de todos os dados. E é aí que a propaganda, mesmo que ela possa ser absolutamente bem-sucedida, é defeituosa. Não é desejável que um conjunto de ideias seja "imposto" a uma classe que tenha outro conjunto de ideias. O que de fato precisamos é reunir todas as ideias e construir com base nelas.

Tomemos, por exemplo, toda essa questão do trabalho sindical e o direito de greve.

O único grupo forte de sindicalistas do país é o que recebe salários dos sindicatos. Alguns deles são muito ricos. Alguns deles estão interessados em influenciar as nossas grandes instituições financeiras. Outros são tão extremos em seu chamado socialismo que fazem fronteira com o bolchevismo e o anarquismo – seus salários sindicais os libertam da necessidade de trabalho, para que possam dedicar suas energias à propaganda subversiva. Todos eles gozam de tal prestígio e poder que, no curso natural da concorrência, não poderiam senão ter vencido.

Se o pessoal oficial dos sindicatos dos trabalhadores fosse tão forte, honesto, decente e sábio quanto a maioria dos homens que compõem a associação, todo o movimento teria assumido uma compleição diferente nesses últimos anos. Porém, esse pessoal oficial, no essencial – há notáveis exceções –, não se devotou a uma aliança com as qualidades naturalmente fortes do trabalhador; devotou-se bastante a jogar com suas fraquezas, principalmente com as fraquezas daquela parcela recém-chegada da população que ainda não sabe o que é americanismo e que nunca saberá, se deixada sob a tutela dos líderes sindicais locais.

Os operários, exceto aqueles poucos que foram inoculados com a doutrina falaciosa da "guerra de classes" e que aceitaram a filosofia de que o progresso consiste em fomentar a discórdia na indústria ("Se você recebe doze dólares por dia, não se contente com isso. Faça uma agitação para obter catorze dólares. Se você trabalha oito horas por dia, não seja tolo e não se satisfaça com isso; faça agitação para trabalhar seis horas. Comece a fazer alguma coisa! Sempre comece a fazer algo!"), têm o bom senso de reconhecer que, com os princípios aceitos e observados, as condições mudam. Os líderes sindicais nunca viram isso. Eles desejam que as condições permaneçam como estão, condições de injustiça, provocação, greves, maus sentimentos e vida nacional paralisada. Caso contrário, por que se precisaria de representantes sindicais? Toda greve é um novo argumento para eles; eles apontam para ela e dizem: – Veja! Você ainda precisa de nós.

O único verdadeiro líder trabalhista é aquele que conduz a mão de obra ao trabalho e aos salários, e não o líder que conduz a mão de obra a greves, sabotagem e fome. O sindicato dos trabalhadores que está vindo à tona neste país é o sindicato de todos cujos interesses são interdependentes – cujos interesses são totalmente dependentes da utilidade e da eficiência do serviço que prestam.

Há uma mudança em curso. Quando o sindicato dos "líderes sindicais" desaparecer, com ele irá o sindicato dos chefes cegos – chefes que nunca fizeram uma coisa decente por seus funcionários até serem obrigados a isso. Se o chefe cego era uma doença, o líder sindical egoísta era o antídoto. Quando o líder sindical se tornou a doença, o chefe cego se tornou o antídoto. Ambos são desajustados, ambos estão deslocados na sociedade bem organizada. E ambos estão desaparecendo juntos.

A voz que se ouve hoje é a do chefe cego que diz: "Agora é a hora de esmagar a mão de obra, nós os pegamos em fuga". Essa voz está silenciando, juntamente com a voz que prega "guerra de classes". Os produtores – desde os homens da mesa de desenho aos homens da moldagem – se juntaram em uma verdadeira união e, de agora em diante, tratarão dos próprios assuntos.

A exploração da insatisfação é um negócio estabelecido hoje. Seu objetivo é não resolver nada, nem fazer nada, mas manter a insatisfação. E os instrumentos usados para fazer isso são todo um conjunto de falsas teorias e promessas que nunca poderão ser cumpridas enquanto a Terra permanecer como é.

Não sou contra a organização do trabalho. Não sou contra nenhum tipo de organização que leve ao progresso. O problema é organizar para limitar a produção – seja por empregadores ou por trabalhadores.

O próprio operário deve estar atento a algumas ideias muito perigosas – perigosas para si mesmo e para o bem-estar do país. Diz-se às vezes que quanto menos um trabalhador faz, mais empregos ele cria para outros homens. Essa falácia assume que a ociosidade é criativa. A ociosidade nunca criou um emprego. Ela cria apenas encargos. O industrial nunca deixa seu colega de trabalho sem emprego; de fato, é o industrial que é o parceiro do administrador industrial – quem cria cada vez mais negócios e, portanto, cada vez mais empregos. É lamentável que alguma vez tenha se exteriorizado entre homens sensatos a ideia de que ao "vadiarem" no emprego ajudam outra pessoa. Um momento de reflexão mostrará a fraqueza de tal ideia. A empresa saudável, a empresa que sempre oferece cada vez mais oportunidades para os homens ganharem uma vida honrada e ampla, é aquela em que todo homem se orgulha do seu dia de trabalho. E o país que está mais seguro é o país em que os homens trabalham honestamente e não usam truques nos meios de produção. Não podemos jogar rápido e livremente com as leis econômicas, porque, se o fizermos, elas nos tratam de maneira muito difícil.

O fato de uma parte do trabalho ser feita hoje por nove homens quando antes costumava ser feita por dez não significa que o décimo homem esteja desempregado. Ele simplesmente não está empregado nesse trabalho, e o público não está carregando o ônus de seu sustento, pagando mais do que deveria por aquele trabalho – pois, afinal, é o público que paga!

Uma empresa industrial que está suficientemente atenta para se reorganizar em termos de eficiência e é suficientemente honesta com o público para cobrar os custos necessários e não mais que isso é tão empreendedora que tem muitos empregos para oferecer ao décimo homem. Ela está fadada a crescer, e crescimento significa empregos. Uma empresa bem gerenciada está sempre buscando reduzir o custo da mão de obra para o público; e com certeza emprega mais homens do que o faz a empresa que passa o tempo ociosa e faz o público pagar o custo de sua má administração.

O décimo homem foi um custo desnecessário. O consumidor final estava pagando por ele. Mas o fato de ele ser desnecessário nesse emprego em particular não significa que ele seja desnecessário no trabalho do mundo, ou mesmo no trabalho de sua oficina em particular.

O público paga por toda má administração. Mais da metade do problema do mundo hoje é a "vadiagem", a diluição, o barateamento e a ineficiência pelos quais as pessoas estão pagando um bom dinheiro. Onde quer que dois homens sejam pagos pelo que um pode fazer, as pessoas estão pagando o dobro do que deveriam. E é fato que, há pouco tempo, nos Estados Unidos, não produzíamos o que costumávamos durante vários anos antes da guerra.

Um dia de trabalho significa mais do que estar "em serviço" na fábrica pelo número de horas necessário. Significa dar o equivalente em serviço pelo salário estabelecido. E quando esse equivalente é adulterado de qualquer maneira – quando o homem dá mais do que recebe ou recebe mais do que ele dá –, não demora muito para que um deslocamento sério se manifeste. Estenda essa condição por todo o país e você terá um aborrecimento completo dos negócios. Tudo o que a dificuldade industrial significa é a destruição de equivalentes básicos na fábrica. A gerência deve compartilhar a culpa com a mão de obra. Ela também tem sido preguiçosa. Achou mais fácil contratar quinhentos homens adicionais do que melhorar seus métodos para que cem homens da antiga força pudessem ser liberados para outros trabalhos. O público estava pagando, os negócios estavam crescendo, e a gerência não se importava. No escritório não era diferente. A lei da equivalência foi violada tanto pelos gerentes quanto pelos operários. Praticamente nada de importante é garantido pela mera demanda. É por isso que as greves sempre fracassam – mesmo que pareçam ter sucesso. Uma greve que traga salários mais altos ou menos horas e repasse o ônus à comunidade é realmente malsucedida. Isso apenas torna a indústria menos capaz de servir – e diminui o número de empregos que pode oferecer. Isso não quer dizer que nenhuma greve seja justificada – ela pode chamar a atenção para um mal. Os homens podem fazer greve por justiça – que eles assim obterão justiça é outra questão.

A greve por condições adequadas e justas recompensas é justificável. É lamentável que os homens sejam obrigados a usá-la para conseguir o que é deles por direito. Nenhum americano deve ser obrigado a fazer greve por seus direitos. Ele deveria recebê-los naturalmente, facilmente, por via de regra. Essas greves justificáveis geralmente são culpa do empregador. Alguns empregadores não estão aptos para seu trabalho. A empregabilidade dos homens – a direção de suas energias, a organização de suas recompensas em proporção honesta à sua produção e à prosperidade dos negócios – não é um trabalho pequeno. Um empregador pode ser inapto para o seu trabalho, assim como um homem pode ser inapto para operar um torno. Greves justificáveis são um sinal de que o chefe precisa de outro emprego – de um com o qual ele possa lidar. O empregador inapto causa mais problemas do que o empregado inapto. Você pode realocar este último para outro trabalho mais adequado. Todavia, o primeiro em geral deve ser deixado à lei da compensação. A greve justificada, portanto, é aquela que nunca precisaria ser acionada se o empregador tivesse feito seu trabalho.

Há um segundo tipo de greve – a greve dissimulada. Nesse tipo de greve, os operários são transformados em ferramentas de algum manipulador que busca atingir seus fins por meio deles. Para ilustrar: aqui está uma grande indústria cujo sucesso se deve a atender a uma necessidade pública com produção eficiente e habilidosa. Tem um histórico de justiça. Tal indústria representa uma grande tentação para os especuladores. Se eles puderem apenas ter controle sobre isso, poderão colher ricos benefícios de todo o esforço honesto que foi colocado nela. Eles podem destruir o salário dos beneficiários e a participação nos lucros, extorquir até o último dólar do público, do produto e do operário e reduzi-la à difícil situação de outras empresas comerciais, baseadas em princípios baixos. O motivo pode ser a ganância pessoal dos especuladores ou eles podem querer mudar a política de uma empresa porque seu exemplo é embaraçoso para outros empregadores que não querem fazer o que é certo. A indústria não pode ser tocada de dentro, porque seus homens não têm motivos para greve. Então, outro método é adotado. A empresa pode manter muitas oficinas externas ocupadas fornecendo material. Se essas oficinas externas podem estar ocupadas, essa grande indústria pode ser paralisada.

Portanto, fomentam greves nas indústrias externas. Tentam de tudo para reduzir a fonte de suprimentos da fábrica. Se os trabalhadores das oficinas externas soubessem o que era o jogo, eles se recusariam a jogar, mas não sabem; eles servem de ferramentas para os capitalistas sem saber. Há um ponto, no entanto, que deve despertar as suspeitas de operários envolvidos nesse tipo de greve. Se a greve não puder ser resolvida, não importa o que os dois lados ofereçam, é uma prova quase positiva de que há terceiros interessados em continuar com ela. Essa influência oculta não quer um acordo sob nenhum termo. Se tal greve é vencida pelos grevistas, a sorte do trabalhador melhora? Depois de jogar a indústria nas mãos de especuladores externos, os operários recebem melhor tratamento ou salário?

Há um terceiro tipo de greve – a que é provocada por interesses financeiros com o objetivo de atribuir má reputação à mão de obra. O trabalhador americano sempre teve uma reputação de bom senso. Ele não se deixou levar por toda a gritaria que prometia criar o milênio do nada. Ele tinha opinião própria e a fazia valer. Ele sempre reconheceu a verdade fundamental de que a ausência de razão nunca foi compensada pela presença de violência. A seu modo, o trabalhador americano conquistou certo prestígio com seu povo e em todo o mundo. A opinião pública tende a considerar com respeito suas opiniões e desejos. Mas parece haver um esforço determinado para fixar a mancha bolchevique na mão de obra americana, incitando-a a atitudes impossíveis e ações totalmente inéditas que mudarão o sentimento público em relação às críticas. Apenas evitar greves, contudo, não promove a indústria. Podemos dizer ao trabalhador:

– Você tem uma queixa, mas a greve não é o remédio; ela só piora a situação se você ganha ou perde.

Então o trabalhador pode admitir que isso é verdade e abster-se de fazer greve.

Isso resolve alguma coisa?

Não! Se o trabalhador abandona as greves como um meio indigno de obter condições desejáveis, isso significa simplesmente que os empregadores devem se ocupar por sua própria iniciativa e corrigir condições insatisfatórias.

A experiência das indústrias Ford com o trabalhador foi inteiramente satisfatória, tanto nos Estados Unidos quanto no exterior. Não temos antagonismo com sindicatos, mas não participamos de acordos com organizações de empregados ou empregadoras. Os salários pagos são sempre mais altos do que qualquer sindicato razoável poderia pensar em exigir, e o período de trabalho é sempre mais curto. Não há nada que uma associação sindical possa fazer por nosso povo. Alguns deles podem pertencer a sindicatos, provavelmente não a maioria. Não sabemos e não fazemos nenhuma tentativa para descobrir, pois é um assunto de menor preocupação para nós. Respeitamos os sindicatos, simpatizamos com seus bons objetivos e denunciamos os maus. Por sua vez, acho que eles nos respeitam, pois nunca houve nenhuma tentativa autorizada de ficar entre os homens e a gerência em nossas fábricas. É claro que alguns agitadores radicais tentaram causar problemas uma vez ou outra, mas os homens, na maior parte, simplesmente os consideravam simplesmente esquisitos, e seu interesse neles tem sido o mesmo que teriam em um homem de quatro patas.

Na Inglaterra, atendemos à questão do sindicato comercial diretamente em nossa fábrica de Manchester. Os trabalhadores de Manchester são majoritariamente sindicalizados, e as usuais restrições do sindicato inglês sobre a produção prevalecem. Assumimos uma fábrica de carroceria na qual havia vários carpinteiros sindicalizados. Imediatamente, os representantes do sindicato pediram para ver nossos executivos e organizar os termos. Lidamos apenas com nossos empregados e nunca com representantes externos; portanto, nosso pessoal se recusou a ver os representantes do sindicato. Então eles chamaram os carpinteiros para entrar em greve. Os carpinteiros não aderiram à greve e foram expulsos do sindicato. Os homens expulsos entraram com um processo contra o sindicato por sua parte no fundo de benefícios. Não sei como o litígio acabou, mas esse foi o fim da interferência de representantes de sindicatos comerciais em nossas operações na Inglaterra.

Não fazemos nenhuma tentativa de agradar às pessoas que trabalham conosco. É absolutamente uma relação de toma lá dá cá. Durante o período em que aumentamos amplamente os salários, tivemos uma considerável força fiscalizadora. A vida doméstica dos homens foi investigada e fez-se um esforço para descobrir o que eles faziam com seus salários. Talvez na época isso fosse necessário; deu-nos informações valiosas. Mas não seria de todo um assunto permanente e foi abandonado.

Não acreditamos no "toque pessoal" profissionalizado ou no "elemento humano". É tarde demais, hoje em dia, para esse tipo de coisa. Os homens querem algo mais do que um sentimento digno. As condições sociais não são feitas de palavras. Elas são o resultado líquido das relações diárias entre os homens. O melhor espírito social é evidenciado por algum ato que custa algo à administração e beneficia a todos. Essa é a única maneira de provar boas intenções e conquistar respeito. Propaganda, boletins, palestras – não são nada. É a ação correta, sinceramente feita, que conta.

Uma grande empresa é realmente grande demais para ser humana. Cresce tanto que suplanta a personalidade do homem. Em uma grande empresa, o empregador, assim como o empregado, está perdido na massa. Juntos, eles criaram uma grande organização produtiva, que envia artigos que o mundo compra e paga, em troca de dinheiro que fornece um meio de subsistência para todos os envolvidos no negócio. O negócio em si se torna a grande coisa.

Há algo de sagrado em uma grande empresa que sustenta centenas e milhares de famílias. Quando se olha para os bebês que chegam ao mundo, para os meninos e meninas que frequentam a escola, para os jovens operários que, com a força de seus empregos, estão se casando e se estabelecendo, para as milhares de casas que estão sendo pagas em prestações com os ganhos dos homens – quando se olha para uma grande organização produtiva, que permite que todas essas coisas sejam feitas, a continuidade desse negócio se torna uma confiança sagrada. Torna-se maior e mais importante que os indivíduos.

O empregador é apenas um homem como seus empregados e está sujeito a todas as limitações da humanidade. Ele tem razão em manter seu emprego apenas porque pode preenchê-lo. Se ele pode conduzir a empresa corretamente, se seus homens podem confiar nele para executar o objetivo do trabalho apropriadamente sem comprometer a segurança deles, então ele está no lugar apropriado. Caso contrário, ele não é mais apto para sua posição do que um bebê. O empregador, como todo mundo, deve ser julgado apenas por sua capacidade. Ele pode ser apenas um nome para os homens – um nome em uma tabuleta. Entretanto, existe a empresa, ela é mais que um nome. Ela produz a subsistência – e subsistência é algo bastante tangível. E a empresa é uma realidade. Ela faz coisas.

Está em atividade. A evidência de sua conveniência é que os envelopes de pagamento continuam chegando.

Dificilmente se pode ter muita harmonia nos negócios. Mas pode-se ir longe demais escolhendo homens porque eles se harmonizam. Você pode ter tanta harmonia que não haverá o suficiente do impulso e do contraimpulso que é a vida – o suficiente da competição que significa esforço e progresso. Uma coisa é a organização trabalhar harmoniosamente em direção a um objetivo, outra é uma organização trabalhar harmoniosamente com cada unidade individual. Algumas organizações consomem tanta energia e tempo mantendo um sentimento de harmonia que não têm mais força para trabalhar o objetivo para o qual a organização foi criada. A organização é secundária ao objetivo. A única organização harmoniosa que vale alguma coisa é aquela na qual todos os membros estão empenhados no único objetivo principal – avançar em direção ao objetivo. Um propósito comum, honestamente aceito, sinceramente desejado – esse é o grande princípio de harmonização.

Tenho pena do pobre camarada que é tão inseguro que sempre deve ter "uma atmosfera de bons sentimentos" ao seu redor antes de poder fazer seu trabalho. Existem homens assim. E, finalmente, a menos que obtenham firmeza mental e moral suficiente para tirá-los de sua suave confiança no "sentimento", eles fracassam. Não são apenas falhas nos negócios; são falhas de caráter também; é como se seus ossos nunca atingissem um grau suficiente de firmeza para permitir que se sustentassem com seus próprios pés. Há muita confiança nos bons sentimentos em nossas organizações empresariais. As pessoas apreciam trabalhar com as pessoas de quem gostam. No final, isso estraga muitas qualidades valiosas.

Não me entenda mal; quando uso o termo "bom sentimento", quero dizer o hábito de tornar gostos e aversões pessoais o único padrão de julgamento. Suponha que você não goste de um homem. Isso é um defeito dele? Pode ser um defeito seu. O que você gosta ou não tem a ver com os fatos? Todo homem de bom senso sabe que existem homens de quem ele não gosta que são realmente mais capazes do que ele próprio.

Levando tudo isso para fora da fábrica e para campos mais amplos, não é necessário que os ricos amem os pobres ou que os pobres amem os ricos. Não é necessário que o empregador ame o empregado ou que o empregado ame o empregador. O que é necessário é que cada um tente fazer justiça ao outro de acordo com o que ele merece. Essa é a verdadeira democracia, e não a questão de quem deve possuir os tijolos, a argamassa, os fornos e os moinhos. E a democracia não tem nada a ver com a pergunta: "Quem deve ser o chefe?".

É o mesmo que perguntar: "Quem deve ser o tenor do quarteto?". Obviamente, o homem que pode cantar como tenor. Você não poderia destituir Caruso. Suponha que alguma teoria da democracia musical tenha relegado Caruso ao proletariado musical. Teriam criado outro tenor para substituí-lo? Ou os talentos de Caruso ainda continuariam sendo dele?

O QUE PODEMOS ESPERAR

Estamos – a menos que eu não leia os sinais corretamente – no meio de uma mudança. Ela está acontecendo entre nós, de forma lenta e mal observada, mas com uma garantia firme. Estamos de modo gradual aprendendo a relacionar causa e efeito. Uma grande parte daquilo que chamamos perturbação – grande parte do abalo no que pareciam ser instituições estabelecidas – é, na verdade, a indicação superficial de algo que se aproxima da regeneração. O ponto de vista público está mudando, e nós realmente precisamos apenas de um ponto de vista um pouco diferente para transformar o péssimo sistema do passado em um ótimo sistema futuro. Estamos substituindo aquela virtude peculiar que costumava ser admirada como prática, e que na verdade era apenas teimosa, com inteligência, e também estamos nos livrando do sentimentalismo piegas. A primeira confundia dureza com progresso; a segunda confundia suavidade com progresso. Temos uma visão melhor da realidade e estamos começando a reconhecer que já temos no mundo todas as coisas necessárias para o mais completo tipo de vida, e que melhor as usaremos assim que aprendermos o que são e o que significam.

Tudo o que está errado – e todos sabemos que há muita coisa errada – pode ser corrigido por uma definição clara do erro. Olhamos tanto um para o outro, para o que um tem e o que o outro carece ter, que criamos um caso pessoal com algo que é grande demais para as personalidades. Certamente, a natureza humana entra em grande parte em nossos problemas econômicos. O egoísmo existe e, sem dúvida, colore todas as atividades competitivas da vida. Se o egoísmo fosse a característica de qualquer classe, poderia ser facilmente tratado, mas ele está na fibra humana em toda parte. E a ganância existe. E a inveja existe. E o ciúme existe.

No entanto, à medida que a luta pela mera existência cresce menos – e é menor do que costumava ser, embora o senso de incerteza possa ter aumentado –, temos a oportunidade de liberar alguns dos motivos mais sutis. Pensamos menos nas afetações da civilização à medida que nos acostumamos a elas. O progresso, como o mundo o conhece até agora, faz com que as pessoas adquiram cada vez mais coisas. Há mais equipamentos e mais ferragens no quintal do americano médio do que em todo o domínio de um rei africano. O garoto americano médio tem mais parafernália à sua volta do que toda uma comunidade esquimó. Os utensílios de cozinha, sala de jantar, quarto e despensa formam uma lista que teria surpreendido o potentado mais luxuoso de quinhentos anos atrás. A aquisição de um grande número de equipamentos se dá numa determinada fase da vida. Somos como o índio que chega à cidade com todo o seu dinheiro e compra tudo o que vê. Não existe uma compreensão adequada da grande proporção de mão de obra e material da indústria que é usada para fornecer ao mundo suas tranqueiras e bugigangas, que são fabricadas apenas para serem vendidas e compradas apenas pelo prazer da posse – que não prestam serviço no mundo e são por fim meros resíduos, como a princípio não passavam de mero desperdício. A humanidade está avançando em seu estágio de fabricação de bugigangas, e a indústria está desmoronando para atender às necessidades do mundo, e, portanto, podemos esperar mais avanços em direção àquela vida que muitos agora veem, mas cujo atual estágio "suficientemente bom" atrapalha nossa conquista.

E estamos nos afastando desse culto a pertences materiais. Não é mais uma distinção ser rico. Na verdade, ser rico não é mais uma ambição comum. As pessoas não se importam com dinheiro como antes. Por certo não o admiram, nem a quem o possui. O que acumulamos como excedente inútil não nos honra.

Leva apenas um momento para perceber que, no que diz respeito às vantagens pessoais individuais, vastas acumulações de dinheiro não significam nada. Um ser humano é um ser humano; ele é nutrido pela mesma quantidade e qualidade de alimento, e é aquecido pela mesma quantidade de roupa, seja ele rico ou pobre. E ninguém pode habitar mais de um quarto ao mesmo tempo.

Contudo, se alguém tem visões de serviço, se tem vastos planos que nenhum recurso comum poderia realizar, se tem uma ambição de vida para fazer o deserto industrial florescer como a rosa, e a vida diária repentinamente frutificar em revigoradas e entusiásticas motivações humanas de caráter e eficiência mais elevadas, então se vê em grandes somas de dinheiro o que o agricultor vê em sua semente de milho: o início de colheitas novas e mais ricas, cujos benefícios, assim como os raios de sol, não podem mais ser egoisticamente confinados.

Há dois tolos neste mundo. Um é o milionário que pensa que, juntando dinheiro, pode de alguma forma acumular poder real, e o outro é o reformador sem um tostão, que pensa que se apenas puder pegar o dinheiro de uma classe e entregá-lo a outra, todos os males do mundo serão curados. Ambos estão no caminho errado. Eles podem também tentar encurralar todos os jogos de damas ou todos os dominós do mundo sob a ilusão de que estão assim acumulando grandes quantidades de habilidade. Alguns dos mais bem-sucedidos ganhadores de dinheiro de nossos tempos nunca acrescentaram um centavo à riqueza dos homens. Um jogador de cartas aumenta a riqueza do mundo?

Se todos nós criássemos riqueza até os limites, os limites fáceis, de nossa capacidade criativa, então seria simplesmente o caso de haver o suficiente para todos, e todos receberem o suficiente. Qualquer escassez real das necessidades da vida no mundo – não uma escassez fictícia causada pela falta de discos metálicos tilintantes na bolsa de alguém – é devida apenas à falta de produção. E a falta de produção deve-se com muita frequência à falta de conhecimento de como e o que produzir.

Devemos acreditar nisso como ponto de partida:

Que a terra produz, ou é capaz de produzir, o suficiente para oferecer sustento decente a todos – não apenas de comida, mas de tudo mais que precisamos. Pois tudo é produzido a partir da terra.

Que é possível que a mão de obra, a produção, a distribuição e a recompensa sejam organizadas de modo a garantir que aqueles que contribuem recebam partes determinadas por uma justiça exata.

Que, independentemente das fragilidades da natureza humana, nosso sistema econômico pode ser tão ajustado que o egoísmo, embora talvez não abolido, possa ser despojado do poder de causar sérias injustiças econômicas.

O negócio da vida é fácil ou difícil de acordo com a habilidade ou a falta de habilidade existente na produção e distribuição. Pensava-se que a empresa existia para fins lucrativos. Isso está errado. A empresa existe para prestar serviço. É uma profissão, e deve ter ética profissional para abolir o que desclassifica um homem. As empresas precisam de mais espírito profissional. O espírito profissional busca a integridade profissional, de orgulho, não de compulsão. O espírito profissional detecta as próprias violações e as penaliza. As empresas algum dia se tornarão honestas. Uma máquina que para de vez em quando é uma máquina imperfeita, e a imperfeição está dentro dela. Um corpo que adoece de vez em quando é um corpo doente, e a doença está dentro dele. É assim nos negócios. Suas falhas, muitas das quais não passam de falhas da constituição moral dos negócios, entopem seu progresso e os deixam doentes de vez em quando. Algum dia, a ética dos negócios será reconhecida em todos os cantos do planeta, e nesse dia os negócios serão vistos como a mais antiga e mais útil de todas as profissões.

Tudo o que as indústrias Ford fizeram – tudo o que eu fiz – foi tentar evidenciar por meio do trabalho que o serviço vem antes do lucro e que o tipo de negócio que melhora o mundo por sua presença é uma profissão nobre. Muitas vezes me ocorreu que o que é considerado a progressão relativamente notável de nossas empresas – não direi "sucesso", pois essa palavra é um epitáfio, e estamos apenas começando – se deve a algum acidente; e que os métodos que utilizamos, embora bem a seu modo, se encaixam apenas na fabricação de nossos produtos específicos e não serviriam para nenhuma outra linha de negócios, nem mesmo para produtos ou personalidades além dos nossos.

Costumava-se dar como certo que nossas teorias e nossos métodos eram fundamentalmente insensatos. Isso porque eles não foram entendidos. Os fatos acabaram com esse tipo de comentário, mas ainda subsiste uma crença sincera de que o que fizemos não poderia ser feito por nenhuma outra companhia, que fomos tocados por uma varinha de condão, que nem nós nem ninguém mais podíamos fazer sapatos, ou chapéus, máquinas de costura, relógios ou máquinas de escrever ou qualquer outro produto depois da maneira como fabricamos automóveis e tratores. E que se apenas nos aventurássemos em outros campos, deveríamos descobrir rapidamente nossos erros. Não concordo com nada disso. Nada saiu do ar. As páginas anteriores devem provar isso. Não temos nada que outros não possam ter. Não tivemos boa sorte, exceto aquela que sempre atende a quem dá o melhor de si em seu trabalho. Não havia nada que pudesse ser chamado de "favorável" em nosso começo. Começamos com quase nada. O que temos foi ganho e conquistado com trabalho incessante e fé em um princípio. Pegamos o que era um luxo e o transformamos em uma necessidade, sem truques ou subterfúgios. Quando começamos a fabricar nosso automóvel atual, o país tinha poucas boas estradas e a gasolina era escassa, e a ideia de que um automóvel era o melhor brinquedo de um homem foi firmemente implantada na mente do público. Nossa única vantagem foi a falta de precedentes.

Começamos a fabricar de acordo com um credo – um credo que na época era desconhecido nos negócios. O novo é sempre considerado estranho, e alguns de nós são tão empedernidos que nunca conseguimos ultrapassar o pensamento de que qualquer coisa nova deve ser estranha e provavelmente esquisita. O trabalho mecânico do nosso credo está mudando de forma constante. Estamos continuamente descobrindo novas e melhores maneiras de colocá-lo em prática, mas não achamos necessário alterar os princípios, e não consigo imaginar por que seria necessário alterá-los, porque sustento que eles são absolutamente universais e devem levar a uma vida melhor e mais ampla para todos.

Se eu pensasse assim, não continuaria trabalhando – pois o dinheiro que ganho é inconsequente. O dinheiro é útil apenas porque serve para transmitir, por exemplo prático, o princípio de que os negóciosse justificam apenas porque servem à sociedade, de que sempre se deve dar mais à comunidade do que se tira, e de que, a menos que todos se beneficiem da existência de uma empresa, ela não deveria existir. Provei isso com automóveis e com tratores. Pretendo provar isso com ferrovias e com corporações de serviço público – não para minha satisfação pessoal, nem pelo dinheiro que podem propiciar. (É perfeitamente impossível, aplicando esses princípios, evitar um lucro muito maior do que se o lucro fosse o objetivo principal.) Quero provar isso para que todos possamos ter mais e para que possamos viver melhor aumentando o serviço prestado por todas as empresas. A pobreza não pode ser abolida por fórmula; só pode ser abolida por trabalho árduo e inteligente. Somos, de fato, uma estação experimental para provar um princípio. O fato de ganharmos dinheiro é apenas mais uma prova de que estamos certos. Pois essa é uma espécie de argumento que se estabelece sem palavras.

No primeiro capítulo foi apresentado o credo. Deixe-me repeti-lo à luz do trabalho que tem sido feito com base nele – pois ele está na base de todo o nosso trabalho:

1. Ausência de medo do futuro ou de veneração pelo passado. Quem teme o futuro, quem teme o fracasso limita suas atividades. O fracasso é

apenas a oportunidade mais inteligente para começar de novo. Não há desgraça no fracasso honesto; há desgraça em temer falhar. O passado é útil apenas porque sugere maneiras e meios para o progresso.

2. Desrespeito à concorrência. Quem faz uma coisa melhor deve ser o único a fazê-lo. É criminoso tentar tomar o negócio de outro homem – criminoso porque se está então tentando diminuir, para vantagem pessoal, a condição de seus semelhantes, para governar pela força e não pela inteligência.

3. Colocar o serviço antes do lucro. Sem lucro, os negócios não podem se estender. Não há nada inerentemente errado em obter lucro. As empresas de negócios bem conduzidas não podem deixar de retornar um lucro, mas o lucro deve vir e inevitavelmente virá como uma recompensa por um bom serviço. Não pode ser a base, deve ser o resultado do serviço.

4. Fabricar não é comprar barato e vender caro. É o processo de comprar materiais de maneira justa e, com o menor custo possível, transformar esses materiais em um produto consumível e distribuí-lo ao consumidor. O jogo, as especulações e a negociação por si só tendem a obstruir essa progressão.

Devemos ter produção, mas é o espírito em que ela se baseia que mais conta. Aquele tipo de produção que constitui um serviço inevitavelmente segue um desejo real de estar a serviço. As várias regras totalmente artificiais estabelecidas para finanças e indústria e que são aprovadas como "leis" são quebradas com tanta frequência que provam que não são boas. A base de todo raciocínio econômico é a Terra e seus produtos. Fazer com que o rendimento da Terra, em todas as suas formas, seja grande e confiável o suficiente para servir de base para a vida real – a vida que é mais do que comer e dormir – é o mais elevado serviço. Essa é a verdadeira base para um sistema econômico. Podemos produzir coisas; o problema da produção foi brilhantemente resolvido. Podemos produzir muitos tipos de coisas aos milhões. O modo material de nossa vida está esplendidamente abastecido. Existem processos e melhorias suficientes, atualmente engavetados, aguardando aplicação para trazer o lado físico da vida à integralidade quase milenar. Porém, estamos muito envolvidos nas coisas que estamos fazendo – e não estamos preocupados o suficiente com as razões pelas quais as fazemos. Todo o nosso sistema competitivo, toda a nossa expressão criativa, todo o jogo de nossas faculdades parecem estar centrados na produção material e em seus subprodutos de sucesso e riqueza.

Há, por exemplo, um sentimento de que o benefício pessoal ou de grupo pode ser obtido à custa de outras pessoas ou grupos. Não há nada a ganhar esmagando alguém. Se o bloco dos agricultores esmagasse os fabricantes, os agricultores estariam em melhor situação? Se o bloco dos fabricantes esmagasse os agricultores, os fabricantes estariam em melhor situação? O capital poderia ganhar ao esmagar a mão de obra? Ou a mão de obra ao esmagar o capital? Um homem de negócios ganha ao esmagar um concorrente? Não, a concorrência destrutiva não beneficia ninguém. O tipo de competição que resulta na derrota de muitos e na cruel tirania de poucos deve acabar. A concorrência destrutiva carece das qualidades das quais vem o progresso. O progresso vem de uma forma generosa de rivalidade. A má concorrência é pessoal. Ela trabalha para o engrandecimento de algum indivíduo ou grupo. É uma espécie de guerra. É inspirada pelo desejo de "destruir" alguém. É totalmente egoísta. Ou seja, seu motivo não é o orgulho do produto, nem o desejo de se destacar no serviço, nem a ambição saudável de aproximar-se de métodos científicos de produção. É movida simplesmente pelo desejo de expulsar os outros e monopolizar o mercado pelo bem do retorno do dinheiro. Concluído isso, sempre substitui um produto de qualidade inferior.

Livrar-nos do tipo mesquinho de competição destrutiva nos liberta de muitas ideias fixas. Estamos ligados de forma íntima a métodos antigos e usos únicos e unilaterais. Precisamos de mais mobilidade. Usamos certas coisas de uma só maneira, enviamos certas mercadorias por apenas um canal – e quando esse uso é lento, ou esse canal é interrompido, os negócios também param, e todas as lamentáveis consequências da "depressão" se manifestam. Veja o milho, por exemplo. Existem milhões e milhões de alqueires de milho armazenados nos Estados Unidos sem saída visível. Certa quantidade de milho é usada como alimento para homens e animais, mas não toda. Nos dias anteriores à Lei Seca, certa quantidade de milho entrava na fabricação de bebidas, o que não era um uso muito bom para um bom milho. Mas, ao longo dos anos, o milho seguiu esses dois canais, e quando um deles parou, os estoques começaram a se acumular. É a ficção monetária que retarda o movimento dos estoques, mas mesmo que o dinheiro fosse abundante, não poderíamos consumir os estoques de alimentos que às vezes possuímos.

Se os gêneros alimentícios se tornam abundantes demais para serem consumidos como alimento, por que não encontrar outros usos para eles? Por que usar milho somente para porcos e destilarias? Por que sentar e lamentar o terrível desastre que aconteceu no mercado de milho? Não há uso para o milho além da fabricação de carne de porco ou de uísque? Certamente deve haver. Deveria haver tantos usos para o milho que apenas os usos importantes pudessem ser plenamente atendidos; sempre deve haver canais suficientes para permitir que o milho seja usado sem desperdício.

Certa vez, os agricultores queimaram milho como combustível – o milho era abundante e o carvão, escasso. Foi uma maneira grosseira de se desfazer do milho, mas ela continha a semente de uma ideia. Há combustível no milho; óleo e álcool combustível são obtidos do milho, e está mais do que na hora de alguém abrir esse novo uso para que as safras de milho armazenadas possam ser usadas. Por que ter apenas uma corda para nosso arco? Por que não duas? Se uma quebra, há outra. Se o comércio de suínos diminui, por que o fazendeiro não deveria transformar seu milho em combustível de trator?

Precisamos de mais diversidade geral. O sistema de quatro faixas em todos os lugares não seria uma má ideia. Temos um sistema monetário de via única. É um sistema poderoso para aqueles que o possuem. É um sistema perfeito para os financistas coletores de juros e controladores de crédito, que literalmente possuem a mercadoria chamada dinheiro e a maquinaria pela qual o dinheiro é produzido e usado. Deixe-os manter seu sistema, se quiserem. Todavia, as pessoas estão descobrindo que é um sistema ruim para o que chamamos de "tempos difíceis", porque imobiliza a linha e interrompe o tráfego. Se existem proteções especiais para os juros, também deve haver proteções especiais para as pessoas comuns. Diversidade de saída, de uso e de capacitação financeira são as defesas mais fortes que podemos ter contra emergências econômicas.

É o mesmo com a mão de obra. Por certo, deveria haver esquadrões voadores de jovens que estariam disponíveis para condições de emergência no campo de colheita, na mina, na fábrica ou na ferrovia. Se o fogo de uma centena de indústrias ameaça desaparecer por falta de carvão, e um milhão de homens são ameaçados pelo desemprego, pareceria bom para o negócio e para a humanidade que um número suficiente de homens se voluntariasse para as minas e as ferrovias. Sempre há algo a fazer neste mundo, e somente nós mesmos para fazê-lo. O mundo inteiro pode estar ocioso, e, no sentido da fábrica, pode não haver "nada a fazer". Pode não haver nada para fazer neste lugar ou naquele, mas sempre há algo a fazer. É esse fato que deve nos incitar a tal organização de nós mesmos que esse "algo a fazer" possa ser feito, e o desemprego se reduzir ao mínimo.

Todo avanço começa de maneira pequena e com o indivíduo. A massa pode não ser melhor do que a soma dos indivíduos. O progresso começa dentro do próprio homem; quando ele avança de meio interesse para força de propósito; quando avança da hesitação para a objetividade decisiva; da imaturidade para a maturidade do julgamento; da aprendizagem para o domínio; de um mero trabalhador diletante para um trabalhador que encontra uma genuína alegria no trabalho; quando ele avança de observado para alguém que pode ser encarregado de fazer seu trabalho sem supervisão e sem ser empurrado – por que então o mundo avança! O avanço não é fácil. Vivemos tempos fracos, em que os homens estão sendo ensinados que tudo deve ser fácil. O trabalho que equivale a qualquer coisa nunca será fácil. E quanto mais alto você subir na escala de responsabilidade, mais difícil se tornará o trabalho. A tranquilidade tem o seu lugar, é claro. Todo homem que trabalha deve ter lazer suficiente. O homem que trabalha duro deve ter uma poltrona tranquila, uma lareira confortável, um ambiente agradável. São dele por direito. Mas ninguém merece ter tranquilidade até que seu trabalho esteja concluído. Nunca será possível colocar um estofado confortável no trabalho. Alguns trabalhos são desnecessariamente duros. Podem ser aliviados pelo gerenciamento adequado. Todo dispositivo deve ser empregado para deixar um homem livre para fazer o trabalho de um homem. A carne e o sangue não devem suportar a carga que o aço suporta. Mas mesmo quando se faz o melhor possível, o trabalho continua sendo trabalho, e qualquer homem que se dedique ao seu emprego sentirá que isso é trabalho.

E não pode ser muito exigente. A tarefa designada pode ser menor do que o esperado. O verdadeiro trabalho de um homem nem sempre é o que ele escolheria fazer. O verdadeiro trabalho de um homem é o que ele é escolhido para fazer. Agora mesmo, há mais trabalhos humildes do que haverá no futuro; e enquanto houver trabalhos servis, alguém terá de fazê-los; mas não há razão para que um homem seja penalizado porque seu trabalho é servil. Há uma coisa que se pode dizer sobre trabalhos servis que não se pode dizer sobre muitos empregos chamados de mais responsáveis: eles são úteis, respeitáveis e honestos.

Chegou o momento em que a estafa deve ser eliminada do trabalho. Não é ao trabalho que os homens se opõem, mas à estafa. Devemos afastar a estafa onde quer que a encontremos. Nunca seremos totalmente civilizados até removermos a rotina do trabalho diário. A invenção está fazendo isso em algum grau agora. Conseguimos em grande medida aliviar os homens dos trabalhos mais pesados e mais onerosos, que costumavam minar suas forças, mas, mesmo aliviando o trabalho mais pesado, ainda não conseguimos remover a monotonia. Esse é outro campo que chama nossa atenção: a abolição da monotonia; e, ao tentar realizar isso, descobriremos sem dúvida outras coisas a modificar em nosso sistema.

A oportunidade de trabalhar é agora maior do que nunca. A oportunidade de avançar é maior. É verdade que o jovem de hoje entra em um sistema industrial muito diferente daquele em que o jovem de vinte e cinco anos atrás iniciou a carreira. O sistema foi reforçado; há menos jogo ou conflito nele; menos questões são deixadas à vontade aleatória do indivíduo; o trabalhador moderno se vê como parte de uma organização que aparentemente lhe deixa pouca iniciativa. No entanto, com tudo isso, não é verdade que "os homens são meras máquinas". Não é verdade que a oportunidade tenha sido perdida na organização. Se o jovem se libertar dessas ideias e considerar o sistema como ele é, descobrirá que o que ele pensava ser uma barreira é, na realidade, uma ajuda.

A organização da fábrica não é um dispositivo para impedir a expansão da capacidade, mas um dispositivo para reduzir o desperdício e as perdas por causa da mediocridade. Não é um dispositivo para impedir que o homem ambicioso e lúcido faça o melhor que puder, mas um dispositivo para impedir que o tipo de indivíduo desinteressado faça o pior que puder. Ou seja, quando a preguiça, o descuido, a indolência e o desinteresse são autorizados a seguir o próprio caminho, todo mundo sofre. A fábrica não pode prosperar e, portanto, não pode pagar salários mínimos. Quando uma organização faz com que seja necessário que a classe dos desinteressados trabalhe melhor do que naturalmente faria, é para o benefício deles – eles são melhores física, mental e financeiramente. Que salários poderíamos pagar se confiássemos uma grande classe de desinteressados a seus próprios métodos e marcha de produção?

Se o sistema fabril que elevou a mediocridade a um padrão mais alto também operasse para manter a capacidade a um padrão mais baixo, seria um sistema muito ruim, de fato muito ruim. Entretanto, um sistema, mesmo o perfeito, deve ter indivíduos capazes de operá-lo. Nenhum sistema opera por si só. E o sistema moderno precisa de mais cérebros para sua operação do que o antigo. Hoje, são necessários mais cérebros do que nunca, embora talvez não no mesmo local de antes. É como a energia: antigamente toda máquina era movida pelo pedal de energia; a energia estava direto na máquina. Hoje em dia, porém, movemos a energia por trás – concentrada na casa de força. Assim, também tornamos desnecessário que os mais elevados tipos de capacidade mental estejam envolvidos em todas as operações da fábrica. Os melhores cérebros estão na central elétrica mental.

Todo negócio que está crescendo está ao mesmo tempo criando novas vagas para homens capazes. Não pode deixar de fazê-lo. Isso não significa que novas vagas surjam todos os dias e em grupos. De forma alguma. Elas vêm somente depois de muito trabalho; é o sujeito que suporta a provação da rotina e ainda se mantém vivo e alerta quem por fim entra na direção. Não é o brilho sensacional que se busca no negócio, mas a confiança sólida e substancial. As grandes empresas de artigos de primeira necessidade movem-se lenta e cautelosamente. O jovem ambicioso deve dar uma longa olhada à frente e deixar uma ampla margem de tempo para que as coisas aconteçam.

Muitas coisas vão mudar. Vamos aprender a ser mestres, e não servos da natureza. Com toda a nossa habilidade imaginária, ainda dependemos amplamente dos recursos naturais e achamos que eles não podem ser deslocados. Cavamos carvão e minério e cortamos árvores. Usamos o carvão e o minério, e eles se acabaram; as árvores não podem ser substituídas dentro de uma vida humana. Algum dia, aproveitaremos o calor que nos cerca e não dependeremos mais do carvão – hoje podemos criar calor por meio da eletricidade gerada pela energia da água. Vamos melhorar esse método. À medida que a química avança, tenho quase certeza de que se encontrará um método para transformar coisas em desenvolvimento em substâncias que vão resistir mais do que os metais – mal tocamos nos usos do algodão. Pode-se produzir uma madeira melhor do que a que é cultivada. O espírito de verdadeiro serviço vai criar para nós. Temos apemas a cada um de nós para fazer nossa parte de modo sincero.

Tudo é possível... "A fé é a substância das coisas esperadas, a evidência das coisas não vistas."